MIDVINTERBLOD

Anmäl dig till Pocketförlagets nyhetsbrev
nyhetsbrev@pocketforlaget.se
eller besök
www.pocketforlaget.se

MIDVINTERBLOD

Mons Kallentoft

Pocketförlaget

MIX
Papper från
ansvarsfulla källor
FSC® C007584

www.pocketforlaget.se
redaktion@pocketforlaget.se

© Mons Kallentoft 2008
Svensk utgåva enligt
avtal med Bengt Nordin Agency.

Denna pocket är utgiven enligt överenskommelse med bokförlaget
Natur & Kultur, Stockholm.

Omslag: Niklas Lindblad/ Mystical Garden
Omslagsbild: Eva Lindblad/spegla.se
Författarfoto: Alexander Berg

Tryck: ScandBook AB, 2012

ISBN: 978-91-85625-59-8

Författarens tack

Jag vill tacka följande personer för att de på olika sätt hjälpt mig i arbetet med den här boken:

Bengt Nordin och Maria Enberg för uppmuntran och stort engagemang. Nina Wadensjö och Petra König för vidsyn och nit. Rolf Svensson för hans handlag med papper, bland annat. Min mor Anna-Maria och far Björn för detaljarbetet vad avser Linköpingstrakten.

Jag vill också tacka Bengt Elmström, utan vars förnuft och känsla det nog inte blivit några böcker alls.

Mitt allra största tack riktar jag till min hustru Karolina, som på många sätt varit helt oumbärlig i arbetet med *Midvinterblod*. Vad hade Malin Fors med familj och kollegor varit utan Karolina?

Jag har alltid haft berättelsens bästa för ögonen. Därför har jag tagit mig vissa friheter, om än små, vad gäller polisarbete, Linköping, stadens omgivande geografi och dess invånare.

21/3 2007
Mons Kallentoft

Prolog

[I mörkret]

Slå mig inte.
   Hör ni det?
   Låt mig vara ifred.
   Nej, nej släpp in mig. Äpplen, äppeldoften. Jag känner den.
   Låt mig inte stå här i det kalla vita. Blåsten har slipade nålar som äter mina händer, mitt ansikte tills ingen frostig hud, inget kött, inget fett blir kvar på benen, kraniet.
   Märker ni inte att jag försvinner. Ni kunde inte bry er mindre, eller hur?
   Maskarna krälar på jordgolvet.
   Jag hör dem. Och mössen, hur de älskar och blir galna av värmen, sliter varandra i stycken. Vi borde vara döda nu viskar de, men du har tänt din kamin och håller oss vid liv, vi är ditt enda sällskap i kylan. Men vilket sällskap sedan. Har vi någonsin levat, eller dog vi för länge sedan, i ett rum så trångt att ingen kärlek kunde rymmas i det?
   Jag drar ett fuktigt tyg om min magra kropp, ser elden brinna i kaminens fönster, känner röken sprida sig genom min svarta håla och sippra ut till de sovande tallarna, granarna, mossan och gråstenen, isen på sjön.
   Var finns värmen? Endast i vattnet som kokar. Om jag somnar, vaknar jag då?
   Slå inte.
   Låt mig inte stå i snön. Utanför.
   Jag blir blå, sedan vit som allt annat.
   Här får jag vara ensam.

Jag sover nu och i drömmen kommer orden tillbaka: Fittunge, pisseglin, du är inte på riktigt, du finns inte.

Men vad gjorde jag er? Säg mig det enda: Vad har jag gjort? Vad hände?

Och varifrån kom äppeldoften första gången? Äpplena är runda, men de briserar, försvinner i mina händer.

Kaksmulor på golvet under mig.

Och jag vet inte vem hon är, men det svävar en naken kvinna över min kropp, hon säger: Jag ska ta hand om dig, du finns för mig, vi är människor, vi hör ihop, men så slits hon bort, min hålas tak vrids upp av en svart vind och där ute hör jag hur något ålar sig efter hennes ben och hon skriker och tystnar. Så är hon tillbaka, men hon är en annan nu, den ansiktslösa jag saknat hela mitt liv, kom hon undan, slog hon mig, vem är hon egentligen?

Det blinkar i inkorgen. Fullt där. Utkorgen tömd.

Jag kan utplåna saknaden.

Jag kan strunta i att andas.

Om saknaden och andningen försvinner så kommer tillhörigheten. Eller hur?

Jag har vaknat. Jag är många år äldre, men min håla, kylan, vinternatten och skogen är desamma. Jag måste göra något. Jag har gjort det redan. Någonting har hänt.

Varifrån kommer blodet på mina händer?

Och ljuden.

Vad är det för fel på dem?

Maskarna och mössen hörs inte för allt oväsendet.

Din röst. Bankandet på de hopspikade plankorna som är min hålas dörr. Så nu kommer du, ni, äntligen hit.

Bankandet. Drick inte så mycket.

Är det ni? Eller de döda?

Vem som än är där ute, säg att ni kommer med vänlighet i sinnet. Säg att ni kommer med kärlek.

Lova mig det.

Lova mig så mycket.

Lova.

Del 1.

Den sistnämnda kärleken

1.

Torsdag den andra februari

Kärleken och döden är grannar.

Deras ansikte är ett och samma. En människa behöver inte sluta andas för att dö, och den behöver inte andas för att leva.

Det finns aldrig någon försäkran vare sig vad gäller döden eller kärleken.

Två människor möts.

Kärlek.

De älskar.

Och de älskar och de älskar och sedan, en dag, tar kärleken slut lika tvärt som den en gång verkade uppstå, dess vresiga källa strypt av omständigheter, yttre eller inre.

Eller så fortsätter kärleken tills det att tiden tar slut eller så är den omöjlig från början, men ändå oundviklig.

Är sådan kärlek, den sistnämnda, mest till besvär?

Det är den, tänker Malin Fors samtidigt som hon nyss utkommen ur duschen, stående i morgonrock vid diskbänken, med ena handen brer smör på en skiva grovt bröd och med den andra för en kopp starkt kaffe till läpparna.

Ikea-klockan på den vitmålade väggen visar 06.15. Utanför fönstret, i skenet från gatlyktorna, verkar luften ha stelnat till is. Kylan omsluter S:t Larskyrkans grå stenväggar och lönnarnas vita grenar ser ut att ha givit upp för länge sedan: Inte en natt till med temperaturer under tjugo, knäck oss hellre, låt oss falla döda till marken.

Vem kan älska sådan här kyla?

Den här dagen, tänker Malin, är inte skapad för de levande.

Linköping är förlamat, stadens gator hänger slappa på jordskorpan och imman på fönstren har gjort husen blinda.

Folk orkade inte ens ta sig till Cloetta Center för att se LHC spela igår kväll, bara ett par tusen personer, när det alltid brukar vara fullsatt annars.

Undrar hur det gick för Martin? tänker Malin, hennes kollega Zekes son, den egna produkten, målskytten som nosar på landslag och proffskarriär. Själv orkar hon inte uppbåda mycket intresse för hockeylaget, men bor man i staden är det omöjligt att undgå ödena på isen.

Knappt några människor i rörelse.

Resebyrån i hörnet av S:t Larsgatan och Hamngatan hånar med affischer för det ena resmålet mer exotiskt än det andra; solen, stränderna, de overkligt blå himlarna tillhör en annan, beboelig planet. En ensam mamma stretar med en tvillingvagn utanför Östgötabanken, barnen nedbäddade i svarta påsar, osynliga, viljelösa, starka men ändå så oändligt sårbara. Mamman halkar på isfläckar dolda under ett pudertäcke, hon snavar, men driver sig själv framåt som om inget annat är möjligt.

»Fy bövelen för vintrarna här.»

Inom sig hör Malin sin pappas ord, hur han några år tidigare motiverade köpet av en trerums bungalow mitt i ett av Teneriffas pensionärsområden: Playa de la Arena, strax norr om Playa de las Américas.

Hur har ni det nu? tänker Malin.

Kaffet värmer i magen.

Ni sover säkert fortfarande och när ni vaknar är det till sol och värme.

Här, tänker Malin, härskar frosten.

Ska jag väcka Tove? Trettonåringar kan sova länge, gärna dygnet runt om tillfälle bjuds och en vinter som denna skulle det vara skönt att gå i ide några månader, att slippa ge sig ut och istället vakna utvilad på andra sidan kallgraderna.

Tove får sova. Hennes långa, gängliga kropp får vila.

Första lektionen börjar inte förrän klockan nio. Malin kan se det framför sig. Hur hennes dotter tvingar sig upp halv nio, stapplar ut i badrummet, duschar, klär sig. Hon sminkar sig aldrig. Och sedan ser

Malin hur Tove hoppar över frukosten, trots alla förmaningar. Kanske skulle jag prova en ny taktik, tänker Malin: »Frukost är skadligt för dig, Tove. Vad du än gör, ät inte frukost.»

Malin dricker det sista ur koppen med kaffe.

De få gånger Tove är uppe tidigt är det för att läsa klart en av alla de böcker hon med närmast besatthet slukar, hon har en märkligt avancerad smak för sin ålder. Jane Austen, tänker Malin. Vilka trettonåringar mer än Tove läser sådant? Men å andra sidan. Hon är inte riktigt som andra trettonåringar, behöver aldrig anstränga sig för att vara bäst i klassen. Kanske vore det bra om hon fick anstränga sig, möta motstånd, på riktigt?

Tiden har dragit iväg, och hon vill komma till jobbet, vill inte missa halvtimmen mellan kvart i sju och kvart över då hon nästan alltid får vara ensam på polishuset och ostörd kan förbereda dagen.

I badrummet tar hon av sig morgonrocken. Slänger den på det gula plastgolvet.

Glaset i spegeln på väggen är aningen böjt och trots att det gör hennes en och sjuttio långa kropp en smula hoptryckt ser hon smärt ut; atletisk och kraftfull och redo att möta vad skit som än kan slängas på henne. Hon har mött den förr, skiten, tagit emot den, vuxit och gått vidare.

Inte illa för en trettiotreåring, tänker Malin och självförtroendet finns där, *det finns ingenting som jag inte klarar*, och sedan tvivlet, vissheten, *jag har inte kommit någonstans, allra minst vidare och det är mitt eget fel, bara mitt eget fel.*

Kroppen.

Hon koncentrerar sig på den.

Klappar sig på magen, pressar ut revbenen så att de små brösten åker fram, men i samma stund som hon ser vårtorna peka rätt ut hejdar hon sig.

Istället böjer hon sig hastigt ner och plockar upp morgonrocken. Hon fönar sin blonda page torr, låter håret lägga sig över de tydliga, men mjuka kindknotorna och bli till en mantel på pannan ovan de raka ögonbrynen, som hon vet framhäver hennes kornblåa ögon. Malin plutar med munnen, önskar sig större läppar, men det kanske skulle se konstigt ut mot hennes korta, aningen trubbiga näsa?

I sovrummet klär hon sig i jeans, en vit blus och en grovstickad svart ullpolo.

I hallspegeln rättar hon till håret, tänker att man nog inte ser rynkorna vid ögonbrynen. Hon drar på sig sina Caterpillar-boots.

För vem vet vad som väntar?

Kanske måste hon ut i terrängen. Den tjocka svarta falska dunjackan inköpt på Stadium i köpcentret Tornby för åttahundrasjuttiofem kronor får henne att känna sig som en reumatisk mångubbe, trög och osmidig i rörelserna.

Har jag allt med?

Mobilen, plånboken i fickan. Pistolen. Detta ständiga bihang. Vapnet hänger kvar över stolsryggen vid den obäddade sängen.

Madrassen skulle kunna rymma två kroppar och det skulle ändå bli plats över för ett mellanrum, ett avstånd för sömn och ensamhet under nattens allra mörkaste timmar, men hur hitta någon du står ut med om du ofta inte ens står ut med dig själv?

Hon har ett kort på Janne bredvid sängen. Hon brukar intala sig själv att det står där för att göra Tove glad.

På bilden är Janne solbränd och han ler med munnen men inte med sina blågröna ögon. Bakom honom är himlen klar och bredvid vajar en palm försiktigt i vinden och i bakgrunden kan man ana en djungel. Janne bär en ljusblå FN-hjälm och en kamouflagefärgad bomullsjacka med Räddningsverkets märke och han verkar vilja vända sig om, försäkra sig om att det inte kommer något rovdjur ur den täta grönskan.

Rwanda.

Kigali.

Han har berättat om hur hundar åt av människor som ännu inte var döda.

Janne åkte, åker, har alltid åkt frivilligt. I varje fall är det den officiella versionen.

Till djungeln så tät av mörker att man anar ljuden av slagen från ondskans hjärta, till blodvåta, minerade bergsvägar på Balkan, lastbilar med mjölsäckar som dånar förbi grunda massgravar, illa dolda av sly och sand.

Och frivilligt var det från början, för oss.

Kortversionen:

En sjuttonåring och en tjugoåring möts på ett vanligt vilket som helst disco i vilken som helst landsortsstad. Två människor utan planer, lika men olika men med en doft och aningar som stämmer för varandra. Så efter två år händer det som inte får hända. En tunn hinna av plast spricker och barnet börjar växa.

»Vi måste ta bort det.»

»Nej, det här är vad jag alltid velat.»

Deras ord går om varandra och så har tiden runnit ut och dottern kommer, solstrålarnas solstråle och de leker familj. Så går ett par år och något stumnar, blir inte som det var tänkt, eller inte tänkt alls och kropparna får en egen vilja bortom all sans och vett.

Ingen explosion, utan en pyspunka, som leder långt, långt ut i geografin och ännu längre in i själen.

Kärlekens livegenskap, tänker Malin.

Bitterljuv. Som hon tänkte då, efter att de separerat, när flyttlasset gick till Stockholm och polisskolan, när Janne flytt till Bosnien: Om jag blir bäst på att utplåna det onda, då kommer det goda till mig.

Visst kan det vara så enkelt?

Då blir kärleken möjlig igen. Eller hur?

På väg ut ur lägenheten känner Malin pistolen trycka mot bröstkorgen. Hon öppnar försiktigt dörren till Toves sovrum. Hon kan urskilja väggarna i mörkret, raderna med böcker på bokhyllorna, ana Toves oproportionerliga tonårskropp under det turkosa lakanet. Tove sover nästan ljudlöst, det har hon gjort sedan hon var två. Innan dess var hennes sömn orolig, hon vaknade flera gånger per natt, men sedan var det som om hon förstod att tystnaden och lugnet var nödvändigt, åtminstone om natten, som om tvååringen instinktivt visste att en människa ibland behöver ha natten fri för drömmar.

Malin lämnar lägenheten.

Går långsamt de tre trapporna ner till husets entré. För varje steg känner hon kylan komma närmare. Det är nästan minusgrader i trappuppgången.

Måtte nu bilen starta. Det är nästan så kallt att bensinen skulle kunna frysa till is.

Hon tvekar vid dörren. Köldröken sveper i slöjor genom gatlyktornas koner. Hon vill springa tillbaka uppför trapporna, gå in i lägenheten, slita av sig kläderna och krypa tillbaka ner i sängen. Sedan kommer den igen, längtan till polishuset. Alltså: Slit upp dörren, spring till bilen, fumla med nyckeln, öppna dörren, kasta dig in, starta och kör iväg.

Kylan kopplar strypgrepp när hon kommer ut, hon tycker sig höra näshåren knastra vid varje andetag och hon känner hur tårvätskan blir trög av kölden, men hon kan ändå läsa inskriptionen ovanför en av S:t Larskyrkans sidoportar: »Saliga äro de renhjärtade ty de skola se Gud.«

Var är bilen? Den silverfärgade Volvon av årsmodell 2004 står på sin plats, mittemot Galleri S:t Lars.

Bulliga armar.

Med svårighet får Malin ner handen i den jackficka där hon tror nycklarna ligger. Inga nycklar. Nästa ficka och så nästa. Fan. Hon måste ha glömt dem däruppe. Så kommer hon på sig själv: De är i jeansens framficka.

De stela fingrarna värker när hon trycker ner dem i fickan. Men där är nycklarna.

Öppna dig nu, dörrjävel. Isen har skonat nyckelhålet och snart sitter Malin i förarsätet och svär: Över kylan, över en motor som bara hackar och vägrar att starta.

Hon försöker om och om igen.

Men bilen vägrar.

Malin kliver ur. Tänker: Jag måste ta bussen, men varifrån går den? Satan, vad kallt, satans jävla biljävel, och så ringer telefonen.

Klohand om den ilskna plastmojängen. Hon orkar inte se efter vem det är.

»Ja, Malin Fors.«

»Zeke här.«

»Min jävla bil startar inte.«

»Ta det lugnt, Malin. Ta det lugnt. Lyssna. Det har hänt en jävla grej. Jag berättar när jag kommer. Om tio minuter hos dig.«

Zekes ord verkar sväva i luften. Av tonfallet hör Malin att något riktigt allvarligt har hänt, att den kallaste vintern i mannaminne just blivit ännu några grader mindre förlåtlig, att kölden visat sitt rätta ansikte.

2.

Den tyska körmusiken dånar genom bilen och Zacharias »Zeke» Martinsson håller ratten i ett stadigt grepp när han kör förbi villaområdet Hjulsbros ytterkanter. Genom sidorutan anar han de röda och gröna gavlarna på de rymliga radhusen. De målade plankorna är täckta av frost och träden som hunnit växa sig resliga på de dryga trettio år som gått sedan husen byggdes ser avmagrade och tärda ut i kylan, men ändå: Hela området ser märkligt varmt och ombonat, välmående ut.

Läkargetto, tänker Zeke. Så är benämningen i staden. Och området är onekligen populärt bland doktorerna på sjukhuset. Mitt emot, på andra sidan Stureforsleden, bortom en parkeringsplats, ligger de vita, lågvuxna hyreshusen i Ekholmen, hem för några tusen invandrare och infödda svenskar långt ner i hackordningen.

Malin lät trött, men inte nyvaken. Kanske hade hon sovit dåligt. Kanske ska jag fråga henne om något särskilt har hänt? Men nej, låt det bero. Hon brukar bara bli sur om man frågar hur hon mår.

Zeke försöker hålla tankarna borta från det de är på väg till. Vill inte ens veta hur det kommer att se ut. Tids nog får de se, men killarna i patrullbilen lät rejält skärrade och fattas bara annat om det var så illa som de sa. Han har blivit bra på det med åren, att fördröja, skjuta upp jävelskapet även om det ibland drabbar rakt på.

Johannelund.

Pojklagsfotbollsplanerna nere vid Stångån täckta med snö. Där spelade Martin med Saab innan han bestämde sig för att satsa på hockeyn på heltid. Jag var aldrig mycket till fotbollspappa, tänker Zeke, och nu, nu när det börjar gå riktigt bra för grabben orkar jag knappt gå på matcherna. Igår kväll var en plåga. Trots att de slog Färjestad med 4–3. Jag kan inte, hur mycket jag än vill, älska det spelet. Dess fåntuffhet.

Kärlek, tänker Zeke, antingen finns den eller inte. Som min egen till körsången.

Två kvällar i veckan övar de, Da Capo, kören han varit med i sedan han vågade sig dit en kväll för nästan ett decennium sedan. Konserter kanske en gång i månaden, en resa om året till någon festival.

Zeke tycker om kravlösheten i umgänget med de andra i kören, ingen bryr sig om vad den eller den gör annars, de träffas, pratar och så sjunger de. Ibland, när han står med de andra, omsluten av sång i ett ljust kyrkorum, upplever han det som möjligt att faktiskt tillhöra något, vara en del av något som är större än hans egen obetydliga person. Som om det i sången finns en enkelhet och tydlig glädje som inte kan rymma något ont.

För det gäller att hålla det onda i schack, så mycket som det går.

På väg mot ondskan nu. Så mycket är säkert.

Folkungavallen.

Nästa steg i bollhierarkin. Fotbollsarenan satt på undantag och färdig för renovering. Linköpings FF:s damlag tillhör de bästa i landet, en hopköpt samling tjejer, många landslagsspelare, som aldrig lyckats förföra stadens invånare. Sedan simhallen. De nybyggda husen vid parkeringshuset. Han svänger in på Hamngatan, förbi Hemköp och Åhléns och sedan ser han Malin stå och huttra utanför sin port. Varför står hon inte inne i trapphuset och väntar?

Hon hukar sig men verkar ändå på något vis orubblig när hon slår med armarna om sin kropp, hela hon liksom förankrad i marken av kölden, av vissheten om att det här är början på ännu en dag när hon ska ägna sig åt det hon verkligen är lämpad för.

Och hon är lämpad, Malin, för polisarbete. Om jag gjort något illa, skulle jag inte vilja ha henne efter mig, tänker Zeke, samtidigt som han viskar: »Ja, jävlar, du Malin, vart ska den här dagen ta oss?«

Körmusiken neddragen till ett minimum. Hundra viskande röster i bilen.

Vad berättar en människas röst? tänker Malin.

Dess snärt, dess heshet, sättet att liksom kväva orden halvvägs?

Zekes röst har en heshet som ingen annan röst Malin hört, en anspråksfull slipad ton som försvinner när han sjunger, men som blev extra tydlig när han nyss berättade vad som hänt:

»Det är tydligen en jävla syn», sa han och hesheten gav hans ord skärpa. »Det var vad killarna i bilen sa när de ringde in. Men när är det något annat?»

»Vadå?»

»Något annat än en jävla syn?»

Zeke sitter bredvid henne, på Volvons förarplats, och har blicken stint fäst på den glansiga vägen.

Ögonen.

Vi litar på dem. Nittio procent av de intryck som ger oss vår bild av omvärlden står ögonen till tjänst med. Det vi inte kan se finns inte. Nästan. Vad som helst kan gömmas undan i en garderob, så är det borta. Problemet löst, bara så där.

»Aldrig», säger Malin.

Zeke nickar med sitt renrakade huvud. Placerad på en osedvanligt lång hals verkar skallen inte höra ihop med hans korta, seniga kropp. Huden stramar över kindbenen.

Malin kan inte se hans ögon där hon sitter. Men hon litar på sitt minne av dem.

Hon känner de ögonen. Vet att de vilar långt in i kraniet och mestadels är stilla. I deras matta grågröna färg finns alltid ett polerat, närapå evigt ljus som är hårt och milt på samma gång.

Fyrtiofem år gammal har han mycket av erfarenhetens lugn, samtidigt som åren på något vis gjort honom mer rastlös, oförsonlig, eller som han sa till henne efter några öl och snapsar för mycket på julfesten:

»Det är vi mot dom, Malin. Ibland, hur sorgligt det än må låta, måste vi använda deras metoder. Det är det enda språk vissa sorters män verkligen förstår.» Han sa det utan bitterhet eller belåtenhet, det var bara ett konstaterande.

Zekes rastlöshet syns inte, men hon känner den. Hur måste han inte lida på Martins matcher?

»... en jävla syn.»

Det tog elva minuter från det att Zeke ringt, tills han plockade upp henne utanför lägenheten. Hans korta konstaterande när hon satte sig i bilen fick henne att rista ännu mer i kroppen samtidigt som det mot hennes vilja gjorde henne märkligt upprymd.

Linköping genom bilrutan.

Staden glupsk sin litenhet till trots, fernissan märkligt tunn över historien.

Det som en gång var en fabriksstad och handelsplats för bönder blev snart en universitetsstad, fabrikerna till största delen nedlagda, de lämpade invånarna pressade in i utbildningar, in på högskolan, på universitetet, och snart reste sig landets mest fåfänga stad på slätten, med landets mest märkvärdiga invånare.

Linköping.

Staden som fyrtiotalist, som osäker akademiker med en bakgrund som ska sopas under mattan till varje pris. Ett folk som vill vara fint och klär sig i klänning och kostym för att gå och fika i centrum på lördagarna.

Linköping.

En utmärkt stad att bli sjuk i.

Eller ännu hellre brännskadad.

På universitetssjukhuset finns landets främsta brännskadeavdelning. Malin var inne där en gång, i samband med ett fall, vitklädd från topp till tå. De vakna patienterna skrek eller jämrade sig, de nedsövda drömde om att få slippa vakna.

Linköping.

Flygarnas domäner. Flygindustrins hemvist. Stålkråkor kraxar i skyn. Tunnor, Drakar, Viggen och Jas. Det spiller över och plötsligt går nyrika människor på gatorna, deras teknologiföretag sålda till Amerika.

Och så slättlandet och skogarna runtomkring. Hemvist för alla de vars gener inte orkar med så snabba förändringar, de vars koder protesterar, vägrar. Omöjligheten i att bottna någonstans.

Janne. Är du en av dem?

Är det våra koder som inte håller samma takt?

Urskogsindianerna. Människorna i samhällen som Ukna, Nykil

och Ledberg. Man kan se indianerna i träningsoveraller och träskor sida vid sida med läkarna och ingenjörerna och testpiloterna ute på Ikea på lördagarna. Sida vid sida ska människan leva. Men om koden säger ifrån? Om nästankärleken är omöjlig? I brytpunkten mellan då och nu, mellan här och där, innanför och utanför, föds ibland våldet som enda möjlighet.

De åker förbi Skäggetorp.

Vitteglade miljonprogramshus runt ett öde centrum, i hyreslängorna bor de verkligt långväga. De som vet hur det känns när ens uniformsklädda torterare knackar på dörren om natten, de som har hört macheter vina genom luften just när gryningen väcker djungeln, de som ännu inte blivit föremål för firande på Invandrarverket.

»Ska vi åka över Vreta kloster, eller tar vi Ledbergsvägen?»

»Det här är inte riktigt mina domäner», svarar Malin.

»Bestäm du. Fortast möjligt.»

»Borde vara rakt fram. Förresten: Hur var matchen igår?»

»Prata inte om det. De där röda sitsarna på centret är rena tortyren för mjukdelarna.»

Zeke kör förbi avfarten till Ledbergsvägen och vidare mot Vreta kloster.

Åt öster breder Roxen ut sig. Täckt av is liknar den en malplacerad glaciär och rakt fram, bortanför sjön, klänger sig villorna på Vreta Klosters gräddhylla fast i sluttningen upp från vasskanten. Slussarna i Göta Kanal strax bredvid väntar på sommarens nöjesseglare och kanalbåtar fyllda med penningstinna amerikanska turister.

Klockan på instrumentbrädan.

07.22.

En jävla syn.

Hon vill säga åt Zeke att stå på gasen, men förblir tyst, istället sluter hon ögonen.

Vid den här tiden börjar folk anlända till stationen, och i vanliga fall skulle hon hälsa de andra på Utredningsroteln på Kriminalavdelningen i Linköping godmorgon från sin plats bakom skrivbordet i det öppna kontorslandskapet. Hon skulle läsa av deras humör, stämma av exakt vilken ton som skulle gälla just denna dag. Hon skulle säga eller tänka:

»Godmorgon Börje Svärd. Du har varit uppe och rastat dina hundar, det blir aldrig för kallt för att ge dina schäfrar kärlek, eller hur? Hundhåren sitter i dina tröjor, på din jacka, i ditt eget allt tunnare hår. Dina hundars skall är som röster för dig. Och hur orkar du, egentligen? Hur kan det vara att se någon man älskar lida så som din fru lider varje dag?»

»Godmorgon Johan Jakobsson. Svårt att få barnen i säng igår? Eller är de sjuka? Det går vinterkräksjuka nu. Har ni vakat och torkat kräks hela natten, du och din fru? Eller fick ni uppleva den stilla glädje som kommer med barn som somnar tidigt och med gott humör? Lämnar din fru idag, och är det du som hämtar? Ni kommer i tid, du är alltid i tid, Johan, även om den aldrig räcker till. Och oron, Johan, jag ser den i dina ögon, hör den i din röst, den försvinner aldrig, jag vet vad den innebär eftersom den finns inom mig själv.»

»Godmorgon rotelchefen. Hur mår kommissarie Sven Sjöman idag? Var försiktig. Den där buken är alldeles för stor, på alldeles fel sätt. Infarktmage, som läkarna på Universitetssjukhuset säger. Änkebuk, som de skrockar i fikarummet på IVA före bypassoperationerna. Se inte så där uppfordrande på mig Sven, du vet att jag alltid försöker göra mitt bästa. Var försiktig. Jag behöver alla som tror på mig, för hur lätt är det inte att tvivla, även om ens drivkraft är långt större än man själv förstår. Och så hans ord, råd: *Du har talang för det här Malin. Verklig talang, ta vara på den. Det finns mängder av talang i världen, men utnyttjad talang är det ont om. Se till det som ligger framför dig, men lita inte bara på ögonen, lita på din magkänsla, Malin. Lita på magkänslan. En utredning består av en massa röster, sådana du kan höra och inte höra. Våra egna och andras. Det gäller att lyssna till de ljudlösa rösterna, Malin. Det är i dem sanningen döljer sig.*»

»God morgon Karim Akbar. Du vet väl att även landets yngste, mest mediale polischef behöver hålla sig väl med oss hantverkare? Du glider genom rummet i dina välpressade, glänsande italienska kostymer och det är alltid omöjligt att veta vilken väg du ska ta. Du pratar aldrig om *ditt* Skäggetorp, om de orange plåtfasadhusen i Nacksta i Sundsvall där du växte upp ensam med mamma och sex syskon efter att ni flytt från turkiska Kurdistan och din far tagit livet av sig i förtvivlan över att inte hitta sig en anständig plats i det nya landet.»

»Vad sitter du och tänker på, Malin? Du verkar helt borta.»

Zekes ord är en pisksnärt nu och Malin rycks tillbaka från sin hälsningslek, tillbaka till bilen, tillbaka till rörelsen mot händelsen, mot våldet som finns i brytpunkterna, tillbaka till det vinterbitna landskapet.

»Ingenting», svarar hon. »Jag bara tänkte på hur varmt och skönt det måste vara på stationen nu.»

»Du har fått kylan på hjärnan, Malin.»

»Hur skulle man inte kunna få den på hjärnan?»

»Stålsätt dig så försvinner den.»

»Kylan?»

»Nej, tanken på den.»

De passerar Sjöviks fruktodling. Malin pekar ut genom fönstret, bort mot de frostiga växthusen.

»Där», säger hon. »Kan man köpa tulpaner på våren. Tulpaner i alla upptänkliga färger.»

»Åh, fan», säger Zeke. »Jag kan knappt bärga mig.»

Patrullbilens påslagna ljus syns som kulörta blinkande stjärnor mot det vita fältet och himlen.

De närmar sig sakta, bilen verkar långsamt dra i sig meter efter meter av kyla, av snötäckta fält, av platsens uppenbara lämplighet för ensamhet. Meter för meter, kristall för kristall, närmar de sig sitt mål, en rundning, buktning i atmosfären, en händelse som kommer av en händelse som kommer av en händelse som påkallar nuets uppmärksamhet. Vinden driver mot vindrutan.

Volvons hjul slirar över den plogade vägen, och kanske femtio meter från de spelande ljusen avtecknar sig en ensam ek suddigt mot horisonten, gråvita tentakler blir till en klättrande giftspindel på den vita himlen, det fina grenverket ett nät av minnen och aningar. Ekens grövsta gren bågnar ner mot marken, och sakta släpper kylan de slöjor som hittills dolt tyngden för Zekes och Malins ögon.

En gestalt utanför patrullbilen. Två huvuden i dess bakruta. En grön Saab tvärstannad några meter framför.

Avspärrningar runt trädet, nästan ända ut till vägen.

Och så i trädet. Den inte så granna synen.
Något för ögonen att tvivla på.
För röster att berätta om.

3.

På ett sätt är det skönt att hänga här uppe.

Utsikten är fin och min frusna kropp vaggar behagligt i blåsten. Jag kan låta tankarna vandra som de vill. Det finns ett lugn här som jag aldrig tidigare upplevt, och som jag inte ens anade kunde finnas. Min röst är ny, blicken likaså. Kanske är jag nu den människa jag aldrig fick en chans att bli.

Det ljusnar borta vid horisonten och Östgötaslätten är gråvit och till synes oändlig, vyn bara bruten av klungor av träd som omgärdar små gårdar. Snön driver i vågor över åkrarna och fälten, vallar blandas med barmark och där nere, långt från mina dinglande fötter, vid en polisbil står en ung man klädd i grå overall, tittar oroligt och förväntansfullt, ja nästan lättat mot bilen som närmar sig. Så vänder han blicken mot mig, liksom bevakande, precis som om jag skulle smita min väg.

Blodet har stelnat i min kropp.

Mitt blod har stelnat på himlen och stjärnorna och långt ute i de mest avlägsna galaxerna. Ändå finns jag här. Men jag behöver inte andas längre, och det skulle ju vara svårt, med tanke på snaran om min hals. När han klev ur bilen och närmade sig i sin röda jacka, gud vet vad han gjorde här ute så tidigt, så skrek han, sedan mumlade han: Fy fan, fy fan, fy fan herregud.

Sedan fick han bråttom med att ringa och nu sitter han i bilen och skakar på huvudet.

Gud, ja. Jag försökte med honom en gång men vad kunde han ge mig? Jag ser det överallt: Detta tröstlösa åkallande människor ägnar sig åt så fort de kommer i lag med det de tror är mörker.

Jag är inte ensam nu, det finns oändligt många som jag omkring mig, men ändå är det inte trångt, vi får alla plats och det med råge, här, i mitt oändligt expanderande universum krymper allt samtidigt ihop. Blir klart, men ännu märkligt grumligt.

Visst gjorde det ont.

Visst var jag rädd.

Visst försökte jag fly.

Men ändå. Långt inom mig visste jag att jag hade levt färdigt, nöjd var jag inte, men trött var jag, trött på att röra mig i cirklar runt det som var mig förvägrat, som jag ändå, någonstans långt därinne ville ha, ville vara delaktig i.

Människors rörelser.

Aldrig mina rörelser.

Därför är det behagligt att hänga här naken och död i en ensam ek på ett av landets bördigaste tunnland. Jag tycker de två ljusen på bilen som närmar sig borta på vägen är vackra.

Vackert fanns aldrig förr.

Kanske finns det bara för oss döda?

Det är skönt, så skönt att slippa de levandes alla bekymmer.

Kylan är doftlös. Den nakna, blodiga kroppen ovanför Malins huvud rör sig långsamt fram och tillbaka, eken en motvillig knarrande galge vars ljud blandas med surrandet av en bilmotor på tomgång. Huden har lossnat på den buktande magen och på ryggen i stora sjok och det blottade köttet, fruset, är ett virrvarr av matta röda nyanser. Här och där på lemmarna, liksom planlöst, är såren djupa, konkava, liksom skurna med kniv i skivor ur kroppen. Könet verkar orört. Ansiktet saknar konturer, är en blåsvart svullen frusen massa av sönderslaget fett. Endast ögonen, uppspärrade och blodsprängda, ja nästan förvånade och hungriga men samtidigt fyllda av en tvekande rädsla, röjer att ansiktet är en människas.

»Han måste väga minst hundrafemtio kilo», säger Zeke.

»Minst», svarar Malin och tänker att hon sett den blicken förr hos mordoffer, hur allt igen blir ursprungligt när vi ställs inför döden, hur vi går tillbaka till den nya människa vi en gång var. Rädda, hungriga, men från första stund förmögna till att bli förvånade.

Hon brukar göra så, när hon ställs inför scener som den här. Tänka bort dem, med hjälp av minnet och sådant som hon läst, försöka få det ögonen ser och det teorierna berättar att stämma ihop.

Hans ögon.

Mest av allt ser hon ilska i dem. Och förtvivlan.

De andra väntar borta i patrullbilen. Zeke sa åt den uniformerade att sätta sig i bilen och vänta.

»Du behöver inte stå här ute och frysa. Han hänger där han hänger.»

»Ska ni inte höra han som hittade honom?»

Den uniformerade såg sig över axeln.

»Det var han som hittade honom.»

»Låt oss först ta en koll.»

Och så denna svällande frusna kropp i denna ensamma ek; en gigantisk förvuxen bebis som någon, eller några, plågat livet ur.

Vad vill du mig? tänker Malin. Varför har du fört mig hit den här gudsförgätna morgonen?

Vad vill du berätta?

Fötterna, blåsvarta med svartnande tår, dinglar mot det vita.

Ögonen, tänker Malin. Din ensamhet. Den är som en rörelse över slätten, staden och vidare in i mig.

Först det uppenbara.

Grenen sitter fem meter över marken, inga kläder, inget blod på snön, inga spår i det grunda täcket runt trädet, andra än de riktigt färska från ett par kängor.

Från mannen i bilen som hittade dig, tänker Malin. Ett är säkert: Du kan inte ha kommit dit upp själv, och såren på din kropp, de måste någon annan ha givit dig. Och du har troligtvis inte fått dem här, då skulle marken under dig vara täckt med blod. Nej, du har frusit länge på en annan plats, så länge att ditt blod stelnat.

»Ser du märkena på grenen?» frågar Zeke samtidigt som han ser upp mot kroppen.

»Ja», svarar Malin. »Det är som om något rivit av barken.»

»Jag svär på att han som gjorde det här använt en travers för att få upp honom i trädet, och sedan fäst snaran i efterhand.»

»Eller de», säger Malin. »Det kan ha varit flera.»

»Inga spår som leder hit från vägen.»

»Nej, men det var en blåsig natt. Marken ändrar karaktär minut för minut. Lös snö, skare. Det byts hela tiden. Hur länge blir ett spår kvar? En kvart. En timme. Inte mer.»

»Vi får ändå låta teknikerna frilägga marken.»

»Då kommer de behöva de största värmeaggregaten på jorden», säger Malin.

»Det får de fixa.»

»Hur länge tror du han hängt där?»

»Omöjligt att säga. Men säkert inte längre än sedan förnatten. På dagen hade någon sett honom.»

»Han kan ha varit död länge innan dess», säger Malin.

»Det är Johannisons sak.»

»Något sexuellt?»

»Är inte allt det, Fors?»

Efternamnet. Zeke använder det när han skämtar, när han svarar på en fråga han tycker är onödig eller dum, eller bara dumt formulerad.

»Kom igen, Zeke.»

»Jag tror inte det är sexualrelaterat. Nej.»

»Bra, då är vi överens.»

De går tillbaka mot bilarna.

»Den som gjorde det här», säger Zeke, »måste besitta en djävulsk målmedvetenhet. För hur man än gör, är det ingen lätt sak att få den kroppen hit ut och upp i det trädet.»

»Man måste vara jävligt ilsken», säger han sedan.

»Eller väldigt sorgsen», svarar Malin.

»Sätt er i vår bil istället. Den är fortfarande varm.»

De uniformerade masar sig ur patrullbilen.

Den medelålders mannen i baksätet tittar menande mot Malin och gör en ansats att resa sig.

»Du kan stanna», säger hon och mannen sjunker ihop men förblir spänd, och det rycker i hans smala ögonbryn. Hela hans kropp verkar uttrycka en och samma sak: Hur i helvete ska jag förklara det här? Vad gjorde jag härute, så dags?

Malin sätter sig bredvid honom, Zeke tar plats i framsätet.

»Skönt», säger Zeke. »Det är skönare här inne än där ute.»

»Det var inte jag», säger mannen vänd mot Malin och hans blå ögon är fuktiga av oro. »Jag skulle inte stannat, för helvete vad dumt, jag skulle bara åkt vidare.»

Malin lägger handen på mannens arm. Dunet under det röda tyget sjunker undan för hennes fingrar.

»Du gjorde det rätta.»

»Alltså jag hade varit ...»

»Seså», säger Zeke vänd mot baksätet. »Ta det lugnt. Börja med att berätta vad du heter.»

»Vad jag heter?»

»Just det», nickar Malin.

»Min älskarinna ...»

»Namnet.»

»Liedbergh. Peter Liedbergh.»

»Tack Peter.»

»Nu kan du berätta.»

»Alltså jag har varit hos min älskarinna i Borensberg och tog den här vägen hem. Jag bor i Maspelösa och det blir närmast från det hållet. Det erkänner jag, men jag hade inget med det här att göra. Ni kan kolla med henne. Hon heter ...»

»Vi ska kolla», säger Zeke. »Så du var på väg hem från en kärleksnatt?»

»Ja, och så tog jag den här vägen. Den är ju plogad, och så såg jag något konstigt och stannade, i trädet, och jag gick ut, och fy fan, fy fan, helt enkelt. Herregud.»

Människors rörelser, tänker Malin. Lysande billjus i natten, blinkande punkter. Sedan säger hon:

»Det var ingen här när du kom? Såg du någon annan?»

»Tomt som i graven.»

»Mötte du någon bil?»

»Inte på den här vägen. Men någon kilometer före infarten mötte jag en herrgårdsvagn, jag minns inte märket.»

»Numret?»

Zekes hesa röst.

Peter Liedbergh skakar på huvudet.

»Ni kan kolla med min älskarinna. Hon heter ...»

»Vi ska kolla med henne.»

»Ni vet. Först ville jag bara åka vidare. Men sedan, ja jag vet ju vad som är det rätta i ett sådant här läge. Jag svär, jag hade inget med det att göra.»

»Det tror vi inte heller», säger Malin. »Jag, jag menar vi, håller det för otroligt att du skulle ringt om du hade något med det här att göra.»

»Och min fru, måste min fru få veta något?»

»Om vad?» undrar Malin.

»Jag sa till henne att jag skulle jobba. På Karlssons Bageri, jag jobbar natt där, men då åker man från ett annat håll.»

»Vi behöver inget säga till henne», säger Malin. »Men hon får nog veta ändå.»

»Men vad ska jag säga till henne?»

»Säg att du tog en extra sväng. För att du kände dig pigg.»

»Det går hon aldrig på. Jag brukar alltid vara supertrött. Och i den här kylan.»

Malin och Zeke ser på varandra.

»Något mer du tror kan vara viktigt för oss?»

Peter Liedbergh skakar på huvudet.

»Får jag åka nu?»

»Nej», säger Malin. »Teknikerna måste kolla din bil, och ta dina skoavtryck. Vi måste kolla att det är dina avtryck och ingen annans vi har där ute. Och så ska du ge namn och nummer till din älskarinna åt våra kollegor.»

»Jag skulle inte ha stannat», säger Peter Liedbergh. »Det hade varit bättre om han hade fått hänga kvar. Jag menar, förr eller senare hade ändå någon upptäckt honom.»

Vinden tilltar i styrka, tvingar sig genom det falska dunet i Malins jacka, går igenom huden, köttet och vidare ända in i märgens minsta molekyler. Stresshormonerna går igång, hjälper musklerna att sända smärtsignaler till hjärnan och det gör ont i hela kroppen. Malin tänker på hur det måste vara att frysa ihjäl. Man dör aldrig av kölden, utan av stressen, smärtan kroppen upplever när den inte kan hålla temperaturen och går upp på övervarv och lurar sig själv. När man är riktigt kall, känner man en värme sprida sig i kroppen. Det är en bedräglig njutning, lungorna kan inte längre syresätta blodet och man kvävs och somnar samtidigt, men man är varm, och de som återvänt från det tillståndet pratar som de som nästan drunknat, hur de sjunker neråt, neråt, för att sedan stiga uppåt på moln så mjuka och vita och varma att all rädsla försvinner. Det är ett fysiologiskt påhitt det där mjuka, tänker Malin. Det är bara döden som smeker för att vi ska acceptera den.

En bil närmar sig långt borta.

Teknikerna som kommer redan?

Knappast.

Snarare hyenorna på Östgöta Correspondenten som fått vittring på Årets bild. Är det han? hinner Malin tänka innan det knakar oroväckande högt från eken, och hon vänder sig om och ser hur det rister i kroppen, tänker: Det kan inte vara skönt att hänga där.

Vänta bara lite så ska vi hjälpa dig ner.

4.

»Malin, Malin, vad kan du ge mig?»

Kylan verkar äta upp Daniel Högfeldts ord, få ljudvågorna att stumna halvvägs i luften. Trots att han är klädd i pälskragad dunjacka finns något direkt men ändå elegant över hans kropps sätt att förflytta sig genom luften, hans sätt att liksom äga och utöva makt över marken där han går.

Hon möter hans blick, och hon ser ett hånleende, ett glimrande hånleende i den, en berättelse bortom det här ögonblicket, en hemlig historia som han vet att hon inte vill att någon här ska veta det minsta om. Och hon ser beräkningen: Jag vet, du vet, och jag ska använda det för att få det jag vill, här och nu. Utpressning, tänker Malin. Funkar inte på mig. När ska du spela ut ditt kort, Daniel? Nu? Varför inte. Ett bra tillfälle. Men jag viker mig inte. Vi är lika gamla, men vi är inte lika.

»Är han mördad, Malin? Hur hamnade han i det där trädet? Något MÅSTE du ge mig.»

Plötsligt är Daniel Högfeldt helt nära, hans raka näsa verkar nudda hennes egen: »Malin?»

»Du tar inte ett steg till. Och jag säger ingenting. Jag MÅSTE ingenting.»

Och hånleendet i ögonen blir ännu tydligare, men Daniel bestämmer sig för att backa.

Fotografens kamera rasslar när hon rör sig precis utanför avspärrningarna runt trädet och kroppen.

»Inte så nära, din idiot», skriker Zeke, och i ögonvrån ser Malin hur de två uniformerade poliserna rusar iväg mot fotografen, som sakta sänker kameran och drar sig bakåt mot reportagebilen.

»Malin, han är mördad alltså, eftersom ni vill hålla platsen ren, något måste du kunna säga. Ser inte ut som ett självmord om du frågar mig.»

Hon föser Daniel åt sidan, känner sin armbåge snudda vid hans, vill gå tillbaka, ta om rörelsen, men istället hör hon honom ropa efter henne och hon tänker: Hur i helvete kunde jag? Hur får man bli så dum?

Sedan vänder hon sig åter mot journalisten från Correspondenten: »Inte ett steg ut på åkern. Tillbaka till bilen och håll er i den, eller ännu bättre, åk härifrån, det är bara kallt här, inget annat och bilder på kroppen har ni, eller hur?»

Daniel ler ett vältrimmat pojkleende som till skillnad från hans ord skär rakt genom kylan.

»Men Malin, jag gör bara mitt jobb.»

»Det som kommer att hända här är att teknikerna anländer och gör sitt, det är allt. Vi kommer att ta allt därifrån.»

»Jag har det här», ropar fotografen och Malin tänker att hon inte kan vara mer än åtta, nio år äldre än Tove, och hur det måste värka i de nakna kamerafingrarna.

»Hon fryser», säger Malin.

»Hon gör väl det», säger Daniel. Sedan bylsar han förbi Malin, i riktning mot bilen utan att se sig om.

När tanken först kom till mig, att hon faktiskt skulle hjälpa mig ner, blev jag trött på att hänga här. För sådant är mitt tillstånd. Jag svävar och jag finns på plats. Jag finns på ett ställe och överallt. Men det här trädet är ingen plats för vila, vilan kanske aldrig kommer. Jag vet inte än.

Så alla dessa människor i sina vadderade kläder.

Vet de inte hur fåfänga de är?

Tror de att de kan hålla kylan borta?

Kan ni inte ta ner mig nu?

Jag börjar bli trött på det här hängandet, den här leken ni leker på snön under mig. Men visst. Det är roligt att se hur era steg i snön blir till spår, spår jag kan roa mig med att följa, runt, runt som oroliga minnen dolda i oåtkomliga synapser.

»Jag tål honom inte», säger Zeke samtidigt som Correspondentens bil försvinner bort i kylan. »Han är som en kokainstinn igel med ADHD.»

»Det är därför», säger Malin, »som han är så duktig på sitt jobb.»

Zekes amerikanskinspirerade metaforer. De dyker upp när man minst anar att de ska göra det och Malin har ofta undrat var de kommer ifrån. Zeke har så vitt hon vet aldrig gillat amerikansk populärkultur, han vet nog knappt vem Philip Marlowe är.

»Om han är så jävla duktig, vad gör han då på en lokaltidning?»

»Han trivs väl här?»

»Säkert.»

Sedan ser Malin bort mot kroppen.

»Hur tror du det är att hänga där uppe?»

Orden får dröja kvar i den kalla luften.

»Det är bara kött nu», säger Zeke. »Kött känner inte hur saker är. Vem den personen, människan, än var, så är han inte här längre.»

»Men ännu kan han berätta saker för oss», säger Malin.

Karin Johannison, analytiker, obducent och forskare på Statens kriminaltekniska laboratorium, SKL, med en halvtidstjänst som brottsplatsundersökare vid Linköpingspolisen, slår febrilt med armarna om sin dunjackeklädda kropp, elegant i en oelegant rörelse. Små rester av fjädrar yr som missbildade snökorn i luften och Malin tänker att den jackan måste varit otroligt dyr med tanke på de välfyllda röda kuddarna.

Till och med i pälsmössa och med kinder rosa av februarikylan ser Karin ut som sinnebilden av en lätt åldrad Rivieraprinsessa, som en medelålders Françoise Sagan, utan ett moln på sin himmel och alldeles för snygg för att ha det jobb hon har. Solbrännan från Thailandssemestern i julas dröjer sig kvar i hennes hud och ibland, tänker Malin, har jag önskat att jag kunde varit som du Karin, gift mig till pengar och det enkla livet.

De närmar sig kroppen försiktigt, i tidigare upptrampade spår.

Karin agerar ingenjören, tränger undan den nakna människan i trädet framför dem, undviker att se fettet, huden, det som en gång varit ansiktet, förtränger alla de aningar som dragit genom den svullna kroppens hjärna och som nu sakta sänker sig över staden, slätten och skogarna som ett illavarslande mummel; ett kvidande som bara kanske kan tystas på ett sätt, genom ett svar på frågan:

Vem gjorde det?

Vad ser du, Karin?

Jag vet, tänker Malin, du ser ett objekt, en skruv eller mutter, en förtäljelseapparat som ska analyseras, som ska få berätta sin inbyggda historia.

»Han kan knappast ha hamnat där av sig själv», säger Karin ståendes nästan rakt under kroppen. Nyss fotograferade hon skoavtrycken runt den, lade en linjal bredvid dem, för även om det med största sannolikhet bara är deras egna och Peter Liedberghs är de tvungna att kolla.

Malin svarar inte, istället frågar hon:

»Hur länge tror du han varit död?»

»Omöjligt att veta av att bara titta på honom. Jag får arbeta förutsättningslöst här. De frågorna får vi svar på i obduktionssalen.»

Det förväntade svaret. Malin tänker istället på Karins solbränna, hennes fylliga jacka och på hur vinden drar genom hennes eget Stadium-tyg.

»Vi måste undersöka marken, innan vi kan ta ner honom», säger Karin. »Vi får ringa hit värmeaggregaten som militären har uppe i Kvarn, och spänna upp ett tält så vi blir av med all den här snön.»

»Blir det inte lervälling då?» frågar Malin.

»Bara om man håller på för länge», svarar Karin. »De kan nog ha aggregaten här på några timmar. Om de inte är i tjänst någon annanstans.»

»Han borde inte hänga där länge till», säger Malin.

»Det är trettio minus ute», säger Karin. »Det händer inget med kroppen i sådan kyla.»

Zeke har låtit motorn gå på tomgång och det skiljer säkert fyrtio grader mellan kupén och luften utanför, varm andedräkt blir till iskristaller på sidorutorna.

Malin sätter sig i passagerarsätet.

»Dra igen dörren snabbt», väser Zeke. »Har fru Johannison koll på läget?»

»Kvarn. Hon tar aggregat därifrån.»

Ytterligare två patrullbilar har anlänt och genom kristallernas vita grenverk ser Malin Karin dirigera de uniformsklädda på fältet.

»Vi kan åka nu», säger Zeke.

Malin nickar.

När de åter passerar Sjöviks fruktodling vrider Malin på radion, ställer in P4. En gammal väninna, Helen Aneman, är programledare där varje dag mellan klockan sju och tio.

Klockan på instrumentbrädan visar 08.38.

Väninnans mjuka röst tar vid efter att »A whiter shade of pale» tonat ut.

»Under förra låten gick jag in på Correns sajt. Det här är ingen vanlig dag i Linköping, kära lyssnare. Och då menar jag inte kylan. Polisen har hittat en naken man i en ek mitt ute på slätten, åt Vreta Kloster-hållet till.»

»Det var raskt marscherat», överröstar Zeke radion.

»Han är på, Daniel», säger Malin.

»Daniel?»

»Vill ni börja dagen med något magstarkt», hörs sammetsrösten i radion, »gå in på Correns sajt, det är en annorlunda fågel i trädet man ser på bilderna där.»

5.

Daniel Högfeldt lutar sig bakåt på sin kontorsstol och det flexibla ryggstödet böjer sig villigt mot golvet.

Han gungar fram och tillbaka som han gjorde i farfars gungstol i stugan på Vikbolandet, den som brann ner strax efter att farmor äntligen fått somna in på Vrinnevisjukhuset. Daniel ser först ut genom fönstren mot Hamngatan, sedan över det öppna redaktionslandskapet, på kollegorna som hukar över sina datorer, de allra flesta likgiltiga inför sina jobb, nöjda med det de har och trötta, så trötta. Finns det ett gift som är värre än andra för journalister, tänker Daniel, så är det tröttheten. Den förstör, förgör.

Jag är inte trött.

Inte det minsta.

Han nämnde Malin i sin artikel om mannen i trädet.

Malin Fors vid Linköpingspolisen vill inte ge några som helst ...

Fram och tillbaka.

Precis som de flesta brottsutredningar han bevakat.

Knatter från tangentbord, spridda rop över rummet och en sur kaffedoft.

Flera av hans gamla kollegor är cyniska bortom det produktiva. Men inte han. Istället så gäller det att bibehålla ett slags respekt för de människor vars historia och olycka är ens levebröd.

En naken man i ett träd. Hängd.

En välsignelse för den med tidningssidor att fylla och sälja.

Men också något annat.

Staden kommer att vakna. Var så säker.

Jag är duktig på det jag gör för att jag kan leka leken »journalistik», men också för att jag vet att hålla distansen och hur man spelar människor.

Cyniskt?

Hamngatan vintersvept där ute.

Skrynkliga lakan i Malin Fors lägenhet. Bara två kvarter bort.

Sven Sjömans fårade panna, hans buktande buk, jeansskjortan nödtorftigt nedstoppad i de bruna ullbyxorna. Hans ansikte lika livlöst grått som kavajen han bär, hans tunna hår lika vitt som whiteboarden han står framför. Sven föredrar att hålla mötesgruppen liten och informera andra berörda efter hand. Stormöten, som de har i andra polisdistrikt, är aldrig lika produktiva enligt hans åsikt.

Han börjar som han brukar vid möten av det här slaget, när de ska dra igång arbetet med ett nytt fall av dignitet. Frågan *vem* måste få ett svar och det är hans ansvar att sätta frågan i rörelse, ge den en riktning som förhoppningsvis leder mot svaret: *han, hon, dom.*

Det finns en lurande tomhet, ett sipprande gift i mötesrummet. För alla de fem församlade poliserna vet att när frågetecknet blir hängande i luften kan det påverka och förändra en hel bygd, en trakt, ett land eller en hel värld.

Rummet ligger på bottenplanet i en av de gamla militärkaserner på A1-området som byggdes om till polishus för tiotalet år sedan då regementet lades ner: Militär ut, ordningsmakt in.

Utanför de spröjsade fönstren finns en tio meter bred snötäckt gräsmatta, sedan en lekpark tom och öde; gungställningarna och klätterställningarna är målade i klara färger men den vita frosten gör lekdonen till ett virrvarr av grå nyanser. Bortom parken, innanför dagisets stora fönster kan Malin se barnen leka, springa fram och tillbaka, uträtta de bestyr som hör deras värld till.

Tove.

Det var länge sedan du sprang så.

Malin ringde henne från bilen, Tove svarade på väg ut genom dörren: »Klart jag kom upp.»

»Ta på dig ordentligt.»

»Tror du jag är dum eller?»

Zeke: »Tonåringar. De är som hästar på en kapplöpningsbana. Gör aldrig som man vill.»

Ibland, när de haft tunga våldsutredningar och satt upp bilder på väggarna i mötesrummet, har de fällt ner persiennerna för att skydda dagisbarnen, låta dem slippa se bilderna de säkert ser på tv varje dag, när flimret står på planlöst i ett rum någonstans, och bild läggs till bild och barnen lär sig lita på sina ögon.

En avskuren hals. Ett bränt lik hängt i en telefonstolpe, ett svullet lik i en översvämmad stad.

Och nu Sjömans ord, samma ord som alltid, hans hesa röst:

»Och vad har vi här då tror ni? Någon som har några idéer? Ingen har ringt in och anmält någon saknad, och skulle så ske hade det nog redan hänt vid det här laget. Så vad tror vi?» En fråga som slängs ut i rummet av en stående man till sittande personer vid ett avlångt bord, ett finger som trycker på en play-knapp, ord som musik, som toner, spröda och hårda mellan fyra väggar.

Johan Jakobsson tar till orda och det märks att han väntat på att få höra sin egen röst, att han velat säga något vad som helst, om så bara för att sätta stopp för den egna tröttheten.

»Det står skrivet ritual över det hela.»

»Vi vet inte ens säkert att han blivit mördad», säger Sven Sjöman. »Vi vet det inte helt säkert förrän Karin Johannison gjort sitt. Men vi kan utgå från att han blivit mördad. Så mycket är klart.»

Man vet aldrig någonting säkert, Malin. Förrän man vet. Tills dess: Ovetandets dygd.

»Det ser ut som en ritual.»

»Vi måste börja helt förutsättningslöst.»

»Vi vet inte vem han är», säger Zeke. »Det vore en bra början, att få reda på vem han är.»

»Kanske någon ringer. Bilderna är i tidningen redan», säger Johan och Börje Svärd, som till dess suttit tyst, suckar.

»De bilderna? Man ser inte ansiktet.»

»Men hur många så överviktiga kan det finnas i trakten? Och snart kommer någon undra vart denna överviktiga människa tagit vägen.»

»Var inte så säker, Johan», säger Malin. »Stan svämmar över av människor som ingen skulle sakna om de försvann.»

»Men han ser så speciell ut, hans kropp ...»

»Har vi tur», avbryter Sven Johan, »ringer någon. Till att börja med får vi invänta undersökningen på plats och obduktionen, och så får vi knacka dörr i grannskapet, se om någon sett eller hört något, om någon vet något vi borde veta. Vi har, som ni vet, en fråga som måste besvaras.»

Sven Sjöman, tänker Malin.

Fyra år kvar tills han är sextiofem, fyra år av risk för hjärtattack, fyra år av övertid, fyra år av fruns goda, omsorgsfullt lagade men ack så feta mat. Fyra år av för lite motion. *Änkebuk.* Men Sven är ändå förnuftets röst i rummet, erfarenhetens stämma, den ohävdande, den som berättar om sans och osjälvisk, mogen ordning.

»Malin, du och Zeke får huvudansvaret för förundersökningen», säger Sven. »Jag ser till att ni får de resurser ni behöver för fotarbetet. Ni andra två hjälper till så mycket ni hinner.»

»Jag hade gärna tagit hand om detta», säger Johan.

»Johan. Vi har annat också», säger Börje. »Vi har inte lyxen att kunna koncentrera oss på en enda sak.»

»Är mötet avslutat?» undrar Zeke, samtidigt som han drar ut sin stol och reser sig.

I samma sekund som de alla kommit på fötter öppnas dörren till rummet.

»Ni kan sitta ner igen.»

Karim Akbar lägger all den pondus som finns i hans trettiosjuåriga, muskulösa kropp bakom orden och han ställer sig bredvid Sven Sjöman och inväntar att de fyra poliserna åter sjunker ner på sina stolar.

»Ni förstår hur viktigt det är», säger Karim och Malin tänker att det inte finns ett spår av brytning i hans röst trots att han kom till Sverige först som tioåring. Han pratar en tom och ren rikssvenska.

»Hur viktigt det är», upprepar han sig, »att vi får ordning på det här», och han låter precis som om han pratade om en avhandling som behöver struktureras om inför disputationen.

Flit och nit.

Börjar man på minus och vill komma på ultraplus får man inte lämna något åt slumpen. Karim har skrivit kontroversiella debattartiklar i Svenska Dagbladet och Dagens Nyheter. Perfekt svarvade efter tidens krav. Hans åsikter har upprört många: Att invandrare måste få krav ställda på sig, att bidrag ska kopplas till språkkunskaper i svenska redan efter ett år i landet. Att utanförskap bara kan bli innanförskap genom ansträngning.

Hans ansikte i tv-rutan i debattprogram. Ställ krav, frigör människors inneboende kraft. Se på mig, det går. Jag är ett levande exempel.

Men alla de räddhågsna? tänker Malin.

De som föds tvekande?

»Vi vet att vårt jobb är just det. Få ordning på sådana här saker», säger Zeke och Malin ser hur Johan och Börje ler i smyg samtidigt som Sven gör en min som betyder: Lugna dig nu Zeke, låt honom hålla sitt tal, bara för att du inte söker konflikt betyder inte det att du endast är ett verktyg för honom. *Du har väl för guds skull blivit äldre, Martinsson?*

Karim ger Zeke en blick som säger: Visa mig respekt, inte den tonen, men Zeke viker inte undan. Så istället fortsätter Karim:

»Tidningarna, media, kommer att uppmärksamma det här stort, och jag kommer att få svara på många frågor. Det måste gå fort att komma fram till en lösning här, vi måste visa Linköpingspolisens effektivitet.»

Malin tänker att det låter som om Karims ord kommer ur en mask, så där pratar ingen på riktigt, att den dugliga människan framför henne spelar rollen av en duglig människa, när han egentligen skulle vilja slappna av och visa sin ... ja, vad ... sårbarhet?

Sedan vänder sig Karim mot Sven.

»Hur har du fördelat resurserna?»

»Fors och Martinsson blir huvudansvariga. De har fulla resurser till sitt förfogande. Jakobsson och Svärd hjälper till så mycket de hinner. Andersson, han är sjukskriven, och Degerstad, hon är på utbildning i Stockholm. Så ligger det till.»

Karim tar ett djupt andetag, håller luften länge i sina väldiga lungor innan han andas ut.

»Nu gör vi så här. Du, Sven, tar som vanligt huvudansvaret som förundersökningsledare, och ni andra fyra får bilda ett team. Allt annat får vila. Det här har högsta prioritet.»

»Men ...»

»Så får det bli, Martinsson. Jag tvivlar inte på dig och Fors men nu behöver vi fokusera krafterna.»

Svens buk verkar bli ännu större, fårorna i hans panna djupare.

»Ska jag kontakta Rikskrim? Formellt vet vi inte ens att han blivit mördad.»

Karim rör sig i riktning mot dörren.

»Inget Rikskrim. Det här klarar vi själva. Du rapporterar till mig var tredje timme eller när något dyker upp.»

Smällen från den igenslagna dörren ekar i rummet.

»Ni hörde vad han sa. Ni får dela upp arbetet mellan er och rapportera till mig efterhand.»

Barnen som lekte innanför dagisets fönster är borta. En gul Calder-inspirerad mobil vajar strax nedanför de schackrutiga gardinerna.

Blå fettsprängd hud.

Sönderslagen och ensam i den isande vinden.

Vem var du? tänker Malin.

Kom tillbaka och berätta vem du var.

6.

Nu har ni rest ett tält under mig, dess gröna färger blir gråa i kvällen och jag vet att ni har det varmt där inne, men inget av den värmen kommer till mig.

Kan jag ens känna värme längre? Kunde jag det någonsin? Jag levde i landet utanför, på ett sätt fri från er värld, men vilken frihet sedan.

Men jag behöver inte er värme längre, inte som ni uppfattar den, värmen finns omkring mig, jag är inte ensam, eller så är jag just det, jag är ensamheten, dess kärna. Kanske var jag ensamhetens kärna när jag levde? Ensamhetens innersta materia, det mysterium vi närmar oss lösningen på, den kemiska reaktion, den säkerligen enkla, men allt omfattande, process i våra hjärnor som ger upphov till de varseblivningar som i sin tur ger oss ett medvetande och som är förutsättningen för den verklighet vi känner som vår egen. Flitens lampa brinner i forskarnas laboratorier. När vi knäckt den koden, har vi knäckt dem alla. Då kan vi vila. Skratta eller skrika. Upphöra. Men till dess?

Irra, arbeta, leta efter svar på allsköns frågor.

Inte underligt vad ni håller på.

Snön smälter, rinner undan, men ni kommer inte att hitta någonting, så ta bort tältet, hämta en kran och plocka ner mig. Jag är en främmande frukt, jag ska inte hänga här, det rubbar balansen och det har börjat knaka i grenen, till och med trädet protesterar, hör ni inte det?

Ja, just det, ni är ju döva allihop, tänk vad fort man glömmer egentligen, vad de egna tankarnas irrfärder kan göra med en, vart de kan ta en.

»Mamma, har du sett min ögonskugga?»

Toves röst från badrummet är förtvivlad, ilsken och uppgiven på samma gång, men samtidigt fylld av en ihärdig, sammanbiten och nästan skrämmande målmedvetenhet.

Ögonskugga? Det var inte igår, precis. Malin kan inte komma ihåg när Tove sminkade sig sist och hon undrar vad som ska hända den här kvällen.

»Ska du ha ögonskugga?» ropar Malin från sin plats i soffan. Rapport har just börjat och de har mannen i trädet som tredjenyhet, efter ett utspel av statsministern, och någon meteorologforskartyp som säger att den nuvarande kylan kan vara det slutgiltiga beviset på ett trendbrott, att vi går mot en ny istid som kommer att lägga hela vårt land under metertjocka granithårda kristaller.

»Vad tror du jag frågar efter den för?»

»Ska du träffa en kille?»

Det blir tyst utifrån badrummet, sedan ett ensamt »Fan», när necessären som står på badrumsskåpet uppenbarligen flyger ner i golvet. Sedan:

»Där är den. Jag hittade den, mamma.»

»Bra.»

En manlig reporter från Östnytts redaktion står vid den mörka brottsplatsen, bara strålkastare lyser upp tältet i bakgrunden, och man kan ana kroppen i trädet men bara om man vet att den hänger där.

»Jag står här ute på ett iskallt fält några mil utanför Linköping. Polisen har ...»

I hela länet sitter människor och ser samma bilder som jag, tänker Malin. Och de undrar samma sak: Vem var han? Hur hamnade han där? Vem gjorde det?

I de tv-tittandes ögon är jag en leverantör av sanningen, som ser till att de onda förpassas bakom lås och bom. Jag är den som förväntas förvandla oro till trygghet, men det är nu aldrig så enkelt i verkligheten bortom rutan. Där är det alltid testbild, nyansrikt och oöverblickbart, betydelser överallt och ingenstans, och så en klocka som tickar tick tack och alla som väntar på att något nytt, tydligare, bättre, ska ta vid.

45

»Mamma får jag låna parfym av dig?»

Parfym?

Hon har en dejt, tänker Malin, den första i så fall. Och sedan: Vem? Var? När? Tusen frågor, aningar och oro i hundra skepnader drar genom henne på bråkdelen av en sekund.

»Vem är det du ska träffa?»

»Ingen. Får jag låna parfymen?»

»Visst.»

»...kroppen hänger ännu kvar.»

Kameran rör sig åt sidan, och i det tvära mörkret över tältet vaggar kroppen av och an och Malin vill byta kanal, men samtidigt vill hon titta. Klipp till eftermiddagens presskonferens. Karim Akbar i välpressad kostym i polishusets stora sammanträdesrum, det svarta håret slickat bakåt, ansiktet allvarligt, men ögonen kan inte dölja hur mycket han älskar strålkastarljuset, hur det verkar bekräfta honom.

»Vi vet ännu inte om han blivit mördad.»

Mikrofoner från TV4 i förgrunden. En fråga ur journalistmassan, hon känner igen Daniel Högfeldts röst:

»Varför låter ni kroppen hänga kvar?»

Daniel.

Vad gör du nu?

Karim svarar med självklart tonfall: »Av utredningstekniska skäl. Vi vet ännu i princip ingenting. Vi arbetar förutsättningslöst.»

»Mamma, har du sett min röda polo?» Toves röst från hennes eget rum nu.

»Har du tittat i byrålådan?»

Några korta sekunder går, sedan en triumferande röst.

»Där är den.»

Bra, tänker Malin, sedan tänker hon på vad förutsättningslöst inneburit och kommer att innebära: Åka runt till gårdarna och stugorna inom en trekilometersradie från trädet, knacka på hos bönderna, pendlarna och de arbetsskygga sjukskrivna.

»Jaså, så pass. Nej, jag har ingenting sett.» »Så dags sover jag.» »I den här kylan håller jag mig inne.» »Jag brukar sköta mitt, det blir bäst så.»

Likadant för Johan och Börje som för henne och Zeke, ingen vet eller har sett något, det är som om hundrafemtiokiloskroppen flugit till snaran där i trädet, parkerat sig själv i en ögla i väntan på uppmärksamhet.

Tillbaka till hallåan.

»Naturligtvis följer vi utvecklingen i Linköping.» Paus. »I London...»

Så står Tove i dörren till vardagsrummet.

»Jag läste om det där på nätet», säger hon. »Har du hand om det?»

Men Malin kan inte svara på sin dotters fråga. Istället bara gapar hon när hon får se henne, barnet som låg i sängen i morse, den lilla flickan som för bara kvarten sedan gick in i badrummet är förvandlad, hon har sminkat sig och satt upp håret och något, något har hänt, en aning av kvinna har lagt sig över dotterns uppenbarelse.

»Mamma? Mamma, hallå?»

»Vad fin du är.»

»Ja, jag ska på bio.»

»Jag arbetar med fallet.»

»Så bra att jag ska till pappa i morgon då, så du kan jobba över.»

»Tove. Snälla. Säg inte så där.»

»Jag går nu. Jag är hemma vid elva. Sista föreställningen är slut då, vi ska fika innan.»

»Vem ska du gå med?»

»Anna.»

»Om jag säger att jag inte tror dig, vad svarar du då?»

Tove rycker på axlarna.

»Vi ska se Tom Cruises nya film», och sedan säger Tove namnet på en film Malin aldrig hört talas om. Lika selektiv som Tove är i sina bokval, lika frisinnad är hon vad det gäller film.

»Den känner jag inte till.»

»Men mamma, du vet ju inget om sådana saker.»

Tove vänder sig om, försvinner ur Malins blickfång, och hon kan höra henne rumstera om i hallen. Ropar:

»Behöver du pengar?»

»Nej.»

Och Malin vill följa efter, tror inte på det här, men vet att hon inte borde, inte kan, ska. Eller är det precis tvärtom, att hon ska?

»Hej då.»

Oro.

Johan Jakobsson, Börje Svärd, Zeke, alla föräldrar känner den, oron.

Det är kallt där ute.

»Hej då, Tove.»

Och lägenheten sluter sig om Malin.

Hon stänger av tv:n med fjärrkontrollen.

Lutar sig tillbaka i soffan och tar en klunk av sin tequila, den hon hällde upp till sig själv efter middagen.

Hon och Zeke åkte till Borensberg och förhörde Liedberghs älskarinna. Kvinnan var kanske fyrtio, varken vacker eller ful, bara en i mängden av alldagliga kvinnor med lustar att leva ut, att uppfylla. Hon bjöd dem på kaffe och hembakta bullar. Berättade att hon var ensamstående och arbetslös, hur hon försökte få dagarna att gå samtidigt som hon sökte de jobb som hon trodde det fanns en chans att få. »Det är svårt», sa Peter Liedberghs älskarinna. »Antingen är man för gammal eller så faller det på att jag inte har rätt utbildning. Men det löser sig till slut.»

Kvinnan bekräftade Liedberghs berättelse. Sedan skakade hon på huvudet. »Tur att han tog den vägen. Vem vet hur länge han kunde förblivit oupptäckt i kylan annars.»

Malin såg på porslinsfigurerna som stod uppställda på fönsterbrädan i köket. En hund, en katt, en elefant. En liten djurpark av porslin som sällskap.

»Älskar du honom?» frågade Malin.

Zeke skakade instinktivt på huvudet.

Men kvinnan tog inte illa vid sig av frågan.

»Vem? Peter Liedbergh? Nej, inte alls», skrattade hon. »Du vet, det är bara något vi kvinnor behöver, eller hur, lite sällskap.»

Malin sjunker ännu längre ner i soffan. Tänker på Janne, på hur svårt han har för orden, på hur han ibland känns som en svart kontur, tung över hennes egen. I fönstret ser hon S:t Larskyrkans torn, väntar på klockornas klang, försöker höra om det finns några viskande röster i mörkret.

48

Om ni inte vore döva skulle ni höra grenen knäckas nu. Ni skulle höra ljudet av fibrer som ger vika och hur mitt kött klyver kylan och luften, du som står rätt under där jag faller skulle kasta dig åt sidan, men inget av det händer, istället brakar alla mina kilon rätt ner i tältet, klyver aluminiumpinnarna som vore de smala trästickor och hela er konstruktion faller ihop och du som står där jag faller, du olycklige uniformsklädde polisman, du känner först hur något träffar dig, sedan min tyngd och därpå hur du trycks mot marken av min frusna hårdhet och hur något i dig, men du vet inte var, går sönder, men du har tur, det är bara ett ben i armen som knäcks, inget doktorerna inte kan ta hand om, din arm kommer att bli hel, även som död är jag harmlös så till vida sett.

Eftersom ni inte tog ner mig, trots mina vädjanden, fick jag övertala trädet och ärligt talat var även det trött på att ha mig hängandes på den äldsta av sina grenar. Den är redo, sa eken, att kasseras, så varsågod och fall, fall mot tältet, marken och skapa lite uppståndelse där nere.

Och nu ligger jag här på den skrikande polismannen, i en röra av ord, tältpinnar och duk. Värmeaggregatet vrålar i mitt öra, jag känner inte dess värme, men jag vet att den finns där. Under mina händer känner jag jorden, er värme har gjort den fuktig; angenämt våt och skön, som ett innanmäte på något, vad som helst.

Malin vaknar av Toves röst.

»Mamma, mamma, jag är hemma nu. Är det inte bäst att du går in och lägger dig i sängen?»

Var är jag? Är programmet slut? Tove? Har du varit ute?

»Va?»

»Du somnade i soffan. Jag kom hem direkt efter filmen.»

»Just det, just det.»

Malin vaknar sakta, blir tveksam. När hon själv hade gjort dumma saker, väckte hon alltid pappa för att visa att allt var i sin ordning. Men innan Malin hinner tvivla mer på Tove säger hon:

»Har du druckit, mamma?»

Malin gnuggar ur ögonen.

»Nej, jag tog bara lite tequila.»

Flaskan framför henne, halvflaskan med fatlagrad tequila, inköpt på Systemet på vägen hem från stationen, är urdrucken till en tredjedel.

»Bra, mamma», säger Tove. »Ska jag hjälpa dig in i sängen?»

Malin skakar på huvudet.

»Det har hänt en gång, Tove. Att du behövt göra det. EN gång.»

»Två.»

Malin nickar.

»Två.»

»Godnatt då», säger Tove.

»Sov gott», säger Malin.

Klockan på sidobordet visar kvart i tolv. Bakifrån lägger Malin märke till att Toves hår är utslaget, och nu ser hon ut som den lilla flickan igen.

Lite tequila kvar i glaset. Mycket i flaskan. En liten till? Nej. Behövs inte. Malin reser sig mödosamt och stapplar ut till sovrummet.

Hon orkar inte ta av sig kläderna, faller ner på sin säng.

Drömmer drömmar som bäst skulle förblivit odrömda.

7.

Fredag den tredje februari

Djungeln är som tätast om natten.

Fukten, krypen allt jävelskap de vassa bladen ormarna, spindlarna tusenfotingarna och möglet som växer inne i sovsäcken om natten.

Så landar de på flygplatsen, oändliga mängder små ljus, en stjärnhimmel på marken och det ryska Topolev-planet sjunker rakt ner som en helikopter, det sliter i vingarna och han fladdrar med själen i det trånga rummet, barn och mamma står runtomkring, Tove, liten då, nu: Vad gör du här, pappa? Du borde vara hemma hos mig. Jag kommer, jag kommer, och så lastar de ur, bryter sig ur planets innandöme: mat, rör till latriner, och de kommer emot dem i mörkret, man ser bara ögonen, ögonen tusentals ögon i mörkret, ögon att lita till, och det hungriga rädda mumlet och salvorna från k-pistarna, backa annars gör vi klart det hutuerna inte gjorde med er. Backa och tusenfotingen kryper över mitt ben möglet växer Kigali, Kigali, Kigali, drömmens ofrånkomliga mantra.

Ta bort den där jävla tusenfotingen.

Janne, ropar någon. Tove? Malin? Melinda? Per?

Ta bort ...

Någon skär av ett ben på en människa som ännu lever, kastar det i en gryta med kokande vatten och äter sedan först själv innan någon låter sina barn dela på resterna. Ingen bryr sig, men stjäl man mjölk från de ännu fullt levande straffas det med döden.

Skjut honom inte, säger jag. Skjut inte.

Han är hungrig, han är tio, hans ögon är stora och gulvita, pupillerna växer i takt med insikten om att det här slutar här och nu. *Inte heller dig kan jag rädda.*

Så skjuter ni.

Hund, hund, hund, hutu, hutu, hutu, skallar era rop, och er girighet, er satans jävla mänsklighet gör att jag vill dränka er alla i latrinerna vi kommit hit och byggt för er skull, för att inte tyfusen och koleran och all annan skit ska döda er i massor som inte ens hutuerna klarade av.

Janne. Pappa. Kom hem.

Har regnskyddet gått sönder?

Det är så jävla blött. Kan ens tusenfotingarna klara alla dessa droppar?

Jävlar vad det svider, jävla negrer att ställa till det för sig.

Höj inte den där macheten mot mig, slå inte, slå inte, nej nej nej och skriket finns i rummet utanför drömmen nu, utanför sömnen, i vakenheten i hans sovrum, i ensamheten och på det drömvåta lakanet.

Han sitter upp i sängen.

Skriket ekar mellan väggarna.

Handen mot tyget.

Plaskvått. Hur kallt det än blir där ute verkar det ändå vara tillräckligt varmt här inne för att svetten ska slå ut i full blom.

Något kryper över hans ben.

Den sista resten av drömmen, tänker Jan-Erik Fors, innan han reser sig för att hämta ett nytt lakan i linneskåpet i hallen. Skåpet är arvegods. Huset, enligt beläget i en skogsdunge ett par kilometer utanför Linköping åt Malmslättshållet till, köpte han och Malin strax efter att Tove fötts.

Det knirkar om golvplankorna när han ensam rör sig från sovrummet och vidare ut i huset.

Hundarna skäller runt Börje Svärds ben.

För schäfrarna finns inte morgonkylan, ens klockan fem på morgonen, de är bara glada över att se honom, upphetsade av att få springa runt i trädgården och jaga ifatt pinnarna han slänger åt än det ena, än det andra hållet.

Helt obekymrade.

Ovetande om nakna misshandlade döda män i träd. Alla samtal med människor i bygden igår resultatlösa. Tystnad och blindhet.

Som om människor var otacksamma för sina fungerande sinnen.

Valla.

Villaområde byggt på fyrtio- och femtiotalet, husen trälådor med brokiga tillbyggnader som vittnar om hur folk fick det bättre och bättre och bättre; när den här staden fortfarande fungerade för vanligt folk, innan en fabriksarbetare var tvungen att ta universitetsexamen för att sköta en robot.

Men vissa saker fungerar.

Inne i villan håller de på med henne nu, vårdarna. De kommer en gång om sennatten och vänder henne och sedan är de där, hos Börje och Anna, i deras hem, hela dagen och långt in på kvällen, naturligare och onaturligare än möbler, tapeter och golv.

MS. Multipel skleros. Några år efter giftermålet började Anna sluddra med talet. Sedan gick det fort. Och nu? Bromsmedicinerna kom för sent för henne. Inte en muskel lyder längre och Börje är den ende som förstår vad hon försöker säga.

Älskade Anna.

Egentligen är det vansinnigt det här med hundarna. Men det måste finnas ett andningshål, något som bara är ens eget och okomplicerat och fullt av glädje. Rent. Grannarna har klagat på hundgården, skallen.

Låt dem klaga.

Och barnen? Mikael flyttade till Australien för ett decennium sedan. Karin till Tyskland. För att undkomma? Säkert. Vem orkar se sin mamma så? Hur orkar jag?

Men man orkar.

Kärleken.

Visst har de sagt: Hon kan få plats på ett hem när du vill.

När *jag* vill?

Hundar, pistoler. Koncentration på mitt i prick. Skjutbanan fungerar som rening.

Men Anna, för mig är du fortfarande du. Och så länge du är det för mig kanske du orkar vara det för dig själv.

»Och så öppnar vi garaget.«

Skeden med välling vill inte hitta in i ettåringspojkens mun, och för

53

ett ögonblick blir Johan Jakobsson brysk, tar tag i huvudet på pojken och så går skeden in i den motvilliga glipan och pojken sväljer.

Såja.

Deras radhus ligger i Linghem. Det var vad de hade råd med, och vad gäller sovsamhällen till Linköping är Linghem inget dumt alternativ. Homogen landsortsmedelklass. Inget märkvärdigt, men inte heller någon misär i sikte.

»Tut, tut, nu kommer lastbilen.»

Utifrån badrummet hör han sin fru borsta tänderna på deras treåriga dotter, hur hon skriker och spjärnar emot och hur fruns röst vittnar om att hon är på gränsen till att tappa tålamodet.

Hon frågade honom igår om han jobbade med mannen i trädet och vad skulle han svara? Ljuga och säga nej för att göra henne lugn, eller säga som det är: Visst, jag jobbar med det fallet.

»Han verkar ha varit så ensam där i trädet», hade hans fru sagt. »Ensam», och han hade inte orkat kommentera hennes ord. För visst, mycket mer ensam än så kan nog ingen bli.

»Brum, brum. En Passat.»

Sedan blev hon sur för att han inte ville prata. Barnen trötta, stojiga, innan de bröt ihop.

Barn.

De får mig att känna mig utplånad, deras allt omfattande vilja kan göra mig trött, så trött. Samtidigt som de får mig att känna mig levande och vuxen. Själva livet försiggår på något vis bredvid familjen. Som om brotten de utreder inte har något med barnen att göra. Men det har de. Barnen är medlemmar av samhällskroppen där de begåtts.

»Öppna ...»

Morgon-tv på i bakgrunden. Första nyhetssändningen. De nämner fallet som hastigast.

Jag kommer att sakna de här stunderna, tänker Sven Sjöman, samtidigt som han tar en paus från slipandet nere i snickarverkstaden i källaren i villan i Hackefors. Jag kommer att sakna doften av trä på morgonen när jag går i pension. Visst, jag kommer att kunna ha doften även efteråt, men den kommer inte att vara densamma när jag inte har en dags polisarbete framför mig. Det vet jag. Jag finner mening i att stötta de andra. Det är skönt med unga poliser som Johan och Malin som ännu inte är helt formade, som jag känner att jag kan påverka. Särskilt Malin kan ta in och göra något av det jag säger.

Han brukar smyga ner i verkstaden om morgnarna innan Elisabeth vaknat. Slipa lite på ett stolsben, lacka en yta. Något litet och enkelt för att få igång dagen innan första kaffet.

Träet är enkelt och tydligt. Med sin skicklighet kan han få det att göra som han vill, tvärtemot den övriga verkligheten.

Mannen i trädet. Det sargade liket som faller ner på en kollega. Det är som om allt hela tiden blir värre. Som om gränsen för våldet hela tiden flyttas fram och som om människor i förtvivlan och rädsla och ilska kan göra vad som helst med varandra. Som om allt fler på något vis känner sig utanför sig själva och alla andra.

Det är lätt att bli bitter, tänker Sven. Om man väl bestämmer sig för att sörja att all anständighet och heder verkar ha försvunnit in i historiens mörker.

Men något sådant går inte att sörja. Snarare är det bara att glädja sig åt varje ny dag, att ändå omtanken och solidariteten fortfarande verkar hålla den allra värsta cynismen stången.

Masker.

Alla dessa masker jag måste sätta på mig.

Karim Akbar står framför spegeln i sitt badrum, nyrakad. Hans fru har gått iväg till skolan med deras åttaårige pojke, som hon brukar göra.

Jag kan vara många, tänker Karim, beroende på vad situationen kräver.

Han grimaserar. Framkallar ansiktets ilska, han ler, ser förvånad ut, iakttagande, avvaktande, undrande, vaksam.

Vem är jag egentligen av alla dem?

Hur lätt är det inte att tappa blicken för sig själv, för den som ibland upplever sig kunna vara vem som helst?

Jag kan vara den tuffe polischefen, den lyckade invandraren, den mediale domptören, den mjuka pappan, jag kan vara mannen som vill krypa ner till min fru, känna värmen från hennes kropp under lakanen.

Känna kärleken.

Istället för kylan.

Jag kan vara den som låtsas att den tjocka i trädet aldrig funnits, men min uppgift är en annan nu: den att ge honom rättvisa. Om så bara i döden.

»Vad ska ni hitta på?»

Malins fråga till Janne och Tove ekar i hennes huvud.

Klockan är strax efter åtta. Dagen klarvaken nu.

Än har de inte ringt från stationen, men Malin väntar samtalet vilken minut som helst. Gårdagskvällens debacle ute på brottsplatsen, där liket föll ner på tältet, är på Correspondentens förstasida.

»Det hela liknar en fars», tänkte Malin när hon ögnade genom tidningen kvarten tidigare, alltför trött för att orka läsa hela sjok av text.

Janne står i hallen bredvid Tove. Han ser trött ut, hela hans långa muskulösa kropp verkar hänga på en svankande galge och huden stramar kring de skarpa kindbenen. Har han magrat? Och ser jag inte fler stumma gråa hår vid tinningarna, insprängda bland de annars så glänsande bärnstensbruna stråna?

Tove ledig, studiedag, hämta tidig fredag istället för sent. Skiftbyten. Pusslande.

Hon skrev ett brev till Janne i Bosnien när hon packat ihop sina och Toves saker och flyttat till en liten lägenhet i stan, en anhalt på väg till Stockholm.

»Du kan ta huset. Det passar ändå dig bättre än mig, där får du plats med dina bilar, jag har aldrig varit mycket för landet, egentligen. Hoppas du har det bra, och inte får se eller råkar ut för något jävelskap. Vi får lösa resten sedan.»

Hans svar kom på ett vykort.

»Tack. Jag tar upp ett lån när jag kommer hem och löser ut dig. Gör vad du vill.»

Gör vad du vill?

Jag hade velat ha det som innan. Som i början. Innan allt blev vardag.

För det finns händelser och dagar som kan driva människor isär, brytpunkter som nås. Vi var unga, unga. Tiden, vad visste vi om den då, mer än att den var vår.

Malin tänker på hans drömmar, dem han alltid vill prata om när de ses men som hon aldrig riktigt orkar lyssna på och som han aldrig riktigt kan artikulera när hon väl gör det, lyssnar.

Istället Jannes röst:

»Du ser trött ut Malin, visst gör hon det, Tove.»

Tove nickar.

»Jobbat för mycket», säger Malin.

»Han i trädet?»

»Mmm.»

»Då har du att göra i helgen.»

»Kom du i Saaben?»

»Nej, jag tog Volvon. Dubbdäck på den. Har inte orkat byta på de andra.»

Män är bildårar. De allra flesta. Och Janne särskilt. Fyra bilar har han i garaget vid huset. Fyra bilar i olika stadier av förfall, eller reparering, som han säger själv. Hon stod aldrig ut med bilarna, inte ens i början, det de representerade. Vad? Viljelöshet? Brist på fantasi? Liknöjdhet? Krasst systemtänkande. Kärleken kräver något annat.

»Vad ska ni hitta på?»

»Vet inte», säger Janne. »Inte mycket man kan göra i den här kylan. Vad säger du, Tove? Ska vi hyra några filmer och köpa godis och slänga bort nyckeln. Eller vill du läsa?»

»Filmer låter perfekt. Men jag har packat några böcker.»

»Försök komma ut lite i alla fall», säger Malin.

»Mamma. Det bestämmer inte du.»

»Vi kan åka till stationen», säger Janne. »Spela lite brandmanna-innebandy. Tove, det gör vi, eller hur?»

Tove himlar med ögonen, lägger till, som om hon inte riktigt vågar lita på sin pappas ironi:

»Aldrig i livet.»

»Då så. Filmer får det bli.»

Malin ser trött på Janne, och hans bruna ögon möter hennes blick, viker inte undan, det har han aldrig gjort. När han försvinner tar han hela sin perfekta fysik och sin själ och drar till platser där någon kan

57

behöva all den hjälp han tror han inte kan överleva utan att ge.

Hjälp.

Det namn han satt på flykt.

När lägenheten, huset, allt blev för trångt. Och sedan om och om igen.

Hon kramade om Janne när han kom idag, höll honom hårt mot sig och han svarade, det gör han alltid och hon ville hålla honom kvar, trycka honom mot sig länge, be honom vänta ut kylan med dem här hemma, be honom stanna kvar, dröja.

Men istället så fann hon sig, hittade ett sätt att lösgöra sig från honom som gjorde honom förlägen, precis som om det var han som inlett kramen. Ett sätt att med musklerna fråga ett stillsamt: »Vad gör du? Vi är inte gifta längre och du vet lika väl som jag att det är omöjligt.«

»Och du då, har du fått sova?«

Janne nickade, men Malin kunde se att nicken dolde en lögn.

»Bara det att jag svettas så förbannat.«

»Trots att det är så kallt.«

»Trots det.«

»Har du allt, Tove?«

»Jag har allt.«

»Se nu till att komma ut.«

»Mamma.«

Så är de borta. Janne kommer med henne i morgon, på lördag kväll, så får vi söndagen tillsammans.

Vad ska jag göra nu?

Vänta på att telefonen ringer? Läsa tidningen?

Tänka?

Nej. Tankarna blir alltför lätt en snårig skog.

8.

»Han dog av slagen mot skallbenet, förövaren har använt ett trubbigt föremål, och upprepade gånger, ja nästan som i raseri slagit det mot kraniet och ansiktet tills det blivit den röriga massa av kött som det är nu. Han levde när han fick slagen, men måste med all sannolikhet blivit medvetslös nära nog omgående. Förövaren eller förövarna har sannolikt även använt kniv.»

Karin Johannison står bredvid den blåa kroppen som vilar mot obduktionsbordets kalla stålyta. Armarna och benen och huvudet sticker ut från bålen som knubbiga oregelbundna stockar. Buken är uppfläkt, med huden och fettet vikt i fyra flikar åt varsitt håll, tarmarna i en röra. Kraniet uppsågat, liksom pliktskyldigt, i bakhuvudet.

Det ser metodiskt och slumpmässigt ut på samma gång, tänker Malin. Som om någon planerat länge, och sedan tappat fattningen.

Morgonen hann bli till eftermiddag innan samtalet kom från rättsläkarstationen.

»Han var tvungen att tina innan jag kunde börja», som Karin uttryckte saken över telefon. »Men när jag väl började var det en enkel match.»

Zeke står stilla bredvid Malin, till synes oberörd, har sett döden många gånger förr och insett att den inte går att omfatta.

Karin arbetar med döden, men hon begriper den inte. Det gör kanske ingen människa, tänker Malin, men de allra flesta av oss anar i alla fall vad döden rymmer. Karin, tänker Malin, begriper inte mycket av vad allt i det här källarrummet egentligen handlar om, här

är hon nyttig, funktionell, precis som de instrument hon använder för
sitt arbete; precis som rummet självt.

Dödens allra mest praktiska ansikte.

Vita väggar, små fönster i takhöjd, skåp i rostfritt stål och hyllor
längs med väggarna där facklitteratur samsas med förpackningar,
kompresser, kirurghandskar och annat. Linoleumgolvet är färgat i en
vagt blå nyans, lättstädat, tåligt och billigt. Malin kan aldrig vänja sig
vid rummet, dess syfte och funktion, men ändå dras hon till det.

»Han dog inte av snaran», säger Karin. »Han var död redan när
de som gjorde det hängde upp honom i trädet. Hade han dött av
strypningen hade blodet inte gått upp i hjärnan på det vis det gjort
nu. Vid hängning täpps blodkärlen liksom till direkt för att prata lek-
mannaspråk, nu har istället slagen mot huvudet fått hjärtat att ske-
na, därav de abnorma blodmängderna.»

»Hur länge har han varit död?» frågar Malin.

»Du menar nu?»

»Nej, innan han hängdes i trädet.»

»Jag skulle tro i minst fem timmar, kanske lite mer. Med tanke på
att det inte fanns några blodansamlingar i benen, trots att han var
hängd.»

»Slagen mot kroppen då?» frågar Zeke.

»Vad med slagen?»

»Vad har du att säga om dem?»

»Säkerligen plågsamma, om han var vid medvetande, men inte
dödande. Rivmärkena på benen tyder på att han flyttats, att någon
släpat kroppen över våt jord. Såren har jord i sig, och rester av tyg.
Någon klädde av honom efter misshandeln, och flyttade sedan krop-
pen. Det är vad jag tror. Knivskadorna var den egentliga döds-
orsaken.»

»Tandavtryck?» frågar Zeke.

»Bristfälliga till det oanvändbaras gräns, de flesta tänderna var
sönderslagna.»

Karin tar tag i kroppens ena handled.

»Ser ni märkena här?»

Malin nickar.

»Här har det suttit kedjor. Det var så de fick upp honom i trädet.»

»De?»

»Jag vet inte. Men tror ni en ensam man kan göra det här, med all fysisk styrka som ändå krävs?»

»Inte omöjligt», säger Malin.

Zeke skakar på huvudet.

»Det vet vi inte än.»

Snön dolde ingenting.

Det enda Karin och hennes kollegor hittade var några fimpar, ett kexpapper och ett glasspapper som inte verkade höra hemma på fältet, men glass? Knappast så här års. Och papperen och fimparna verkade äldre, som om de legat där i flera år. De, eller han, eller hon, hade inte lämnat några spår efter sig på marken.

»Hittat något annat?»

»Inget under naglarna. Inga tecken på strid. Det styrker att han måste blivit överraskad. Har ni fått några tips? Något som givit något?»

»Det har varit helt tyst», säger Malin. »Nada, niente.»

»Saknad av ingen alltså», säger Karin.

»Det vet vi inte heller än», säger Zeke.

Om jag fortfarande kunde prata på ert sätt, om jag kunde resa mig upp och berätta, bota er dövhet, skulle jag säga åt er att sluta med alla era frågor.

Vad tjänar de till?

Nu är det som det är, och har blivit som det blivit. Jag vet vem eller vilka som gjorde det, hann se det i ögonvrån, hann se döden komma, lika långsam som hastig och svart.

Sedan blev den vit, döden.

Vit som nyfallen snö. Vit är färgen som hjärnan slocknar med, ett hoppfullt tomtebloss, kortare än ett andetag. Och sedan, när synen kom till mig igen såg jag allt, var fri och ofri på samma gång.

Så vill ni veta egentligen?

Vill ni verkligen få den här historien berättad för er? Jag tror inte det. Den är värre, hemskare, mörkare, mer obönhörlig än ni kan ana. Går ni vidare härifrån, väljer ni en stig som leder rätt in i hjärtat av den plats där bara kroppen, och inte själen, kan andas och leva, där

vi är kemi, där vi är kod, platsen utanför där inte ordet känsla existe-
rar.

Vid slutet av stigen, i ett äppeldoftande mörker klätt i vithet, kom-
mer ni hitta vakendrömmar så svarta att de får den här vintern att
kännas varm och välkomnande. Men jag vet att ni väljer den stigen.
För ni är människor. Och det är sådana ni är.

»Hur lång tid tar det för dig att fixa honom?»

»Fixa hur då?»

»Vi skulle behöva få ordning på hans ansikte», säger Malin. »Så vi
kan ge en bild till tidningarna. Så någon kanske kan sakna honom,
eller i varje fall känna igen honom.»

»Jag förstår. Jag kan ringa Skoglund på Fonus. Han kan säkert
hjälpa mig med en snabb rekonstruktion. Det borde kunna bli hyfsat
i varje fall.»

»Ring Skoglund. Ju snabbare vi har en bild, desto bättre.»

»Nu går vi», säger Zeke och av tonfallet i hans hesa röst hör
Malin att han fått nog. Av kroppen, av det sterila rummet, men
främst av Karin Johannison.

Malin vet att Zeke tycker att hon gör sig märkvärdig, fin, och
kanske blir han också provocerad av att hon inte frågar om Martin,
som alla andra gör i tid och otid. Att Karins ointresse för hockeystjär-
nan och sonen blir ett bevis på hennes högfärdighet för Zeke. Han är
uppenbart trött på frågorna om Martin, men ändå inte nöjd om de
uteblir.

»Solduschar du?» frågar Zeke Karin när de är på väg ut ur obduk-
tionssalen.

Malin skrattar, mot sin vilja.

»Nej, jag solar solarium för att behålla solbrännan från Thailand
i julas», svarar Karin. »Det finns ett ställe på Drottninggatan där man
kan solduscha, men jag vet inte. Det verkar så vulgärt. Men kanske
bara ansiktet?»

»Thailand? Var du där i julas?» säger Zeke. »Är det inte som
dyrast då? Jag har hört att kännarna åker andra tider.»

9.

»Malin, har du vattnat blommorna? Annars klarar de aldrig vintern.»

Frågan är så självklar, tänker Malin, att den inte hade behövt ställas. Påståendet lika onödigt: hans fallenhet för att vara överpedagogisk för att främja sina egna intressen.

»Jag är på väg till er lägenhet för att göra det nu.»

»Har du inte gjort det tidigare?»

»Inte sedan vi pratades vid sist, nej.»

Samtalet kom strax efter det att hon lämnat polishuset och väntade på grönt ljus vid hörnet av kyrkogården och gamla brandstationen. Volvon behagade starta idag, trots att kylan är densamma.

Det var som om hon hörde att det var pappa på signalen. Ilsken, älskvärd, krävande, självcentrerad, snäll: Total uppmärksamhet på mig, jag slutar inte störa förrän du svarar, jag stör väl inte?

Mötet med spaningsgruppen på polishuset hade handlat om väntan.

Väntan på Börje Svärd som var sen, det var något med hans fru.

Väntan på att någon skulle fråga om Nysvärds brutna arm, den han skadat när liket föll från trädet.

»Sjukskriven i två och en halv vecka», sa Sven Sjöman. »Han verkade glad när jag pratade med honom, även om han fortfarande var skärrad.»

»Makabert att få ett hundrafemtiokilos blåfruset lik över sig. Kunde gått värre», sa Johan Jakobsson.

Därpå väntan på att någon skulle säga vad de alla visste. Att de inte hade någonting att gå på. Väntan på att begravningsentreprenör

63

Skoglund skulle bli klar med sitt jobb, bilden tagen, framkallad och utkablad.

Börje: »Vad var det jag sa? Ingen skulle känna igen honom på de bilderna.»

Väntan på själva väntan, musten kramad ur trötta poliser som vet att det är bråttom men som inte kan göra mycket annat än att slå ut armarna i luften och säga: Vi får se! När alla, varenda medborgare, varenda journalist vill höra att så här ligger det till, vi vet vad som hände och vem som gjorde det.

Väntan på Karim Akbar som var försenad även han, om än till sin telefon hemma i villan i Lambohov. Väntan på att hans sons stereo-spelande skulle tystas i bakgrunden, sedan väntan på att Karims röst skulle försvinna ur speakertelefonens högtalare.

»Det här duger inte, det förstår ni. Sven, du får kalla till en ny presskonferens i morgon där vi bekräftar det vi nu vet, så vi håller dem lugna.»

Och du får en chans till att visa upp dig, tänkte Malin, men sedan: Du står ändå där och tar emot frågorna, aggressiviteten, och ser till att vi kan arbeta i lugn och ro. Och du står för något, Karim. Du för-står kraften i gruppen när alla har tydliga roller.

Svens trötta ord när Karim lagt på.

»Vi skulle ha det som i Stockholm. Med egen informationschef.»

»Det är du som gått mediehanteringsutbildningen», sa Zeke. »Du kanske kan ta det?»

Skratt i rummet. Förlösande. Sven: »Snart pension och du vill kas-ta mig till hyenorna, Zeke? Hyggligt.»

Rödljuset slår om till grönt, Volvon tvekar men rullar sedan Drott-ninggatan neråt stan.

»Hur är det med mamma då, pappa? Blommorna mår bra, jag lo-var.»

»Hon sover middag. Det är tjugofem grader varmt och strålande sol härnere. Hur är det hos er?»

»Du vill inte veta.»

»Jo, det vill jag.»

»Det får du inte, pappa.»

»Här på Teneriffa är det sol i alla fall. Hur mår Tove?»

»Hon är hos Jan-Erik.»

»Malin, nu lägger jag på, det blir dyrt det här annars. Glöm inte blommorna.»

Blommorna, tänker Malin, samtidigt som hon stannar vid det ockrafärgade sekelskifteshuset på Elsa Brännströms gata där hennes föräldrar har sin fyrarumslägenhet. Blommorna får aldrig vänta.

Malin rör sig genom föräldrarnas lägenhet, en vålnad i sitt eget förflutna. Möblerna hon växt upp med.

Är jag så gammal?

Dofterna, färgerna, konturerna, allt kan sätta igång mig, få mig att minnas något som får mig att minnas något annat.

Fyra rum, ett finrum, en matsal och ett vardagsrum och ett sovrum. Inga möjligheter för deras enda barnbarn att sova över. De kom över kontraktet till lägenheten när de sålde villan i Sturefors för tretton år sedan. På den tiden var bostadsmarknaden annorlunda i Linköping. Hade man ordnade förhållanden och klarade en hyfsad hyra fanns det möjligheter. Idag är det stopp, bara svarta pengar kan ordna ett kontrakt. Eller osannolikt goda kontakter.

Malin ser ut genom vardagsrumsfönstret.

Från tredje våningen har man bra utsikt över Infektionsparken, döpt efter kliniken som tidigare låg i de längor som nu inretts till bostadsrätter.

Soffan hon inte fick sitta i.

Skinnet, brunt, glänser som nytt än idag. Bordet, tjusigt då, svulstigt nu. Bokhyllan full med titlar från Bra Böcker. Maya Angelou, Lars Järlestad, Lars Widding, Anne Tyler.

Matsalsbordet och stolarna. Vännerna på besök, barnen som fick sitta i köket och äta. Inget konstigt med det. Så gjorde alla, och barn vill inte sitta med vid bordet.

Pappa svetsaren, befordrad till arbetsledare, sedermera delägare i en firma för läggning av takplåt. Mamma sekreterare på Länsstyrelsen.

Lukten av åldrande människor. Även om Malin öppnat fönstret och vädrat skulle inte lukten försvinna. Kanske, tänker hon, kan kylan göra lägenheten doftlös i bästa fall.

Blommorna slokar. Men ingen av dem är död. Så långt låter hon det inte gå. Hon ser på ramarna med kort som står på byrån, inget föreställer henne själv eller Tove, bara föräldrarna själva i olika miljöer: en strand, en stad, ett berg, en djungel. »Vattnar du?«

Klart jag vattnar.

»Ni kan ju komma ner när det passar.«

För vilka pengar?

Fåtöljen i hallen, hon sätter sig i den och minnet av de stumma fjädrarna finns i hennes kropp, hon är fem år på nytt, sparkar med sandalklädda fötter framför sig, det finns ett vatten på avstånd och bakom sig hör hon mammas och pappas röster, de skäller inte på varandra, men i tonen ligger avgrunden, i mellanrummen mellan deras ord finns det som gör ont, det som femåringen i stolen vid vattnet känner men som hon ännu inte har något namn på.

Den omöjliga kärleken. Kylan i vissa äktenskap.

Får den någonsin något namn? Den känslan?

Sedan är hon tillbaka.

Vattenkannan i handen.

Blomma för blomma. Metodiskt som pappa arbetsledaren skulle uppskatta.

Dammsuger gör jag aldrig, tänker Malin. Tussar på golvet. När hon dammsög som liten, en del av veckans beting för att få lördagspeng, följde mamma henne runt huset, kollade så att hon inte slog emot lister eller dörrkarmar. När hon var färdig dammsög mamma själv en andra gång, dammsög där hon gått, mitt framför henne som om det var den mest självklara saken i världen.

Vad kan ett barn?

Vad vet ett barn?

Ett barn formas.

Så var det klart.

Alla blommorna vattnade. Nu lever de ett tag till.

Malin sätter sig på sina föräldrars säng.

Dux. De har haft den i årtionden, men skulle de kunna sova i den om de visste vad som hänt i sängen, att det var i den hon miste, eller snarare såg till att bli av med, sin oskuld.

Inte Janne.

En annan.

Tidigare. Hon var fjorton och ensam hemma när föräldrarna var på fest, övernattningsfest hos bekanta i Torshälla.

Men ändå. Vad som än hänt i den sängen är den inte hennes egen. Hon kan inte gå genom den här lägenheten, ensam eller tillsammans med andra, utan att känna saknad. Hon reser sig från sängen, pressar sig genom de täta skikten av längtan som verkar ligga som fastnitade i luften. Vad är det som fattas?

Föräldrarna i bilder inom ramar.

I solstolar vid huset på Teneriffa. Tre år sedan de köpte det, men hon och Tove har aldrig varit där.

»Du vattnar väl?«

Klart jag vattnar.

Hon har levt med de här människorna, hon kommer ur dem men ändå är personerna på bilderna främlingar. Mamma mest.

Hon häller ut vattnet i kannan i slasken i köket.

Hemligheter ruvar i dropparna, i de gröna köksluckorna, i frysen som brummar och rymmer förra säsongens kantareller.

Ska jag ta en påse?

Nej.

Det sista hon ser innan hon stänger dörren bakom sig till föräldrarnas lägenhet är de tjocka äkta mattorna på vardagsrumsgolvet. Hon ser dem genom de öppna pardörrarna i hallen, och de är av mellankvalitet. Inte så fina som mamma alltid låtsas att de är. Hela rummet, hemmet fullt av saker som är något annat än de ska vara, fernissa som döljer annan fernissa.

Det finns en känsla här, tänker Malin. Av att aldrig riktigt duga, av att inget någonsin är fint nog. Att vi, jag, inte är fin nog.

Än idag kan hon tveka inför finhet, inför människor som förväntas vara fina på riktigt och inte bara lite rika som Karin Johannison, utan läkare, adelstyper, advokater, den sortens finhet. Inför sådana människor kan hon känna sina fördomar och känslor av underlägsenhet sätta fart. På förhand bestämmer hon sig för att den sortens människor alltid ser ner på sådana som henne själv och hon intar försvarsställning.

Varför?

För att slippa bli besviken?

I jobbet går det bättre, men privat kan det bli ansträngt.

Tankarna flyger genom Malins huvud, samtidigt som hon springer nerför trapporna och ut i den tidiga, vidriga fredagskvällen.

10.

Fredag kväll, lördag den fjärde februari

Bara en liten en, en liten öl, det är jag värd, jag vill se några droppar imma nästan frysa till is på ett kylt glas. Bilen kan stå här. Jag kan hämta den imorgon.

Malin hatar den rösten. Hon brukar säga till sig själv, som för att överrösta den: Det finns inget jobbigare än att vara bakis.

Enklast så.

Men ibland måste hon ge vika.

Bara en liten, liten ...

Jag vill vrida ur mig själv som en trasa. Då duger alkoholen.

Restaurang Hamlet har öppet. Hur långt är det dit? Fan, vad kallt. Tre minuter om jag småjoggar.

Malin drar upp dörren till krogen.

Stim och os slår emot henne. Det luktar grillat kött. Men mest av allt luktar det löften och lugn.

Telefonen ringer.

Eller?

Är det något annat? Är det tv:n? Är det kyrkklockan? Vinden? Hjälp mig. Huvudet. Det sitter något i främre delen av huvudet och nu ringer det igen, och munnen, den jag ska prata med är torr, var är jag?

Jag ligger inte i sängen, det här är inga lakan. Soffan? Det här är inte soffan? Vad är det då? Tidningen? Nej, inte det heller.

Så slutar det ringa.

Tack gud.

Men så börjar det igen.

Tillräckligt vaken nu för att känna igen mobilsignalen. Hallgolvet. Trasmattan. Hur hamnade jag här? Jackan ligger bredvid mig, eller är det halsduken. Brevinkastet underifrån. Jackan. Fickan. Mobilen. Sandpappersmun. Pulsen, en pulserande cysta, en elektrisk glob i främre delen av huvudet. Malin gräver med handen i fickan. Där, där är den. Med den andra handen stöder hon huvudet, trycker i blindo, luren till örat, knappt hörbart, »Fors, Malin Fors här.»

»Sjöman här. Vi vet vem han är.»
Vem han är? Tove, Janne. Mannen i trädet. Saknad av ingen.
»Malin, är du där?»
Ja. Kanske. Men jag vet inte om jag vill.
»Är du okej?»
Nej, inte okej. Gav vika igår.
»Jag är här, Sven, jag är här. Bara lite yrvaken. Vänta ett slag.»
Hon hör några ord till när hon kravlar från liggande till sittande:
»... är du bakis, nåja ...» Huvudet upprätt, svart dimma lägger sig för ögonen, försvinner, uppstår igen som ett vibrerande tryck mot pannan.
»Om jag är bakis? Jag är bara lite bakis. Det är sådant folk är på söndagsmorgnar.»
»Lördag, Malin. Och vi vet vem han är.»
»Vad är klockan?»
»Halv åtta.»
»Satan, Sven, satan. Nå?»
»Bilden blev klar igår. Han begravningsentreprenören, han Skoglund gjorde ett bra jobb. Vi skickade den till Corren och TT, Corren la ut den på sin sajt vid elva och igår ringde en person, och nu på morgonen har det ringt många fler. Alla säger samma namn, så det bör stämma. Han heter Bengt. Och han heter Andersson i efternamn. Men, och det här är det lustiga, alla nämner honom vid hans smeknamn, bara en visste hans riktiga namn.»
Huvudet. Pulsen. Tänd inga lampor, vad som än händer. Fokusera på någon annans smärta istället för din egen; det sägs att det hjälper. Gruppterapi. Eller vad var det någon sa? Smärtan är alltid ny, och egen. *Personlig?*
»Bollbengan. Han kallades för Bollbengan. Av det folk berättat för

70

oss hittills verkar hans liv ha varit lika bedrövligt som hans död. Kan du vara här om en halvtimme?»

»Ge mig fyrtiofem minuter», säger Malin.

En kvart senare, nyss urstigen ur duschen, nyklädd, med Panodil brus i magen, slår Malin på datorn. Låter persiennen vara stängd även om det ännu är mörkt ute. Datorn står på skrivbordet i sovrummet, tangentbordet dolt i ett virrvarr av använda undertröjor och trosor, betalda och obetalda räkningar, hånfulla lönebesked. Hon väntar, knappar in sin kod, väntar, trycker igång sin browser, sedan www.corren.se.

Ljuset från skärmen får huvudet att bulta.

Daniel Högfeldt har gjort sitt jobb.

Mannen i trädet. Hans ansikte stort på bästa platsen på sajten. Han ser ut som en människa, på det svartvita fotot blir svullnaderna och blånaderna gråa nyanser, som sminkade utslag snarare än spår av dödliga slag. Skoglund, vem han nu är, kan nästan återuppväcka de döda. Fettet gör mannens, Bengt »Bollbengan» Anderssons ansikte konturlöst. Hakan, kinderna och pannan hänger ihop i mjuka, runda sjok runt ansiktsbenen och formar en stor fyllig massa. Ögonen slutna, munnen som ett litet frågetecken, överläppen fyllig, inte underläppen. Bara näsan sticker ut, hård, rak, nobel, Bollbengans enda tur i det genetiska lotteriet.

Klarar jag att läsa?

Daniel Högfeldts språk.

Klatschigt. Inget för illamående och huvudvärk.

Han vet nog mer än vi. Folk ringer till tidningarna först. Vittring på pengar. Vittring på att få känna sig speciella. Men vem är jag att klandra dem?

Östgöta Correspondenten kan idag avslöja identiteten på den man som …

Bokstäverna blir till brinnande pilar i hennes hjärna.

Bengt Andersson, 46, gick under smeknamnet »Bollbengan» och var i Ljungsbro, där han levde, känd som något av ett original och

71

enstöring. Han bodde ensam i en lägenhet i Härna-området och uppbar sedan flera år socialbidrag, oförmögen att arbeta på grund av psykiska besvär. Smeknamnet fick Bengt Andersson av att han på Ljungsbro IF:s hemmamatcher i fotboll brukade stå på Cloettavägen bakom stängslet till Cloettavallen och vänta på att något av lagen skulle sparka bollen över stängslet.

Bollar, tänker Malin, bollarna är i mitt huvud nu.

Jag kan sparka, pappa, jag kan sparka ända till äppelträdet! Mammas röst: Ingen boll i trädgården Malin, den kan bryta rosbuskarna.

Tove ointresserad av fotboll.

En kvinna som vill vara anonym, säger till Correspondenten: »Han var en sådan där som alla visste vem det var, men som ingen känner. En som finns i alla samhällen.»

Bengt Andersson hittades i fredags …

Direkta citat, inte omskrivna. Daniels specialitet för att skapa nerv och närvaro.

Omtagningar. Upprepningar.

När tar döden slut?

Malin kliver ut genom porten till huset. Lika kallt idag. Kyrkväggen en hägring långt, långt borta.

Men idag är kylan välkommen, den lägger sitt töcken över hennes tankar, sveper henne i en dämpande dimma.

Bilen står inte där den ska.

Stulen. Hennes första tanke.

Så minns hon. Mammas och pappas lägenhet.

»Du vattnar väl?»

Hamlet.

Får jag en öl till? Anonym där, en äldre publik, och så jag.

Taxi? Nej, för dyrt.

Det tar tio minuter till polisstationen om jag skyndar mig.

Malin börjar gå.

Promenaden kommer att göra mig gott, tänker hon. Gruset på den plogade trottoaren krasar under hennes fötter. Hon ser skalbaggar framför sina ögon. Gruset är skalbaggar, en invasion av kryp som hon försöker krossa med sina Caterpillar-boots.

Hon tänker på att mannen i trädet nu fått ett namn. Att deras arbete kommer att kunna ta fart på allvar och att de måste närma sig det här med varsamhet. Det var inget vanligt våld som de mötte ute på slätten. Utan något annat, något värt att bli rädd för.

Kylan skarp mot ögonen.

Skärande, vass.

Är det gräshoppor som dansar för mina näthinnor? tänker hon. Eller kylan som får tårvätskan i mina ögon att frysa till is. Precis som i dina, Bollbengan. Vem du nu än var.

11.

Vad gör den här världen med en människa, Tove?

Jag var tjugo.

Och vi var lyckliga din pappa och jag. Vi var unga och lyckliga och vi älskade varandra. Det var unga människors kärlek, ren och okomplicerad, klar och fysisk och så du, solstrålarnas solstråle.

Det fanns inget annat än vi.

Jag visste inte vad jag skulle göra mer av mitt liv annat än att älska er, jag kunde bortse från bilarna, från hans sävlighet, från olikheterna. Kärleken var mig liksom given, Tove, det fanns ingen tvekan, ingen väntan trots att det var vad alla sa, vänta, ta det lugnt, lås inte upp er, lev innan, men jag hade fått vittring på livet, dess doft fanns i kärleken till dig, till Janne, till vår tillvaro. Jag ville, fåfängt nog, ha mer av det och trodde det skulle kunna vara för evigt. För vet du Tove, jag trodde på kärleken och det gör jag än, vilket är ett under. Men då trodde jag på kärleken i sin enklaste renaste form, kanske kan vi kalla den familjekärleken, grottans kärlek, den där vi bara värmer varandra för att vi är människor tillsammans. Den förstnämnda kärleken.

Visst bråkade vi. Visst längtade jag. Visst hade vi ingen aning om vart vi skulle ta vägen med all tid. Och visst förstod jag honom när han sa att han kände sig som instängd i en jordkällare, om än i paradiset.

Så kom han hem med papperet från Räddningsverket i handen och där stod att han skulle inställa sig på Arlanda morgonen därpå för vidare flyg till Sarajevo.

Jag var så arg på honom, din pappa. Sa att om han åkte så skulle

74

inte vi finnas kvar när han kom hem. Sa att man överger inte sin familj för någonting.

Så min fråga till dig, Tove:

Kan du förstå att din pappa och jag inte orkade då?

Vi visste för mycket och för lite på samma gång.

12.

Inga barn på dagiset en lördag.

Tomma gungor. Inga pulkor eller bollar. Ljuset släckt bakom fönstren. Ingen lek den här dagen.

»Grejar du det här, Malin? Du ser lite sliten ut.»

Sluta tjata Sven.

Jag jobbar ju, eller hur?

Zeke grinar från sin plats vid bordet mitt emot. Börje Svärd och Johan Jakobsson ser alldeles för nöjda ut, man ska inte se ut så om man är på jobbet strax efter åtta en lördagsmorgon.

»Jag är okej. Det blev lite fest igår.»

»Själv festade jag på ostbågar, chips och Pippi Långstrump på dvd», säger Johan.

Börje sitter tyst.

»Här har jag en lista», säger Sven och viftar med ett papper i luften. Han står inte vid bordets kortända idag. Han sitter på en stol. »På de som ringt in och uppgivit Bengt Anderssons namn eller hans smeknamn. Vi får börja med att förhöra dem. Se vad de kan berätta om honom. Det är nio namn på listan, alla i Ljungsbro med omnejd. Börje och Johan tar de fem första. Du Malin och Zeke de fyra sista.»

»Och lägenheten? Hans lägenhet?»

»Teknikerna är redan där. Vad de kunde se med blotta ögat har inget hänt där. De blir klara framåt eftermiddagen. Åk dit då om ni vill. Inte förr. När ni är klara med namnen på listan, så ta hans grannar. Han gick på socialbidrag, så det måste finnas en socialsekreterare som borde veta något också. Men den personen får vi svårt att få tag i innan måndag.»

»Går det inte att ordna fortare?»

Zekes otåliga röst.

»Bengt Andersson är inte officiellt dödförklarad eller identifierad än», säger Sven. »Och så länge han inte är det måste vi ha tillstånd för att komma åt register och journaler där namnen på hans läkare och socialsekreterare finns. Men det formella borde bli klart under måndagen.»

»Då sätter vi igång», säger Johan och reser sig.

Jag vill sova, tänker Malin. Sova så djupt man bara kan.

Mitt rum är svart, slutet. Men ändå ser jag allt.

Det är kallt här inne, men inte lika kallt som i trädet ute på slätten. Men vad bryr jag mig om kylan. Och här finns ingen vind, ingen storm, ingen snö. Jag kan sakna vinden och snön, men jag föredrar den klarsyn som kommer med ett tillstånd likt mitt. Vad mycket jag vet, vad mycket jag kan. Hur jag liksom hittar fram till orden på ett sätt som jag aldrig gjorde då.

Och är det inte roligt hur alla bryr sig så mycket om mig nu? Hur alla ser mitt ansikte och vill visa att de kände till mig? Förr, innan, vek de undan när jag visade mig på samhället, de tog omvägar för att slippa möta min blick, slippa komma i närheten av min kropp, mina som de trodde smutsiga kläder, som de trodde stank av svett, av urin.

Beklämmande och motbjudande.

Och ungarna som inte ville lämna mig ifred. Som plågade, pinade, jävlades och stod i. Deras mammor och pappor hade låtit sina barns tusen elaka blommor blomma.

Jag dög knappt ens att skratta åt. Redan som levande var jag en sorg.

Cloettafabrikens skorstenar.

Man ser dem inte från rondellen vid uråldriga Vreta kloster, men man ser röken, vitare än vit stiger den mot en låtsasblå himmel. De låga morgonmolnen har glidit iväg, vintern blånar, kvicksilvret sjunker lägre, det är priset man får betala för ljuset.

»Ska vi svänga här?»

Skylten visar Ljungsbro åt båda håll.

»Vet inte», svarar Malin.

»Vi svänger», säger Zeke och vrider på ratten. »Vi får kolla gps:n när vi kommer in i samhället.»

Malin och Zeke åker igenom Vreta kloster. Förbi de vilande slussarna, de tomma bassängerna. Vinterstängda krogar. Villor där människor rör sig innanför fönstren, träd som fått växa ifred. En Icahandel. Ingen musik fyller bilen. Zeke har inte insisterat och Malin uppskattar den relativa tystnaden.

Efter en busshållplats öppnar sig bebyggelsen åt vänster, husen försvinner ner i en sluttning och bortanför den breder Roxen ut sig. Bilen åker neråt, förbi ett skogsparti och snart öppnar sig ett fält åt höger och några hundra meter bort klättrar ännu fler hus längs en brant slänt.

»Gräddhyllor», säger Zeke. »Läkartyper.»

»Avundsjuk?»

»Inte direkt.»

Kungsbro på en annan skylt, Stjärnorp, Ljungsbro.

De svänger av vid ett falumålat stall, kantat av en stensatt ladugård, men inga hästar syns till. Bara några tonårstjejer i termokläder och moon boots som bär höbalar mellan två sidobyggnader.

De närmar sig husen på gräddhyllan.

Åker uppför en backe och sedan skymtar de Cloettas skorsten.

»Vet du», säger Zeke. »Jag lovar att man känner doften av choklad ute idag. Från fabriken.»

»Jag slår på gps:n. Så vi hittar dit vi ska. Till första namnet på listan.»

Hon ville inte släppa in dem.

Pamela Karlsson, trettiosex år gammal, blond page, ensamstående, butiksbiträde på H&M. Hon bodde i ett hyreshus strax bakom den anskrämliga vita Hemköps-hallen. Bara fyra lägenheter i det gråmålade trähuset och hon pratade med dem med säkerhetskedjan på, frös i vitt linne och trosor, uppenbarligen väckt av deras påringning.

»Måste ni komma in? Det är så stökigt.»

»Det är kallt i trapphuset», sa Malin, tänkte: En man har hittats mördad, hängd i ett träd, och hon bryr sig om stökigt. Men ändå.

78

Hon ringde i alla fall.

»Jag hade fest igår.»

»En till», sa Zeke.

»Vad?»

»Ingenting», sa Malin. »För oss spelar det ingen roll om det är stökigt. Det tar inte lång stund.»

»I så fall.» Dörren gick igen, rassel, och sedan öppnades den på nytt. »Kom in.»

En etta, sängen som soffa, ett litet bord, en kokvrå. Möbler från Ikea, spetsgardiner och en avlutad, troligen ärvd bänk i allmogestil. Pizzakartonger, ölburkar, en box med vitt vin. På fönsterbrädan en askkopp, fylld till brädden.

Hon märkte att Malin såg på askkoppen.

»Jag låter dem inte röka här inne i vanliga fall. Men jag kunde ju inte tvinga ut dem igår.»

»Vilka är de?»

»Mina kompisar. Vi surfade igår, mitt under festen och då såg vi honom och uppmaningen att ringa. Jag ringde direkt, eller nästan direkt i alla fall.»

Hon satte sig på sängen. Hon var inte tjock, men små valkar bredde ut sig under linnet.

Zeke satte sig i en fåtölj.

»Vad vet du om honom?»

»Inte mycket, mer än att han bor här i samhället. Och vad han kallas. Annars ingenting. Är det han?»

»Ja, vi är nästan säkra.»

»Fy fan, det var allt alla pratade om på festen igår.»

Vanställda minnen, tänkte Malin. Minnet av någon blir ett snaskigt samtalsämne på en fest. *Men vänta nu, nu ska ni få höra vad en polare till min polare råkade ut för ...*

»Vet du alltså inget om vem han var?»

»Inte mycket. Han hade visst sjukbidrag. Och kallades för Bollbengan. Jag trodde det var för att han var så otroligt tjock, men Corren skrev ju något annat.»

De lämnade Pamela Karlsson med sin röra och sin huvudvärk, åkte till en adress på Ugglebovägen, en arkitektritad villa i fyra olika plan där varje rum verkade ha fri utsikt över fälten och vidare ner mot Roxen. En hålögd försäkringsmäklare vid namn Stig Unning öppnade efter att de knackat på dörren med hjälp av en lejontass i guld.

»Det var min son som ringde. Ni kan prata med honom. Han är i källaren.«

Sonen Fredrik framför ett tv-spel. Kanske tretton, smal, finnig, klädd i för stora jeans och orange t-shirt. Dvärgar och alver som dog i mängder på tv-skärmen.

»Du ringde oss«, sa Zeke.

»Ja«, svarade Fredrik Unning utan att lyfta blicken från spelet.

»Varför?«

»För att jag kände igen bilden. Trodde det kanske fanns någon belöning. Finns det det?«

»Nej tyvärr«, sa Malin. »Man får inte betalt för att känna igen ett mordoffer.«

En gnu sprängs i bitar, ett troll får lemmarna avslitna.

»Skulle ringt Aftonbladet istället.«

Pang. Dead, dead, dead.

Fredrik Unning ser upp mot dem.

»Kände du honom?« frågar Malin.

»Nej. Inte alls. Inte mer än att jag visste hans smeknamn och att han stank piss. Inte mer än det.«

»Inget annat vi borde veta?«

Fredrik Unning tvekar och Malin ser en plötslig rädsla dra genom hans blick innan han åter fäster ögonen på tv-skärmen och frenetiskt för joy-sticken fram och tillbaka.

»Nej«, säger Fredrik Unning.

Du vet något, tänker Malin. Eller så förstod du just varför vi är här, vad som har hänt.

»Är du helt säker på att du inte har något annat att berätta?«

Fredrik Unning skakar på huvudet.

»Nä, inte ett skit. Inte ett jävla dugg.«

En röd ödla släpper en gigantisk gråsten i huvudet på ett hulkliknande monster.

Den tredje personen på listan, pingstpastor Sven Garplöv, fyrtiosju, bodde i en nybyggd typvilla på andra sidan Motala ström i utkanterna av Ljungsbro. Vitt tegel, vitt trä, vita knutar, vitt på vitt som för att hålla synden borta. På vägen dit åkte de förbi Cloettafabriken, det veckade taket var en vresig sockerorm och skorstenen pumpade ut sina löften om ett sött liv.

»Där inne gör de kexchoklad», sa Zeke.

»Jag skulle inte backa för en», sa Malin.

Trots att de hade bråttom bjöd pastorns fru Ingrid på kaffe. De satt alla fyra i de gröna skinnsofforna i det vitmålade vardagsrummet och åt kakor, sju sorter, hembakta.

Fettet i kakorna.

Precis vad hon behövde.

Pastorns fru satt tyst, han pratade.

»Jag har gudstjänst idag, men församlingen får vänta. En synd av detta allvarliga slag måste få gå före. Den som väntar på att få be väntar aldrig för länge. Eller hur Ingrid?»

Frun nickade. Sedan nickade hon mot kakfatet.

De tog båda för sig en andra gång.

»Han var visst en bekymrad själ. En sådan som Herren håller av på sitt eget vis. Vi talade om honom som hastigast en gång i församlingen och då var det någon, jag minns inte vem, som nämnde hans namn. Han var väldigt ensam, konstaterade vi. Han skulle behövt en vän som Jesus.»

»Pratade ni med honom någon gång?»

»Ursäkta?»

»Ja, bjöd ni in honom till kyrkan?»

»Nej, det tror jag inte föll någon av oss in. Våra dörrar står öppna för alla, fast kanske lite mer för vissa. Det ska medges.»

Och nu står de utanför dörren till en viss Conny Dyrenäs, trettionio, boende i en lägenhet på Cloettavägen, alldeles bakom fotbollsplanen Cloettavallen, och det tar inte mer än några sekunder från det att de ringt på tills dörren öppnas.

»Jag hörde er komma», säger mannen.

Lägenheten är full av leksaker, överallt i mängder. Plast i bjärta färger.

»Ungarna», säger Conny Dyrenäs. »De är hos sin morsa den här helgen. Vi är skilda. Annars brukar de vara hos mig. Det är otroligt vad man kan sakna dem. Jag försökte sova ut i morse men vaknade samma tid som vanligt. Jag surfade. Vill ni ha kaffe?»

»Vi har redan fått, så nej, men tack ändå», säger Malin. »Är du helt säker på att det är Bengt på bilderna?»

»Ja, utan tvivel.»

»Kände du honom?» frågar Zeke.

»Nej, men han var en del av mitt liv ändå.»

Conny Dyrenäs går till balkongdörren, vinkar till dem att komma efter.

»Ser ni stängslet och målet därborta? Han brukade stå där nere och vänta på bollarna när Ljungsbro IF spelade hemmamatcher. Det spelade ingen roll om det hällregnade eller var kallt eller hett om sommaren. Han stod alltid där. Ibland stod han där på vintern, och tittade ut på den öde planen. Han längtade nog. Det var som om han hade ordnat sig ett eget arbete, en plats att fylla på den här jorden. Han sprang efter bollarna när de sköt över stängslet. Sprang och sprang, förresten. Lunkade snarare. Och sedan kastade han tillbaka bollarna. Och folket på läktaren brukade skratta. Det såg onekligen roligt ut, men mitt eget skratt fastnade i alla fall i halsen.»

Malin ser på stängslet, vitt i kylan, läktaren med tak och klubbhuset i bakgrunden.

»Jag tänkte bjuda in honom på kaffe, någon gång», säger Conny Dyrenäs. »Men nu är det ju så dags.»

»Han verkar ha varit en ensam person. Du skulle gjort det, bjudit honom på kaffe», säger Malin.

Conny Dyrenäs nickar, vill säga något, men förblir tyst.

»Vet du något mer om honom?» frågar Malin.

»Vet och vet. Det gick en massa rykten.»

»Rykten?»

»Ja, om att hans pappa varit galen. Att han bott i ett hus och någon gång huggit sin pappa med en yxa i huvudet.»

»En yxa i huvudet?»

»Ja, tydligen.»

Och det här hade inte Daniel Högfeldt fått fatt i?

»Men det kan ha varit en massa snack. Det måste vara tjugo år sedan det hände. Eller ännu mer. Han var säkert okej. Hade snälla ögon. Det såg jag ända härifrån. Det syntes inte på bilderna i Corren, eller hur?»

13.

Malin står utanför stängslet, ser in på fotbollsplanen, ett gråvitt fält och ännu gråare skolbyggnader bakom. Till vänster ett klubbhus, en faluröd länga med en betongtrapp framför en grönmålad dörr, en korvkiosk med Cloettas logotyp överst.

Hon vädrar i luften. Kanske aningen av en doft av kakao?

Bakom kiosken en tennishall, ett tempel för finsport.

Hon tar tag i stängslet.

Genom sina svarta Thinsulate-vantar upplever hon inte metallens kyla, istället blir den till klumpig, livlös tråd. Hon rycker i stängslet, sluter sina ögon och ser grönskan, känner den feta lukten av nyklippt gräs, förväntan i luften när A-laget springer in på planen, påhejade av samhällets åtta-, nio- och tioåringar och de pensionerade gubbarna med sina kaffetermosar och så du, Bollbengan, ensam bakom staketet, utanför.

Hur blir man så ensam?

En yxa i huvudet.

De ska få kolla ditt namn i de gamla arkiven, det kommer säkert att dyka upp. Damerna i arkivet är nitiska, duktiga, så vi hittar dig. Vi ser dig. Var så säker.

Malin sträcker händerna upp i luften. Fångar bollen med händerna, innan hon gör sig tung och orörlig, innan hon snubblar bakåt och åt sidan och hon tänker, de skrattade åt dig men inte alla, du och dina tröstlösa försök att fånga bollen, dina försök att få vara en del av alla de små händelser, aningar och incidenter som är livet i ett litet samhälle som detta. Lite förstod de att du var en av dem som gjorde det här samhället till vad det är. Du måste varit en konstant i mångas liv, synlig men osynlig, känd men okänd, ett ambulerande tragiskt skämt som gav glans åt alldeles vanliga liv genom att dras om och om igen.

De kommer att sakna dig till våren. De kommer att minnas dig. När bollen flyger över stängslet kommer de att vilja ha dig tillbaka. Kanske kommer de att förstå att det är vad känslan av obehag i maggropen betyder.

Kan man bli mer ensam än du? Föremål för skratt i livet, omedvetet saknad i döden.

Så ringer telefonen i hennes ficka.

Hon hör Zekes röst bakom sig.

»Det är säkert Sjöman.»

Och Sjöman är det.

»Det har inte ringt någon mer, trots att han var någon slags lokalkändis. Har ni fått fram något?»

»Det ryktas om en yxa i huvudet», säger Malin.

»En vad för något?»

»Han ska ha slagit sin far med en yxa i huvudet, någon gång för kanske tjugo år sedan.»

»Vi får börja kolla», säger Sjöman. Sedan lägger han till: »Ni kan åka till hans lägenhet om ni vill. Teknikerna är klara. De kan med säkerhet säga att han inte blivit mördad i lägenheten. Med tanke på det kraftiga våldet hade det funnits spår av blod i sådana fall. Men Luminol-testet gav noll. Edholm och några till håller på och knackar dörr. Härnavägen 21 b, bottenvåningen.»

Fyra Skogaholmslimpor, av den färdigskivade sorten, på en gråspräcklig köksbänk i laminat. Lysrören i taket får brödens plastförpackning att se vattnig, sjuklig ut, innehållet livsfarligt att förtära.

Malin öppnar kylskåpsdörren, säkert tjugo paket med prickigkorv därinne, och fetmjölk och flera paket med osaltat smör.

Zeke tittar över hennes rygg.

»En riktig finsmakare.»

»Tror du han levde på den här kosten?»

»Ja», svarar Zeke. »Inte omöjligt. Det är i princip rent socker i det där brödet. Och korven är fet, så det går ihop. En riktig ungkarlsdiet.»

Malin stänger kylskåpsdörren. Bakom de nedfällda persiennerna anar hon konturerna av några barn som trotsar kylan och försöker bygga något av den kalla snön. Det hela måste vara hopplöst, en hård massa som stretar emot varje försök att forma den. Alla är invandrarbarn. De här tvåvåningshyreslängorna i vitputsad betong och flagande brunmålat trä måste vara Ljungsbros absoluta baksida.

Kvävda skratt där utifrån. Men ändå uppsluppna, som om kylan går att bemästra.

Kanske ingen baksida ändå.

Människor lever sina liv. Glädjen bryter fram, lysande punkter av magma i vardagen.

En soffa i spräckligt sjuttiotalsmönster mot en vägg med gulbrun stänktapet. Ett spelbord med grön filtskiva, ett par pinnstolar, en nedsjunken säng i ett hörn, det orange överkastet prydligt nedvikt på alla sidor.

Spartanskt, men inte sunkigt. Ingen röra av pizzakartonger, inga fimpar, inget skräp i drivor. Ordning och reda i ensamheten.

I ett av vardagsrummets fönster finns tre små hål, förtejpade, och tejp noggrant fäst längs de sprickor som förgrenar sig ut från hålen.

»Ser ut som någon kastat in småsten igenom rutan», säger Zeke.

»Verkar inte bättre.»

»Tror du det betyder något?»

»Det finns många barn i ett sådant här område, och de busar jämt. Kanske kastade de grus lite för hårt?»

»Eller så fick han kärleksmöte?»

»Säkert, Zeke. Vi får låta teknikerna undersöka rutan ordentligt om de inte gjorde det», säger Malin. »Se om de kan avgöra vad som skapat hålen.»

»Jag är förvånad att de inte tagit med rutan», säger Zeke. »Men det var säkert Johannison som var här. Och hon kanske inte orkade.»

»Om Karin varit här, hade rutan varit på labbet nu», säger Malin samtidigt som hon går bort till en garderob i sovalkoven.

Gabardinbyxor, enorma, i olika dova jordfärger på rad prydligt upphängda på galgar, tvättade, strukna.

»Det stämmer inte», säger Zeke. »Den här ordningen och de tvättade kläderna, med att han ska ha luktat smuts och urin.»

»Nej», säger Malin. »Men hur vet vi att han gjorde det? Han kanske förväntades göra det? Och så sa någon det till en annan och sedan sa den i sin tur samma sak till nästa och så blev det en sanning. Bollbengan, han stinker piss, Bollbengan, han tvättar sig inte.»

Zeke nickar.

»Eller så har någon varit här efteråt och städat.»

»Det skulle teknikerna ha märkt.»

»Är det så säkert?»

Malin gnider sin panna.

»Nej, det kan i och för sig vara omöjligt att avgöra.»

»Och grannarna? Ingen av dem hade sett något märkligt?»

»Inte enligt Edholm som skötte dörrknackningen.»

De sista resterna av huvudvärken är borta. Nu dröjer sig bara känslan av att vara uppsvälld och ofräsch kvar, den som kommer när alkoholen försvinner ur kroppen.

»Hur länge sa Johannison att han varit död? Mellan sexton och tjugo timmar? Kan ha varit någon här. Eller så var smutsen en myt.»

Den heta indiska grytan med kycklingcurry står på spisen, dofterna av vitlök, ingefära och gurkmeja sprider sig genom lägenheten och Malin är hungrig med hela kroppen.

Hacka, slanta, skiva. Steka och koka.

Folkölen är upphälld. Inget går bättre till en curry än öl.

Janne ringde nyss. Kvart över sju. De är på väg. Och nu hörs nyckeln i dörren och Malin går dem till mötes i hallen. Tove märkligt uppspelt, som om en scen ska spelas upp.

»Mamma, mamma! Vi har sett fem filmer i helgen. Fem, och alla utom en var bra.»

Janne bakom den uppspelta Tove i hallen. Skyldig, men ändå självsäker uppsyn. *När hon är hos mig bestämmer jag, och det vet du. Den diskussionen avslutade vi för länge sedan.*

»Vilka filmer såg ni?»

»Alla var gjorda av Ingmar Bergman.»

Så det var scenen, dagens variant av de små skådespel de brukar utsätta henne för.

Malin kan inte hindra sitt skratt.

»Jaha.»

»Och de var jättebra.»

Janne: »Lagar du curry? Perfekt i kylan.»

»Säkert Tove. Mamma tror på dig. Vilka filmer såg ni, på riktigt?»

»Vi såg *Jordgubbslandet*.»

»Tove, den heter *Smultronstället*. Och den såg ni inte.»

»Okej. Vi såg *Night of the living dead*.»

Va? Janne? Är du galen? Men hon backar i medvetandet. Tänker: *Living dead*.

»Men vi var på stationen också», säger Janne. »Och styrketränade.»

»Styrketränade?»

»Ja, jag ville prova», säger Tove. »Försöka fatta vad du tycker är så kul, mamma.»

»Det luktar jävligt gott om den där grytan.»

Timmar på löpbandet i polishusets gym. Bänkpress, Johan Jakobsson ovanför skivstången: »Kom igen nu, Malin. Kom igen, din vekling.»

Svettas. Pressa. Bli klar och tydlig. Inget är bättre än fysisk träning när hon vill få ny energi.

»Och du mamma, vad har du gjort?»

»Vad tror du? Jobbat.»

»Ska du jobba ikväll?»

»Inte vad jag vet. Och så har jag lagat mat.»

»Vadå?»

»Känner du inte det på doften?»

»Curry. Med kyckling?»

Tove lyckas inte dölja sin entusiasm.

Janne med slokande axlar.

»Då går jag nu», säger han. »Vi hörs i veckan.»

»Ja, vi hörs», säger Malin.

Janne öppnar dörren.

Just som han ska gå lägger Malin till:

»Du vill inte stanna på lite curry, Janne? Det räcker till dig också.»

14.

Måndag den sjätte februari

Malin gnuggar sömnen ur ögonen.

Vill kickstarta dagen.

Müsli, frukt och fil. Kaffe, kaffe, kaffe.

»Hej då, mamma.»

Tove, påbyltad i hallen, tidigare än vanligt, Malin själv senare. De höll sig inne hela dagen igår, bakade, läste. Malin fick kväva en impuls att åka in till stationen trots att Tove sa att hon fick åka till jobbet om hon ville.

»Hej då. Är du hemma när jag kommer ikväll?»

»Kanske.»

En dörr som slår igen. Meteorologtjejen på 4:an igår: »...och så drar det ner ännu kallare, ja det stämmer faktiskt, ännu kallare luft från Barents hav, och lägger sig som ett lock över landet, ja ända ner till Skåne. Så ta på er rejält med kläder om ni måste gå ut.»

Måste gå ut?

Vill gå ut. Vill vidare med det här.

Bollbengan.

Vem var du, egentligen?

Sjömans röst i mobilen, Malins ena hand på den kalla bilratten.

Måndagsmänniskor på väg till jobbet huttrar i busskurerna vid Trädgårdstorget, röken stiger ur deras munnar och slingrar sig vidare ut i luften kring de brokiga byggnaderna runt torget; trettiotalshusen med de eftertraktade lägenheterna, femtiotalshusen med affärer i bottenplanen och det svulstiga tiotalshuset på hörnet där det i decennier legat en skivaffär som nu fått slå igen.

»De ringde från något äldreboende i Ljungsbro, Vretaliden, och de har en nittiosexårig gubbe där, som tydligen berättat för ett av biträdena en massa saker om Bollbengan med familj. De läste tidningen för honom, han ser visst dåligt, och så började han berätta. Avdelningssköterskan ringde, tyckte det var bäst att vi pratade med honom. Ni kan väl ta det på en gång.»

»Vill gubben träffa oss själv?»

»Tydligen.»

»Vad hette han?»

»Gottfrid Karlsson. Sköterskan hette Hermansson.»

»Och i förnamn?»

»Hon sa bara syster Hermansson. Jag tror du gör bäst i att gå via henne.»

»Sa du Vretaliden? Jag åker dit direkt.» .

»Tar du inte Zeke med dig?»

»Nej, jag åker själv.»

Malin bromsar, gör en u-sväng, hinner precis innan 211:ans buss på väg mot Universitetssjukhuset kommer i hennes väg.

Chauffören tutar, hötter med näven.

Sorry, tänker Malin.

»Har de hittat något i arkiven?»

»De har precis bara börjat, Malin. Att han inte fanns i datorn vet du. Men vi letar efter något annat. Vi får se under dagen. Ring så fort du kan om du får veta något.»

Artighetsfraser och sedan tystnad i bilen, bara motorn som går upp i varv när Malin byter växel.

Vretaliden.

Äldreboende och servicehus i ett, tillbyggt och modifierat genom åren, strikt femtiotalsarkitektur sammantvingad med åttiotalspostmodernism. Komplexet ligger i en sänka hundratalet meter från en skola, bara ett par gatstumpar och några rödteglade hyreshus mellan institutionerna. Åt söder breder Wester's handelsträdgårds jordgubbsodlingar ut sig för att sluta tvärt i ett par växthus.

Men allt är vitt nu.

Vintern är doftlös, tänker Malin när hon hukande småspringer över hemmets parkering mot entrén, en glasbur där en snurrdörr rör sig i sakta mak. Malin tvekar. Hon jobbade på Åleryds sjukhem sommaren då hon var sexton, året innan hon träffade Janne. Hon trivdes inte, i efterhand har hon gett sig själv förklaringen att hon var för ung för att kunna ta till sig de gamlas svaghet och hjälplöshet, för oerfaren för att kunna vårda. Och mycket av det praktiska var motbjudande. Men hon gillade att prata med de gamla. Agera sällskapsdam när tiden fanns och lyssna när de berättade om det som varit deras liv. Många ville berätta, gå i sina minnen, de som fortfarande hade talet kvar. En fråga som början, och de var igång, sedan lite stickrepliker för att hålla berättandet vid liv.

En vit receptionsdisk.

Några farbröder i rullstolar som ser ut som fåtöljer. Slaganfall? Långt gången alzheimer? »Du vattnar väl blommorna?»

»Hej, jag är från Linköpingspolisen, jag söker en syster Hermansson.»

Ålderdomen luktar hårt kemiskt av oparfymerat rengöringsmedel.

Det unga biträdet, med fet hy och nytvättat, råttfärgat hår tittar upp på Malin med medlidande i blicken.

»Avdelning tre. Ta hissen därborta. Hon borde finnas på sköterskeexpeditionen.»

»Tack.»

När Malin väntar på hissen ser hon bort mot gubbarna i rullstolarna, det rinner saliv längs mungipan på en av dem. Ska de bara sitta så där?

Malin rör sig mot rullstolarna, plockar upp en pappersnäsduk ur jackans innerficka. Sträcker sig fram mot en gammal man och torkar saliven ur mungipan och från hakan.

Biträdet bakom disken stirrar, men inte argt, sedan ler hon.

Hissen plingar.

»Sådär ja», viskar Malin i farbrorns öra. »Nu blir det bättre.»

Han gurglar lågt, som för att svara henne.

Hon lägger armen om hans axel. Sedan springer hon mot hissen. Dörrar som går igen, satan, nu får jag vänta på att den kommer igen.

Syster Hermansson har kort permanentat hår och lockarna är som krullad stålull på hennes knotiga skalle, hårda ögon bakom svartbågade flaskbottensglasögon.

Kanske femtiofem eller sextio år gammal?

Hon står i vit rock i sköterskeexpeditionen, ett litet utrymme beläget mellan två korridorer med salar. Hon står bredbent med armarna i kors: Mitt territorium.

»En kvinna», säger Hermansson. »Jag hade väntat mig en man.»

»Det finns kvinnliga poliser numera.»

»Jag trodde de mest hade uniform. Måste man inte vara högre upp för att få jobba i vanliga kläder?»

»Gottfrid Karlsson?»

»Jag är egentligen helt emot det här. Han är gammal. Och nu i den här extrema kylan behövs det inte mycket för att skapa oro på avdelningen. Oro är inte bra för de gamla.»

»Vi är tacksamma för all hjälp vi kan få. Och han hade ju tydligen en del att berätta för oss?»

»Jag tror inte det. Men biträdet som läste dagens Corren för honom insisterade.»

Hermansson tränger sig förbi Malin, och börjar gå nerför korridoren. Malin går efter, tills Hermansson stannar vid en dörr, så tvärt att det gnisslar om hennes Birkenstock-sandalers sulor.

»Här är det.»

Sedan knackar Hermansson på dörren.

Ett svagt men glasklart: »Kom in.»

Hermansson gör en gest mot dörren.

»Bara att stiga in i Karlssons revir.»

»Följer du inte med?»

»Nej, vi kommer inte särskilt bra överens jag och Karlsson. Och det här är hans sak. Inte min.»

15.

Det är skönt att ligga här och vänta, slippa längta, istället se tiden an, vara så tung som jag men ändå kunna sväva.

Så jag lyfter nu, flyger ut ur den trånga bårhusboxen, ut i rummet, ut genom källarfönstret (jag tycker om den vägen, även om en vägg inte är något hinder).

Och de andra?

Vi ser bara varandra om båda vill, alltså är jag mest ensam, men jag känner alla de andra, som molekyler i en gigantisk diffus kropp.

Jag vill se mamma. Men kanske vet hon inte att jag är här än? Jag vill se pappa. Jag vill prata med dem båda, förklara att jag vet att ingenting är lätt, berätta för dem om mina byxor, om min lägenhet, om hur ren den var, om lögnerna, om att jag ändå var någon.

Min syster?

Hon hade nog med sitt. Jag förstod, förstår det.

Så svävar jag över fälten, över Roxen, tar omvägen om badet och campingen i Sandvik, över Stjärnorps slott där ruinen på något sätt gnistrar vit i solljuset.

Jag svävar som en sång, som den tyska Nicole i melodifestivalen, »Ein bisschen Frieden, ein bisschen Sonne, das wünsch' ich mir.»

Så över skogen, mörk och tät och full av de hemskaste hemligheter. Så ni är med ännu?

Jag har varnat er. Det krälar ormar längs en kvinnas ben, deras giftiga tänder biter hennes kön blodigt.

Ett växthus, en blomsterodling, ett gigantiskt jordgubbsland där jag suttit som liten valp.

Så svävar jag neråt, förbi de ondsinta ungarnas hus, vill inte dröja *där, istället vidare till Gottfrid Karlssons hörnrum på tredje våningen i Vretalidens äldsta byggnad.*

Han sitter där i sin rullstol, Gottfrid. Gammal och nöjd med livet han levat, och som han ska få leva ännu några år.

Malin Fors sitter mitt emot honom, på en pinnstol, på andra sidan ett bord. Hon är en smula förlägen, vet inte om farbrodern mitt emot henne har tillräckligt god syn för att möta hennes blick.

Tro nu inte på allt Gottfrid säger. Men det mesta är gångbart som »sanning» i er dimension.

Mannen mitt emot Malin.

Kretinet har gjort hans näsa bred och fyllig och röd, kinderna är gråa och insjunkna men ändå fulla av liv. Hans ben är magra under det beige, kraftiga bomullstyget i sjukhusbyxorna, skjortan vit och välstruken.

Ögonen.

Hur mycket ser han? Blind.

Den gamles instinkt. Det är bara livet som kan lära oss. När Malin ser honom kommer minnena från sommaren på sjukhemmet tillbaka. Hur vissa av de gamla på något vis funnit sig i att livet till största delen låg bakom dem och kommit till ro, medan andra verkade fullkomligt rasande över det faktum att allt snart skulle vara förbi.

»Oroa sig inte fröken Fors, för ni är väl en fröken? Jag ser bara skillnad på ljus och mörker numera, så ni behöver inte möta min blick.»

En av de rofyllda, tänker Malin och lutar sig fram, artikulerar, talar högt:

»Så Gottfrid vet varför jag är här?»

»Inget fel på min hörsel, fröken Fors.»

»Förlåt.»

»Jag fick läst för mig i tidningen om det hemska som hänt med Kalle i Krökens pojk.»

»Kalle i Kröken?»

»Ja, Bengt Anderssons far kallades så. Ont blod i den familjen, ont blod, inget fel på pojken egentligen, men vad ska man göra med det blodet, med den jävla rastlösheten?»

»Gottfrid får gärna berätta mer om Kalle i Kröken.»

»Om Kalle? Gärna det, fröken Fors. Berättelser är allt jag har numera.»

»Berätta på.»

»Kalle i Kröken var en legend här i samhället. Det sägs att han stammade från tattare som brukade hålla till på en ödetomt på andra sidan Motala ström borta vid Ljung, nära säteriet. Men jag vet inte jag. Kanske var det sant som det också sas, att han var son till brodern och systern på Ljungs säteri, de som alla visste hade ihop det. Att tattarna fick betalt för att uppfostra honom, och att det var därför som Kalle i Kröken blev så som han blev.»

»När var det här?»

»Det var på tjugotalet, tror jag, som Kalle blev till, eller tidigt trettiotal. Trakten var annorlunda då. Det fanns fabriken. Och gårdarna och godsen. Inget mer. Kalle var bortom oss andra redan från början. Han var förstår du, det svartaste av svarta barn, inte i skinnet men inombords. Som om tvivlet dömde honom, som om osäkerheten blev en sorg som gjorde honom galen, en sorg som ibland nästan fick honom att tappa uppfattning om tid och rum. Det sägs att det var han som eldade upp ladugården på säteriet, men ingen vet. När han var tretton kunde han varken läsa eller skriva, magistern hade kört ut honom från skolan uppe i Ljung, och då tog länsman honom för första gången, han stal ägg i bonden Turemans hönsgård.»

»Tretton?»

»Ja, fröken Fors, han var väl hungrig. Kanske hade tattarna tröttnat på honom? Kanske hade herrskapet på säteriet tröttnat på att betala? Vad vet jag, sådant gick inte att ta reda på då, så lätt som nu.»

»Sådant?»

»Faderskap, moderskap.»

»Och sedan?»

»Han försvann då, Kalle, kom inte tillbaka på en herrans massa år. Det gick rykten om sjön, om Långholmen, om hemska saker. Mord, våldtäkter på barn. Men vad visste vi? På sjön hade han inte varit, det hade jag vetat.»

»Hur då?»

»Jag gjorde mina år i handelsflottan under kriget. Jag vet hur en sjöman är. Och Kalle i Kröken var ingen sjöman.»

»Vad var han då?»

»Främst var han en kvinnokarl. Och suput.»

»När kom han tillbaka hit?»

»Det måste varit någon gång i mitten på femtiotalet. Ett tag jobbade han som mekaniker nere på fabrikens garage men det gick inte så länge, sedan hjälpte han till som avbytare på gårdarna, så länge han var nykter gjorde han två mans jobb, så han fick hållas.»

»Hållas med vad?»

»Med pigorna och med spriten. Det finns nog inte många arbeterskor, pigor eller gårdsfruar för den delen som inte kände Kalle i Kröken. Han var kejsaren av dansbanan i Folkets Park. Det han inte kunde få in i skallen om bokstäver och siffror fick han istället ut genom kroppen. Han hade bockfot på dansbanan. Tjusade som djävulen. Tog det han ville ha.»

»Hur såg han ut?»

»Det var nog det som var hemligheten, Fröken Fors. Hemligheten med att kvinnorna inte kunde motstå honom. Han såg ut lite som ett rovdjur stöpt i en människas form, han var som fysisk aptit, bred, grov, svarta ögon som satt tätt ihop, ett käkparti som hugget ur kolmårdsmarmor.»

Gottfrid Karlsson tystnar, som för att låta bilden av oförställd manlighet sjunka in i den unga fröken Fors.

»Män görs inte så längre, fröken Fors. Även om det fortfarande finns *opolerat* folk här i trakten.»

»Varför 'i Kröken'?»

Gottfrid lägger sina pigmentfläckiga, tärda händer på rullstolens armstöd.

»Det måste varit i slutet av femtiotalet eller i början av sextiotalet. Jag arbetade som förman på Cloetta då. Kalle hade på något vis kommit över en summa pengar och köpt en tomt med en gammal falumålad stuga på, nere vid Westers, bara ett par hundra meter härifrån, i kröken vid tunneln under stora vägen på det som idag heter Anders väg. Tunneln fanns inte då, och där vägen är var det hage. Jag var själv med och bjöd på huset, så jag vet. Det var en stor summa pengar för den tiden. Det hade varit ett rån på en bank i Stockholm, och rykten gick att pengarna kom därifrån.

Han hade träffat en kvinna då, Bengts mor, Elisabeth Teodorsson, en kvinna så förankrad i jorden att hon verkade fullkomligt orubblig, att hon skulle kunna överleva själva jorden. Så blev det nu inte.»

Så suckar den gamle mannen framför henne, sluter ögonen.

Orden verkar ta slut.

Kanske är han trött av ansträngningen, av att gräva i minnet? Eller trött av det som han berättar? Men så öppnas ögonen och ljuset är klart i de grumliga pupillerna.

»Från det han köpt huset fick han heta Kalle i Kröken. Tidigare visste alla vem Kalle var, nu fick hans namn ett tillägg. Jag tror det där huset blev början på slutet för honom, han var inte skapt för det som kallas för ordnade förhållanden.»

»Och sedan föddes Bengt?»

»Ja, 1961, det minns jag, men innan han kom ut var Kalle i Kröken bakom lås och bom.»

Gottfrid Karlsson sluter ögonen på nytt.

»Är Gottfrid trött?»

»Nej, inte alls, fröken Fors. Än är jag inte färdig med det jag har att berätta.»

På väg ut stannar Malin till i sköterskeexpeditionen.

Syster Hermansson sitter vid den väggfasta bänken, för in bokstäver med en blå bläckpenna i något slags diagram.

Hon tittar upp.

»Nå?»

»Bra», säger Malin, »det var bra.»

»Blev ni något klokare?»

»Både och.»

»Alla de där kurserna Gottfrid Karlsson läste på universitet efter pensionen har gjort honom märkvärdig. Så jag kan förstå om han satte griller i huvudet på er. Han berättade väl om kurserna?»

»Nej», svarar Malin. »Det gjorde han inte.»

»Då ska jag vara tyst», säger Hermansson och återgår till sitt diagram.

Nere i entrén är gubbarna i rullstolar borta.

När Malin passerar ut genom snurrdörren och kylan slår emot henne kommer Gottfrid Karlssons avslutande ord tillbaka, som hon vet att de kommer att göra om och om igen.

Hon var på väg att gå och han la handen på hennes arm.

»Var försiktig nu, fröken Fors.»

»Förlåt?»

»Kom ihåg en sak, fröken Fors. Det är alltid begäret som dödar.»

16.

Tomten där huset, stugan i kröken, en gång stod.

Stämningen nu: medelklassprakt, typhustristess. När kan den rosa-målade trävillan med fabrikstillverkad snickarglädje vara byggd? 1984? 1990? Någon gång därikring. Den som köpte huset av Boll-bengan visste vad han gjorde, köpte säkert billigt, väntade ut kon-junkturen, rev huset, byggde ny fabriksvilla och sålde.

Byggde du bort någons liv?

Nej.

För vad är ett hus mer än egendom och vad gör egendom mer än förpliktigar? Hyr ditt hus, äg ingenting. De medvetna, fattigas mantra.

Malin har klivit ur bilen. Vädrar i den kvävande luften. Bakom de stela björkarnas kronor kan hon ana gångtunneln under Linköpingsvägen. Ett svart hål där backen på andra sidan blir till en ogenomtränglig vägg.

Huset mittemot är en tillbyggd femtiotalsvilla, grannens till väns-ter likaså. Vilka bor här idag? Ingen Kalle i Kröken. Inga fyllon. Några kvinnokarlar? Några övergivna tjockisar vars själar aldrig fick växa?

Knappast.

Säljare, läkare, arkitekter, sådant folk.

Malin vankar av och an utanför bilen.

Gottfrid Karlssons röst:

»Kalle i Kröken misshandlade en karl på Folkparken. Han gjorde det ofta. Slagsmål var livsnäring för honom. Men den här blev blind på ena ögat. Han fick sex år för det.»

Malin går upp mot tunneln och vägen, klättrar uppför en slänt via en oplogad cykelbana. Akvedukten, som syns på avstånd, den fanns inte då. Bilar som försvinner, uppenbarar sig i snödiset. Malin kan se grönskan, sommarprakten, kanalbåtarna som glider på vattnet över vägen om sommaren. Där kommer världen! Och den är inte din, inte din. Din värld kommer att förbli det här samhället, din ensamhet, de andras skratt när du rör dig efter förlupna bollar.

»Elisabeth klarade sig på att sy. Hon gjorde ändringar åt Slotts dam- och herrmode inne på Vasagatan. Tog bussen varje morgon med Bengt på armen och hämtade kläderna, tog bussen in med dem på kvällen. Chaufförerna lät henne åka gratis. Han blev tjock då, det sas att hon lät pojken äta smör och socker bara för att hålla honom lugn när hon skulle sy.»

Malin står vid räcket ovanför gångtunneln, ser ner på huset, på den röda stuga som en gång stod där. Så litet, men för en pojke hela universum, stjärnorna på natthimlen påminnelser om den egna förgängligheten.

»När Kalle kom ut blev Elisabeth gravid efter någon vecka. Han var konstant berusad, utan tänder nu, gammal i förtid. Det sägs att han fick stryk av de andra på kåken, för något han gjort i Stockholm. Det sas att han tjallade en gång. Men kvinnorna var lika tokiga efter honom som någonsin. Han höll till i parken på lördagarna. Kjoltyg och slagsmål.»

Svarta takpannor. Rök ur skorstenen. Säkert ur en öppen spis.

»Så föddes systern Lotta. Och så höll det på, Kalle söp och slogs, slog både frun och pojken och flickan när hon inte ville sluta skrika, men på något vis höll det ihop, på något vis. Kalle brukade stå nere utanför konditoriet och gorma åt folk som gick förbi. Polisen lät honom hållas. Han hade ju blivit gammal.»

Malin går tillbaka till huset, tvekar innan hon kliver in på garageinfarten. En uråldrig ek längst in i bortre hörnet av tomten. Eken måste ha stått här på din tid Bollbengan, gjorde den det?

Den stod där på min tid.

Jag sprang under eken och runt den tillsammans med min syster. Vi sprang där för att hålla pappa borta, tvinga honom att hålla sig borta med hjälp av våra skratt, vårt skrän, våra barnskrik.

Och som jag åt.

Så länge jag åt fanns det hopp, så länge det fanns mat fanns det tro, så länge jag åt fanns det ingen annan verklighet än maten, så länge jag åt hölls sorgen över det som aldrig blev i sin mörka håla.

Men vad hjälpte springandet och ätandet?

Istället var det mamma som försvann. Cancern tog först hennes lever och sedan henne, hon rann ifrån oss på någon månad och sedan, ja vad hände sedan, då började den eviga natten.

»Socialen borde tagit barnen då, fröken Fors, när Elisabeth dog. Men de kunde inte göra något. Kalle ville ha dem och så var lagen. Bengt var kanske tolv, lillflickan Lotta sex. För Bengts del var det nog slut redan då. Godset skadat, redo för kassering. Han var den ensammaste av ensamma, krök-unge, ett monster man skulle hålla sig borta från. Hur pratar man till människor som ser på en som om man är ett monster? Jag såg det där hända på avstånd, och har jag begått någon synd så är det att jag gick förbi honom då, när han på något vis ännu fanns på riktigt, om fröken Fors förstår vad jag menar. När han behövde mig och oss i samhället.»

Men mamman? Elisabeth. När är en höjning på handen för att stoppa ett slag den enda kraft som återstår. När händerna är sönderslagna så man inte längre kan sy?

Malin går runt huset.

Känner ögonen där inifrån. Hur de stirrar på henne, undrar vem hon är. Stirra ni bara. Nyplanterade äppelträd, doftande blomidyll, vet ni hur lätt en sådan bryts sönder, försvinner för att aldrig mer uppstå?

Mamma, även om du inte orkade, så kom tillbaka.

Var det så du bad, Bengt?

Jag orkar inte säga mer nu.

Även vi, jag, har en gräns.

Jag vill sväva nu.

Sväva och brinna.

Men jag saknade henne, och jag var rädd om min syster, kanske

var det därför jag slog, jag vet inte, för att få ihop allt på något vis.
Du ser själv på husen omkring vårt. Jag såg ju hur det borde vara och
hur det kunde vara.

Jag älskade honom, min pappa, det var därför jag höjde yxan den
där kvällen.

Pissungar, lortungar. Rädda ungar, retade ungar. Inte-gå-i-skolan-ungar. Fylleungar.

En flicka, en liten Lotta som slutar prata, som luktar kiss, som stinker av misären som inte ska finnas i socialdemokratins nyputsade folkhem.

Två Caterpillar-boots som bryter den hårda skaren i snön på bakgården till en villadröm, en dörr som öppnas, en misstänksam mansstämma:

»Förlåt, kan jag hjälpa dig med något?«

Den förberedda unga poliskvinnan som håller upp sin legitimation.

»Polisen. Jag bara kollar in tomten. Det bodde någon här för länge sedan som är under utredning.«

»När då? Vi har bott här sedan -99.«

»Oroa dig inte. Det här var för många år sedan, innan huset ens var byggt.«

»Kan jag stänga? Det kommer in så mycket kall luft.«

Säljartypen. Slingor i håret trots att han säkert är fyrtio.

»Stäng du. Jag är snart klar.«

En mor som vaporiseras av cancer, en far som förstör allt som kommer inom armslängds avstånd. Ett vrål fullt av begär som ekar upp ur de här trakternas, ur skogens och fältens historia.

Gottfrids röst:

»Han tog till yxan, fröken Fors. Han var inte ens femton då. Väntade i huset på att Kalle i Kröken skulle komma hem från något fylleslag. Sedan, när gubben öppnade dörren, så högg han. Grabben hade slipat yxan, men träffen var inte ren. Bladet tog på örat, det lossnade nästan från huvudet i ett rent snitt, hängde som en flik i en sena, sas det. Och Kalle sprang ut ur stugan, blodet i en ström längs halsen, ner på kroppen. Hans skrik ekade över samhället den natten.«

Snön är vit, men Malin kan känna doften av Kalle i Krökens

alkoholstinna blod. Känna doften av Bollbengans fjortonåriga förtvivlan, se nedkissade lillasyster Lotta i sängen med munnen öppen och ögonen fulla av en skräck som nog aldrig går över.

»Han rörde henne aldrig. Även om det gick historier om det också.»

»Vem rörde henne inte?»

»Varken gubben eller Bengt. Det är jag säker på även om ingen av dem undgick misstanke.»

Blodspår genom historien.

Flickan bortadopterad. Bengt i fosterhem något år, sedan hem igen till Kalle, den öronlöse med bandet kring huvudet och en vit lapp för hålet där örat suttit.

Så dog gubben en försommar. Efter några rasande år när de mest vaktade på varandra, han och Bengt. Hjärtat gav vika till slut. De hittade Bollbengan, kan knappt ha varit mer än arton då. »Han hade bott med liket ensam i över en månad. Bara gått ut, verkade det som, för att köpa limpa.»

»Och sedan?»

»Socialen ordnade med försäljning av huset. Det revs, fröken Fors. Och man stoppade Bengt i en lägenhet i Härna. Ville skapa den stora glömskan.»

»Hur vet du allt det här, Gottfrid?»

»Det är inte mycket jag vet, fröken Fors. Det jag har berättat för dig kände alla till i samhället då. Men de flesta av oss är döda nu, eller så har de glömt. Vem vill minnas de ledsamma? Galningarna?

Sådant och sådana människor hör hemma i marginalen för de allra flesta, fröken Fors. Visst ser vi dem, men vi minns dem sällan eller aldrig.»

»Och sedan, efter att man satt honom i lägenheten?»

»Inte vet jag. Det senaste decenniet har jag skött mitt eget. Han fångade bollar. Men han var hel och ren de gångerna jag såg honom, så någon måste ha brytt sig.»

Malin tar plats i bilen, vrider om tändningsnyckeln.

I backspegeln blir snart gångtunneln till ett krympande svart hål. Hon andas in och andas ut.

Någon brydde sig kanske, men vem?

Jag blundar och känner mammas varma händer på min treårings-kropp, hur hon nyper mig i valkarna och de svällande brösten, hur hon borrar in näsan i min runda buk och hur det kittlar och är varmt och jag vill att hon aldrig ska sluta.

Leta vidare Malin, leta vidare.

17.

Zekes ögon kalla, irriterade när han möter henne i entrén till polishuset, han skäller på henne när de går de få stegen till hennes skrivbord i det öppna kontorslandskapet. Johan Jakobsson nickar från sin plats, Börje Svärds plats är tom.

»Malin, du vet vad jag gillar när du drar iväg själv. Jag försökte ringa men du hade mobilen avstängd hela tiden.»

»Det kändes bråttom.»

»Du Malin. Det tar inte mycket längre tid att plocka upp mig här än vad det tar att plocka upp en hora på Reeperbahn. Hur lång tid tar det att svänga förbi? Fem minuter? Tio?»

»Hora på Reeperbahn? Zeke, vad skulle kördamerna säga om det? Strunta i att sura nu. Sätt dig här och lyssna istället. Lyssna, du kommer nog att gilla det här.»

»Knip igen, Malin. Vad skulle du säga?»

Efteråt, när Malin redogjort om Bengt Anderssons far, Kalle i Kröken och den värld han skapade, skakar Zeke på huvudet.

»Människan. Ett vackert djur, eller hur?»

»Har de kommit någon vart med arkiven?»

»Nej, inte än. Men det blir enklare nu. De får några årtal att gå på. Hans brottsregister var rent, men det förklaras ju av att han bara var fjorton när det hände. Vi behöver bara få det gubben sa bekräftat. Men det ska gå fort nu. Och han dödförklarades i morse. Så har jag fått fram ett namn på socialen i Ljungsbro, en Rita Santesson.»

»Har du pratat med henne?»

»Som hastigast över telefon.»

»Du åkte inte dit? Eller plockade upp mig. Nu får jag ju åka tillbaka till Ljungsbro.»

»För helvete Malin, du kanske drar iväg, jag gör det inte. Vi gör väl det här tillsammans? Och åka till Ljungsbro är ju kul.»

»Och de andra?»

»De följer upp det sista efter dörrknackandet, och så hjälper de stöldroteln med något inbrott i en Saab-direktörs villa i helgen. De stal tydligen någon tavla, en amerikansk, Harwool, tror jag det var, värd miljoner.»

»Warhol. Så en stöld ur en direktörsvilla är viktigare än det här?»

»Du vet hur det är, Malin. Han var bara en fet ensam bidragstagare. Inte utrikesminister, direkt.»

»Och Karim?»

»Media har lugnat sig, så då har han lugnat sig. Och en stulen Warhol kan ju hamna i DN.»

»Nu åker vi och pratar med Rita Santesson.»

Rita Santesson ser ut som om hon ska falla ihop framför deras ögon. Den virkade ljusgröna tröjan hänger om hennes magra överkropp och benen är inte mer än ett par pinnar i de beige manchesterbyxorna. Hennes kinder är insjunkna, ögonen vattniga av lysrörsljuset och håret har förlorat all färg det en gång kanske haft. På de gulmålade vävtapetserade väggarna hänger reproduktioner av Bruno Liljefors. Ett rådjur i snö, en räv som slår en kråka. Persiennerna är neddragna, som för att hålla verkligheten ute.

Rita Santesson hostar, men ändå är det med märklig kraft som hon slänger den svarta mappen med Bengt Anderssons namn och personnummer framför dem på skrivbordets slitna furuyta.

»Det är vad jag har att ge er.»

»Kan vi ta en kopia?»

»Nej, men ni kan anteckna.»

»Kan vi använda ditt rum?»

»Jag behöver det för klientmottagning. Ni kan sitta i fikarummet.»

»Vi behöver prata med er också, efteråt.»

»Vi kan ta det nu. Jag har som sagt inte mycket att säga.»

Rita Santesson sjunker ner på sin vadderade stol. Gör en gest mot de orange plaststolarna, uppenbarligen till för besökare.

Hon hostar, djupt nere i lungorna.

Malin och Zeke tar plats på stolarna.

»Nå, vad vill ni veta?»

»Hur var han?» undrar Malin.

»Hur han var? Det vet jag inte. De få gånger han var hos mig var han frånvarande. Han åt antidepressiva mediciner. Sa inte mycket. Verkade mest vilja vara för sig själv. Vi försökte få honom att bli sjukpensionär, men det motsatte han sig bestämt, trodde väl att det fanns en plats för honom, någonstans. Ni vet, hoppet är det sista som överger människan.»

»Inget annat? Något om några fiender? Ovänner?»

»Nej, inget sådant. Han hade nog varken vänner eller ovänner. Som sagt ...»

»Inget annat? Försök minnas.» Zekes tvingande röst.

»Jo, han ville veta om sin syster. Men vi hade inte det ålagt oss, jag menar att släktforska för hans räkning. Jag tror inte han vågade kontakta henne själv.»

»Var bor systern nu?»

Rita Santesson gör en gest mot akten. »Allt finns där.»

Sedan reser hon sig, visar mot dörren.

»Jag har en klient om någon minut. Fikarummet är längst ner i korridoren. Om ni nu inte hade några fler frågor.»

Malin ser på Zeke. Han skakar på huvudet.

»Då så.»

Malin reser sig.

»Är du säker på att det inte är något mer vi borde veta?»

»Det är inget jag vill gå in på.»

Rita Santesson har plötsligt kraft i sin kropp, den sjukliga tigern som är härskare i sin bur.

»Inte vill gå in på?» stöter Zeke fram. »Han har blivit mördad. Hängd som en lynchad neger i ett träd. Och du vill inte 'gå in på' något. »

»Inte det ordet, tack.»

Rita Santesson snörper ihop munnen, rycker på axlarna, rörelsen får hela hennes kropp att rista. Du hatar män, eller hur, tänker Malin. Sedan frågar hon:

»Vem träffade han innan dig?»

»Det vet jag inte, eller det står också i papperen. Vi är tre på det här kontoret. Vi har alla börjat under det senaste året.»

»Kan du ge oss numren till dem som slutat? »

»Fråga i receptionen. De kan säkert ordna det.»

En sur stank av bränt koffein och mikrad mat. En blommig vaxduk på ett ellipsformat bord.

Dyster läsning. De skickar papperen mellan sig, turas om att läsa, anteckna.

Bengt Andersson. In och ut på psyk, depressioner, enstöring, olika sekreterare, en genomgångsstation för socialarbetare på väg upp.

Så händer något 1997.

Tonen i journalerna ändras.

Ord som »ensam, vid sidan av, kontaktsökande», dyker upp.

Samma socialsekreterare hela den perioden: Maria Murvall.

Nu dyker också systern upp i anteckningarna. Maria Murvall skriver:

Bengt frågar efter systern. Jag kollade i arkiven. Systern, Lotta, först satt i fosterhem, sedan bortadopterad till en familj i Jönköping. Nytt namn Rebecka Stenlundh.

Lotta fick bli Rebecka, tänker Malin, Andersson blev till Stenlundh.

Rebecka Stenlundh, namnbytt som en katt någon övertar när de gamla ägarna tröttnat.

Inget mer om systern, förutom: *Bengt är rädd för kontakt med systern*, ett nummer, en adress i Jönköping, nedskriven för hand i marginalen. Sedan en otänkbar reflektion: *Varför engagerar jag mig så?*

Maria Murvall.

Jag känner igen namnet.

Jag har hört det namnet förut.

»Zeke. Maria Murvall. Låter det inte bekant?»

»Det klingar bekant. Onekligen.»

Nya ord.

På gott humör. Har, efter mina besök och mitt envetna tjatande,
fått ordning på hygien och städning. Exemplariskt nu.

Sedan ett tvärt slut.

Maria Murvall ersatt först av en Sofia Svensson, sedan av en Inga
Kylborn, och därpå Rita Santesson.

Alla har samma omdömen.

Sluten, trött, svår att få kontakt med.

Sista mötet för tre månader sedan. Inget annorlunda med det.

De lämnar mappen i receptionen. En ung tjej med näsring och korp-
svart hår ler mot dem, svarar: »Javisst», på deras fråga om telefon-
nummer till namnen på Bengt Anderssons socialsekreterare.

Fem namn.

Tio minuter senare sträcker tjejen en lista mot dem.

»Varsågoda. Hoppas ni har nytta av listan.»

Innan de går ut knäpper Zeke och Malin sina jackor, drar på sig
vantar, mössa och halsdukar.

Malin ser på klockan på väggen. Institutionssorten, med svarta
visare mot gråvit botten.

15.15.

Zekes telefon ringer.

»Ja ... ja ... ja ... ja.»

Med telefonen alltjämt i handen säger Zeke: »Det var Sjöman.
Han vill ha en genomgång nu klockan kvart i fem.»

»Har det hänt något?»

»Ja, det har ringt någon gubbe från historiska fakulteten på uni-
versitetet. Hade visst någon teori om vad som kunnat inspirera till
mordet.»

18.

Sven Sjöman tar ett djupt andetag, samtidigt som han hastigt kastar en blick på Karim Akbar bredvid sig framme vid den vita tavlan i mötesrummet.

»Midvinterblot», säger han sedan och gör en lång paus innan han fortsätter: »Enligt Johannes Söderkvist, professor i historia på universitetet, var det tydligen någon slags ritual där man för länge sedan offrade djur till gudarna. Man hängde offren i träden, så det finns klara kopplingar till vårt fall.»

»Men det här är ju en människa», säger Johan Jakobsson.

»Jag skulle komma till det. Det förekom människooffer också.»

»Vi kan alltså ha att göra med ett ritualmord, utfört av någon slags samtida asasekt», säger Karim. »Vi får jobba utifrån det, som en av våra teorier.»

En av vilka teorier? tänker Malin och ser rubrikerna framför sig: SEKTMORD! ASASÄLLSKAPEN: SÅ SER DE UT.

»Det var det jag sa», säger Johan. »Att det är ritual över det hela.»

Ingen triumf i hans röst, bara krasst konstaterande.

»Känner vi till några sådana sekter? Asasekter?»

Börje Svärd slänger ut frågan i rummet.

Zeke lutar sig tillbaka. Malin ser hur skepticismen belägrar hela hans kropp.

»Vi känner inte till några sådana sekter för tillfället», svarar Sven. »Men det betyder ju inte för den skull att de inte finns.»

»Finns de», säger Johan, »så finns de garanterat på nätet.»

»Men att gå så långt», säger Börje. »Det verkar ändå otroligt.»

»Det finns saker i det här samhället som vi inte vill tro på», säger

Karim. »Det känns som om jag sett det mesta.»

»Johan och Börje», säger Sven, »ni tar och börjar nysta i det här med offer och sekter på nätet så får Malin och Zeke prata med professor Söderkvist och se vad han har att säga. Han finns till förfogande ikväll ute på fakulteten.»

»Det gör vi», säger Johan. »Jag kan sitta med det hemma i kväll. Jag tror man kan komma långt bara genom att surfa runt. Om det nu finns något. Men då måste vi få slippa konststölden.»

»Släpp den», säger Karim. »Det här är större.»

»Förutsättningslöst är bäst vad gäller det här», säger Sven.

»Och vad mer?»

Karim, uppfordrande, närmast parodiskt så.

»Rutan i hans lägenhet är skickad till SKL för analys», säger Malin. »Vi vill veta, om möjligt, hur de där hålen uppstod. Mönstren i hålkanterna kan enligt Karin Johannison kanske ge oss ett svar.»

Karim nickar.

»Bra. Vi måste söka under varje sten. Och mer?»

Malin redogör för vad hon och Zeke fått fram under dagen, avslutar med att hon i bilen tillbaka från socialkontoret i Ljungsbro ringde tre av numren på listan utan att få något svar.

»Vi borde prata med hans syster också, med hon som numera heter Rebecka Stenlundh.»

»Åk till Jönköping imorgon, försök få tag på henne.»

»Men vänta er inte för mycket», säger Sven. »Med den jävla starten som hon verkar haft på livet, kan vad som helst ha hänt.»

»Ta i då för fan.»

Johan Jakobsson står över henne och flipprar med fingrarna under stången.

Sjuttio kilo.

Lika mycket som hon väger själv. Ryggen hårt mot bänken, stången som vill neråt, neråt, neråt, hur hon själv försvinner under tyngden.

Svetten.

»Din vekling, ta i då.»

Hon har bett honom säga så, vekling, annars skulle han aldrig göra det. Det bar honom emot de första gångerna, det märkte Malin, men nu, hur naturligt som helst.

... tre gånger, fyra, fem, pressa, och så en sjätte, sjunde, åttonde ... Kraften, som bara sekunderna tidigare verkade så självklar, är slut.

Den runda armaturen i taket rakt ovanför exploderar, rummet blir vitt, musklerna vita, stumma, Johans röst:

»Ta i.»

Och Malin pressar, men hur hon än pressar, så åker stången ner mot halsen.

Så lättar trycket, vikten mot hennes kropp försvinner och den ljusblå vävtapetväggen och det gula taket syns igen, maskinerna i den fönsterlösa träningslokalen i källaren, svettdoften.

Hon reser sig upp. De är ensamma i rummet. De flesta av de andra poliserna tränar nere på stan: »De har bättre maskiner.»

Johan flinar.

»Den åttonde verkar omöjlig», säger han.

»Du skulle inte hjälpt till», säger Malin. »Jag hade klarat det.»

»Du hade krossat struphuvudet om jag väntat lite till.»

»Din tur», säger Malin.

»Inte mer för mig idag», svarar Johan och lossar sin svettiga, urtvättade blå Adidas-tröja från bröstet. »Ungarna.»

»Skyll på ungarna.»

Johan skrattar när han går därifrån.

»Det är bara träning, Malin. Inget mer.»

Så är hon ensam i rummet.

Hon tar plats på löpbandet. Drar upp tempot nästan till max. Sedan springer hon tills det på nytt vitnar för ögonen, tills världen försvinner.

Varma vattenstrålar mot huden.

Slutna ögon, svart runt omkring henne.

Samtalet till Tove några timmar tidigare.

»Kan du värma något ur frysen? Annars finns curryn kvar från i helgen. Pappa åt inte precis allt.»

»Det fixar sig mamma. Jag ordnar något.»

»Är du hemma när jag kommer?»

»Jag ska kanske hem till Lisa och plugga. Vi har prov i geografi på torsdag.»

Plugga, tänkte Malin. Sedan när behöver du göra det?

»Jag kan förhöra dig om du vill.»

»Det behövs inte.»

Schampo i håret, tvål på kroppen, brösten, oanvända.

Malin stänger av duschen, torkar sig, slänger handduken i tvätt-korgen innan hon plockar kläderna ur sitt skåp. Hon klär sig, sätter på sig den gulröda Swatchen hon fick av Tove i julas. Den visar halv åtta. Zeke väntar nog i bilen på parkeringen. Bäst att skynda sig. Professorn som ska berätta om ritualerna vill nog inte heller vänta på dem hela kvällen.

19.

De går med raska steg mellan rödstensfärgade plåtfasader. Det knarrar under deras skosulor, den grå stenläggningen noggrant sandad, men med isfläckar här och där. Gången mellan de stumma, avlånga byggnaderna blir till en vindtunnel där kylan kan samla ihop sig och ta fart mot deras kroppar. Gatlyktornas koner flammiga allteftersom de rister hit och dit.

Universitetet.

Som en fyrkantslådig stad i staden, utkastad mellan Valla och golfbanan och Mjärdevi Science Park.

»Jag visste inte att lärdom kunde kännas så dyster», säger Zeke.

»Det är inte dystert», säger Malin. »Bara segt.»

Själv höll hon på med juridikproppen på halvfart i två år, Tove runt benen, Janne i djungeln eller på en minerad väg någonstans gud vet var och så patrulltjänst, nattjänst, nattdagis, ensam, ensam med dig Tove.

»Sa du C-huset?»

Bokstaven C lyser över närmaste port. Zekes röst förhoppningsfull.

»Sorry, det är F-huset.»

»Fy fan för den här kylan.»

»Den stinker.»

»Och ändå så har den liksom ingen doft.»

Ett ensamt fönster lyser på F-husets andra våning. Som en förvuxen stjärna på en motvillig himmel.

»Han sa att vi skulle knappa in B 3267 på porten, och sedan skulle han knäppa in oss.»

»Du får ta av dig vantarna», säger Zeke.

Och minuten senare står de i en hiss på väg uppåt, professor Johannes Söderkvists röst svårdefinierad, flyende i en högtalare minuten tidigare.

»Är det polisen?»

»Ja, inspektör Fors och Martinsson.»

Ett bss och sedan värme.

Vad hade jag väntat mig? tänker Malin samtidigt som hon tar plats på en obekväm stol i professorns tjänsterum. En knarrig farbror i kofta? En historieprofessor är inte en av de fina, som hon blir osäker inför. Men vad är denna person?

Han är ung, inte mer än fyrtio, och han ser bra ut, kanske lite klen haka, men kindbenen och de blå, kalla ögonen är det inget fel på. *Hej, professorn.*

Han sitter lätt bakåtlutad i en fåtölj på andra sidan ett pedantiskt städat skrivbord, så när som på ett slarvigt öppnat paket mariekex. Rummet är kanske tio kvadratmeter stort, fulla bokhyllor längs väggarna och fönstren vetter mot golfbanan, tyst och öde bortom en väg.

Han ler, men bara med munnen och kinderna, inte med ögonen.

Han döljer ena handen, tänker Malin, den han inte hälsade med. Han håller den under skrivbordsytan, varför gör du det, professor Söderkvist?

»Du hade något du ville utveckla för oss?» frågar Zeke.

Rummet luktar rengöringsmedel.

»Midvinterblot», säger professorn samtidigt som han lutar sig längre tillbaka. »Känner ni till det?»

»Vagt», säger Malin.

Zeke skakar på huvudet och nickar åt professorn som fortsätter:

»En hednisk ritual, något som de ni skulle kalla för vikingar sysslade med en gång om året ungefär så här års. Man offrade till gudarna för lycka och välgång. Eller för botgöring. För att bli rena i blodet. Försonas med de döda. Vi vet inte säkert. Dokumentationen, den tillförlitliga om ritualen, är knapphändig, men vi kan vara säkra på att både människo- och djuroffer förekom.»

»Människooffer?»

»Människooffer. Och man hängde upp offren i träd, ofta på öppna platser för att gudarna skulle få en klar bild av dem, det är i varje fall vad vi tror.»

»Och du menar att mannen i trädet på Östgötaslätten kan ha blivit offer för ett nutida midvinterblot?» frågar Malin.

»Nej, det menar jag inte.»

Professorn ler.

»Men jag menar att det onekligen finns likheter i sceneriet. Låt mig berätta en sak: Det finns kursgårdar och hotell i det här landet som ordnar harmlösa midvinterblot så här års. Utan koppling till de mer mörka sidorna av blotet så ordnar de föreläsningar om fornnordisk kultur och serverar mat som de påstår härrör från tiden. Kommersiella jippon. Men så finns det andra, som kanske har ett mindre sunt intresse för epoken, så att säga.»

»Ett mindre sunt intresse?»

»Jag har stött på dem under mina externa föreläsningar ibland. Ett slags typer som har svårt att leva i vår tid, och som istället identifierar sig med historien.»

»Som lever i historien?»

»Något åt det hållet.»

»Är det asatro det handlar om?»

»Jag skulle inte kalla det för det. Det är snarare fornnordisk historia vi pratar om.»

»Vet du var de finns, de här människorna?»

»Jag känner inte till några särskilda sällskap. De har aldrig varit intressanta för mig. Men säkert finns de, säkert har det varit sådana knasbollar och lyssnat på mig. Om jag var ni skulle jag börja med att kolla på internet. Lika mycket som de lever i historien, lika tekniklitterata är de.»

»Du känner verkligen inte till några?»

»Inga särskilda. På mina öppna föreläsningar förs aldrig något register över deltagarna. Det är som bio eller en konsert. Man kommer, ser och lyssnar, och sedan går man.»

»Men du vet att de är tekniklitterata.»

»Är inte alla sådana människor det?»

»Och på dina kurser här på universitetet?»

»Hit hittar de aldrig. Och midvinterblotet är knappt en passus i helheten.»

Så tar professorn upp handen han haft dold under skrivbordets yta, stryker sig över kinden, och Malin ser de ilskna såren som liksom sicksackar sig över handryggen.

Professorn verkar komma på sig själv, för raskt ner handen.

»Har du gjort illa dig?»

»Ja, vi har katter hemma. En av dem fick spel häromdagen när vi lekte. Vi tog henne till veterinären. Det visade sig att hon har en tumör i hjärnan.»

»Beklagar», säger Malin.

»Tack, katterna är som barn för Magnus och mig.»

»Tror du han ljuger om handen?»

Malin hör knappt Zekes röst i vindtunneln mellan husen.

»Jag vet inte», skriker Malin.

»Borde vi kolla honom?»

»Vi får sätta någon på att göra en snabbkoll.»

Samtidigt som hon ropar orden börjar telefonen ringa i hennes ficka.

»Satan.»

»Låt det ringa. Du kan ringa upp när vi sitter i bilen.»

Samtidigt som de kör förbi McDonald's i Rydrondellen ringer Malin tillbaka till Johan Jakobsson, struntar i att hans fru kanske håller på att lägga barnen och att signalen kan hålla dem borta från sömnen.

»Johan Jakobsson.»

Stojande barn i bakgrunden.

»Malin här. I bilen med Zeke.»

»Jo», säger Johan. »Jag har inte hittat någon direkt sekt, men begreppet midvinterblot finns på flera sajter. Mest på kursgårdar som ...»

»Vi vet allt det där, något annat?»

»Det var det jag skulle komma till. Utöver kursgårdarna hittade jag en sajt från någon som kallade sig för sejdare, sejd är visst något slags fornnordisk trollkonst, och där stod det att enligt sejdtraditionen utövar man varje februari midvinterblot.»

»Jag lyssnar.»

»Och så gick jag vidare till en yahoo-grupp om sejd.»

»En vad?»

»En diskussionsgrupp på nätet.»

»Okej.»

»Det var inte många medlemmar, men han som äger gruppen har uppgivit en adress utanför Maspelösa som sin hemadress.»

»Maspelösa.»

»Just det, Fors. Bara någon mil från mordplatsen.»

»Ska ni höra honom ikväll?»

»För att han har en hemsida? Det får vänta tills imorgon.»

»Är det så klokt?»

»Klokt eller inte. Har ni lust att åka till Maspelösa nu?»

»Vi kan göra det, Johan.»

»Malin, du är galen. Åk hem till Tove.»

»Du har rätt Johan. Det kan vänta. Ta det ni imorgon.»

Köksbänken är kall mot hennes hand, men känns ändå varm.

Sejd.

Fornnordisk trollkonst.

Oförklarliga, hittills, hål i en ruta.

Hör allt det här samman?

Asatro.

Zeke hade skrattat först, men sedan hade hans ansikte fått ett osäkert uttryck, som om det slagit honom att kan det hänga en naken man i ett träd en smällkall vintermorgon, kan det finnas »knasbollar» som lever sina liv efter fornnordisk mytologi.

Men de måste hålla flera spår igång, lyfta på varenda sten där det kan tänkas finnas något relevant. Många är de polisutredningar som gått i stå bara för att poliserna själva låst sig vid eller, ännu värre, förälskat sig i sin egen teori.

Malin äter ett par knäckemackor med mager ost innan hon sätter sig vid sitt skrivbord och börjar ringa personerna på listan hon fick på socialkontoret i Ljungsbro.

Klockan på datorn visar 21.12. Inte för sent att ringa.

En lapp från Tove i hallen.

Är hos Filippa och pluggar inför matteprovet i morgon. Hemma senast tio.

Matte? Sa hon inte geografi? Filippa?

Inget svar någonstans, hon lämnar meddelanden, namn och nummer, ärende, *ring mig ikväll eller i morgon bitti, så fort du får detta meddelande.* Hur jävla upptagna är folk en måndagskväll? Men varför inte?

Teater, bio, någon konsert i konserthuset, studiecirklar, träning.

Alla de saker människor gör för att hålla ledan borta.

Maria Murvalls nummer har hänvisningston. Abonnemanget har upphört. Inget nytt nummer till henne hos nummerupplysningen.

Halv tio.

Malin känner tröttheten i kroppen efter träningen, hur fibrerna i musklerna protesterar samtidigt som de växer. Hur hjärnan är matt efter mötet på universitetet.

Kanske blir det en lugn natt? Inget håller mardrömmar borta som träning och koncentration, men ändå känner hon rastlösheten och oron, det omöjliga i att sitta kvar i lägenheten trots kylan ute.

Hon reser sig, drar på sig jackan, hölstret av vana, lämnar lägenheten igen. Hon går Hamngatan upp mot Filbytertorget och fortsätter sedan upp mot slottet och vidare bort mot kyrkogården där de snötäckta gravstenarna ruvar på sina ägares hemligheter. Malin ser upp mot minneslunden, brukar gå dit ibland och titta på blommorna, försöka känna de dödas närvaro och höra deras röster, låtsas att hon är den som kan upphäva dimensionerna, att hon är en superhjälte med fantastiska krafter.

Vindens sus.

Kylans flämtningar.

Malin står stilla i minneslunden.

Ekarna slokar. Frusna grenar hänger som svart stelnat regn i luften. Några få värmeljus brinner vid hennes fötter, en blomsterkrans är en grå ring på snön.

Finns ni här?

Men allt är tyst och tomt och stilla.

Jag finns, Malin.

Bollbengan?

Och kvällen är förgörande hård och kall och hon lämnar lunden, går längs kyrkogårdsmuren och vidare över Vallavägen och ner mot gamla vattentornet och Infektionskliniken.

Hon går förbi sina föräldrars lägenhet.

»Du vattnar väl ...»

Det är något som inte stämmer. Det lyser ett rödaktigt ljus uppe i ett av lägenhetens fönster. Varför lyser det i lägenheten?

Jag glömmer aldrig att släcka.

20.

Trappuppgången, hon låter ljuset vara på.

Tar fram mobilen, knappar fram föräldrarnas nummer, vem som än är där uppe ska bli förvirrad, men innan hon ringer kommer hon på att föräldrarna har stängt av sitt abonnemang.

Hon tar inte hissen.

Går så ljudlöst man kan i Caterpillar-boots uppför de tre trapporna, känner svetten bryta fram på ryggen.

Dörren är inte uppbruten, inga synliga märken.

Ljussken genom dörrens glas.

Malin lägger örat mot dörren och lyssnar. Ingenting. Hon ser in genom brevinkastet, ljuset verkar komma från köket.

Hon trycker ner handtaget.

Ska jag dra pistolen?

Nej.

Det knakar i gångjärnen när hon drar dörren utåt, röster, kvävda, från föräldrarnas sovrum.

Så tystnar rösterna, istället ljuden av kroppar i rörelse. Har de hört henne?

Malin kliver bestämt över hallen, rusar bort genom gången till föräldrarnas sovrum.

Sliter upp dörren.

Tove på det gröna sängöverkastet. *Jag själv.* Tove fumlar med sina jeans, försöker knäppa knapparna men fingrarna lyder inte.

»Mamma.«

Vid sidan om sängen en långhårig, mager kille som försöker få på sig en svart t-shirt med hårdrockstryck. Hans hud är onaturligt vit, som om han inte varit ute i solen under hela sitt liv.

»Mamma, jag …»

»Inte ett ord, Tove, inte ett ord.»

»Jag …», säger killen med en röst som knappt kommit ur målbrottet. »Jag …»

»Och du är också tyst. Ni är tysta båda två. Klä på er.»

»Vi har kläderna på, mamma.»

»Tove. Jag varnar dig.»

Malin går ut ur sovrummet, slår igen dörren efter sig, skriker:

»När ni klätt er kommer ni ut.»

Vill skrika en massa saker, men vad? Kan inte skrika: Tove, du var ett misstag, en kondom som sprack och ska du göra samma sak som jag? Tror du det är kul att vara tonårsmorsa även om du älskar din unge?

Viskningar, fnitter inifrån sovrummet.

Två minuter senare kommer de ut. Malin står i hallen, pekar mot sofforna i salongen.

»Tove, du sätter dig där. Och du, vem är du?»

Snygg, tänker Malin, men blek. Men herregud, han är inte mer än fjorton, och Tove, Tove, du är en liten flicka.

»Jag är Markus», säger den bleke och stryker håret ur pannan.

»Min pojkvän», ropar Tove från soffan.

»Så mycket har jag förstått», svarar Malin. »Dummare är jag inte.»

»Jag går på Ånestadskolan», säger Markus. »Vi träffades för några helger sedan på en fest.»

Vilken fest? Har Tove varit på fest?

»Har du något efternamn, Markus?»

»Stenvinkel.»

»Du kan gå nu, Markus. Vi får se om vi ses igen.»

»Får jag säga hejdå till Tove?»

»Ta på dig jackan och gå.»

»Mamma, jag är faktiskt kär i honom.»

Ytterdörren går igen samtidigt som Tove säger orden.

»Det är lite allvar.»

Malin sätter sig i soffan mittemot Tove. Salongen mörk omkring dem. Hon sluter ögonen, suckar.

Sedan kommer ilskan över henne igen.

»Kär? Du är tretton, Tove. Vad begriper du om sådant?»

»Lika mycket som du uppenbarligen.»

Så försvinner ilskan lika snabbt som den kom.

»Läxor hos Filippa? Tove. Var du tvungen att ljuga?»

»Jag trodde du skulle bli arg.»

»För vad då? Att du vill ha en pojkvän?»

»Nej, för att jag inte sagt något. Och för att vi gått hit. Och ja, för att jag har något du inte har.»

De sista orden träffar Malin i veka livet, utan föraning, och hon slår bort orden i medvetandet, förmanar istället för att tänka:

»Du måste vara försiktig, Tove. Det kan bli hur mycket problem som helst av såna saker.»

»Det var det jag var rädd för mamma, att du bara skulle se problemen. Tror du jag är så dum att jag inte fattar att pappa och du fick mig av något misstag, vem är så korkad att man skaffar barn när man är så ung annars? Så klantig är inte jag.»

»Vad säger du, Tove. Du var inget misstag. Vad får dig att säga det?»

»Jag vet det mamma, men jag är tretton och trettonåringar har pojkvänner.»

»Bio med Sara, plugga med Filippa ... Hur dum får man vara? Hur länge har ni varit ihop?»

»En månad snart.»

»En månad?»

»Det är inte så konstigt att du inte märkt något.»

»Varför då?»

»Vad tror du, mamma?»

»Jag vet inte, berätta för mig, Tove?»

Men Tove svarar inte på frågan. Istället säger hon:

»Han heter Stenvinkel. Markus Stenvinkel.»

Sedan sitter de tysta bredvid varandra i mörkret.

Vinternatten kränger av och an utanför fönstret.

»Markus Stenvinkel», skrattar Malin till slut. »Vilken blekfis. Vet du vad hans föräldrar gör?»

»De är läkare.»

Fina.

Tanken kommer till Malin utan att hon vill det.

»Tjusigt», säger Malin.

»Oroa dig inte, mamma. Förresten så är jag är hungrig», säger Tove.

»Pizza», säger Malin och slår händerna mot sina knän. »Jag har bara ätit några knäckemackor ikväll.»

Shalom på Trädgårdsgatan har de största pizzorna i stan, den godaste tomatsåsen, fulaste inredningen: gipsväggar med amatörmålade nymfer kantar plastbord av billig sommarstugemodell.

De delar en calzone.

»Vet pappa om det här?»

»Nej.»

»Okej.»

»Hurså?»

Malin tar en klunk av sin Cuba-cola.

Hennes telefon ringer igen.

Daniel Högfeldts nummer på displayen.

Hon tvekar, trycker bort samtalet.

»Pappa?»

»Det känns viktigt bara att du inte berättat för honom och inte för mig.»

Tove ser fundersam ut. Tar en tugga till av pizzan, innan hon säger: »Konstigt.»

Ett lysrör blinkar ovanför deras huvuden.

Man kan tävla i kärlek, Tove, tänker Malin. Man kan tävla och förlora i allt.

21.

Tisdag den sjunde februari

Klockan är strax efter midnatt.

Daniel Högfeldt trycker på öppningsknappen och entrédörren till Correspondentens hus åker upp med ett maniskt gnisslande ljud. Han är nöjd, har jobbat bra.

Han tittar nerför Hamngatan samtidigt som han drar i sig av den isiga luften.

Han ringde Malin. För att fråga om fallet, och för att fråga om … ja, vad skulle han fråga henne om?

Trots att den tjocka jackan är knäppt ända upp i halsen vinner kylan på bara några sekunder och tränger igenom tyget.

Gå raskt hemåt Linnégatan.

Vid S:t Larskyrkan ser han upp mot Malins mörka lägenhetsfönster, tänker på hennes ansikte och ögon och hur lite han vet om henne och hur han måste framstå för henne: som en jävligt jobbig journalist, ett karlsvin med någon slags oemotståndlig sex appeal och charm. En kropp som duger att använda när den egna kroppen vill ha sitt.

Knulla.

Hårt eller mjukt.

Men knulla måste man.

Han går förbi H&M och tänker på distansen i det sista »man», knulla är inte något du eller jag gör, det gör »man»; ett främmande väsen skiljt från kroppen.

Samtalet idag från Stockholm.

Smicker och smek, löften.

Daniel blev inte förvånad.

Är jag färdig med den här hålan nu?

Correspondentens förstasida möter Malin på hallgolvet när hon ny-duschad och nyklädd snubblar mot köket på morgontrötta, stela ben.

Trots dunklet kan hon läsa rubriken som i sitt kvällstidningsstuk bär Daniel Högfeldts omisskännliga signatur:

Polisen misstänker ritualmord.

Du fick ettan, Daniel. Då är du nöjd.

En arkivbild på en allvarlig Karim Akbar, ett uttalande gjort över telefon sent på kvällen: *Jag kan varken bekräfta eller dementera att vi nu undersöker hemliga nätverk av asatroende.*

Hemliga nätverk? Asatroende?

Daniel har intervjuat professor Söderkvist, som tillstår att han för-hörts upplysningsvis av polisen, som han tidigare under dagen infor-merat om ritualen.

Sedan en skärmdump från en sajt om asatro, och passfoto på en Rickard Skoglöf, boende i Maspelösa, som uppges vara centralfigur i asakretsar. *Rickard Skoglöf gick sent igår kväll inte att nå för en kommentar.*

En faktaruta om midvinterblot.

Sedan inget mer.

Malin viker ihop tidningen, lägger den på köksbordet, sätter på en kopp kaffe.

Kroppen. Musklerna och senorna, benen och lederna. Allt värker.

Så tutar det nere från gatan.

Zeke. Är du redan här?

Jönköping, vi åker tidigt.

Zekes sista ord innan han släppte av henne utanför lägenheten.

Ikea-klockan på väggen visar kvart i sju.

Det är jag som är sen.

Vad gör den här vintern med mig egentligen?

Zeke vid ratten på den gröna Volvon. Trötta axlar, hängande händer. Tysk, mollstämd körmusik fyller kupén och de är lika trötta båda två. E4:an skär genom vitklädda åkrar och ett genomfruset slättlandskap.

Mobilia utanför Mantorp, en shoppinglada, Toves favoritutflykt, Malins mardröm. Mjölby, Gränna, Vättern som en strimma av vitt hopp framför en horisont där gråa nyanser möter andra gråa nyanser och bildar ett virrvarr av kyla och mörker, en evig brist på ljus.

Zekes röst som en befrielse, hög för att överrösta musiken:

»Vad tror du om det fornnordiska?»

»Karim verkade på något sätt positiv.»

»Mr Akbar. Vad vet en polischefsbroiler som han om någonting.»

»Zeke. Han är inte så illa.»

»Nej, jag antar det. Mr Akbar måste väl ge en illusion av att vi kommer någonstans. Och hålen i fönstret, tror du något nytt om dem idag efter lite sömn?»

»Ingen aning. Men kanske är de dörrar till någonting. Jag vet inte vad.»

Och Malin tänker att det är likadant nu som i alla större utredningar, att uppenbara sammanhang ligger dolda precis i deras närhet, men ännu onåbara, hånfulla.

»När skulle Karin vara klar med sin analys av rutan?»

»Idag, eller imorgon.»

»Men en sak», säger Zeke sedan. »Ju mer jag tänker på Bollbengan där i trädet, desto mer känns det som att det hela på något sätt är en besvärjelse.»

»Jag har känt detsamma», säger Malin. »Sedan återstår att se om den har kopplingar till Valhalla eller något annat.»

Malin ringer på klockan till Rebecka Stenlundhs lägenhet. Hennes bostad är belägen på andra våningen i ett gulteglat hyreshus på höjden som reser sig söder om Jönköping.

Måste vara en fantastisk utsikt från lägenheten och om sommaren måste hela omgivningen vara lummig av grönskande björkar. Till och med garagen, en bit neråt vägen, såg ganska trevliga ut, med orangemålade portar och omgivna av små, tillsynes välskötta buskage.

Rebecka Stenlundhs hem ligger i ett område som är varken eller. Inte tjusigt, men trivsamt, ett *här* där barn kan växa upp under ordnade former.

Inte ett socialfalls/invandrarområde. Utan ett sådant där människor obemärkta lever sina liv, uppmärksammade och efterfrågade av få, men ändå i god välmåga. En tillvaro mitt i brytpunkten, en sund linje i det dysfunktionella. Malin blir lika förvånad varje gång hon hamnar i en sådan miljö, att de fortfarande finns. Folkhemslycka. Två komma tre gungor och rutschkanor per barn.

Ingen öppnar.

Klockan är strax efter nio, kanske borde de ha ringt och föranmält sin ankomst, men vet hon ens om vad som hänt hennes bror?

»Nej, vi bara åker dit.»

Zekes ord.

»Vi kan ju komma med dödsbud.»

»Blev hon inte underrättad innan hans namn blev offentligt?»

»Det var ingen som visste något om en syster då, och det är länge sedan tidningarna slutade ta så komplexa hänsyn.»

Malin ringer på en andra gång.

Rassel i granndörrens lås.

Ett gumansikte, vänligt, leende.

»Söker ni Rebecka?»

»Ja, vi är från Linköpingspolisen», säger Malin och Zeke håller upp sin legitimation.

»Från polisen? Gubevars.» Gumman plirar förskräckt med ögonen. »Hon har väl inte råkat i tråkigheter? Det kan jag aldrig tänka mig.»

»Ingen fara», säger Zeke med sin allra lugnaste röst. »Vi vill bara prata med henne.»

»Hon jobbar nere på Ica. Prova där. Hon är föreståndarinna. En finare Ica-butik har ni aldrig sett. Det vill jag lova inspektörerna. Och ni borde träffa hennes son också. Finare pojke har ni aldrig sett. Han hjälper mig med både det ena och det andra.»

Just som de ska in genom Ica-butikens automatiska dörrar ringer Zekes telefon.

Malin stannar vid hans sida, hör honom prata, ser hur han rynkar sin panna.

»Ja, ja, så det stämmer alltså.»

Zeke lägger på.

»De hittade händelsen med yxan i arkiven», säger han. »Det stämmer som gubben berättade för dig. Lotta, Rebecka, såg allting. Hon var åtta då.»

Grönsaker och frukt i prydliga rader och en doft av mat som gör Malin hungrig. Skyltar med vacker typografi, ljus i varje skrymsle som bevisar: HÄR ÄR RENT.

Tanten hade rätt, tänker Malin. Ingen livsmedelssunkighet, bara en vilja verkar det som, att ge människor lite anständighet i vardagen. Någon som vill anstränga sig lite extra för någon annan. Omtanken måste vara en bra affär. Hit kommer alla tillbaka.

En medelålders kvinna i kassan, knubbig med hårdpermanentat, blonderat hår.

Rebecka?

Zekes röst: »Ursäkta, vi söker en Rebecka Stenlundh.»

»Chefen. Prova borta vid charkdisken. Hon märker om kött.»

Borta vid charkdisken sitter en smal kvinna på huk, svart hår i nät, ryggen verkar bågna under en vit rock med röd Ica-logotyp.

Hon verkar ta skydd bakom rocken, tänker Malin, precis som om någon ska komma och attackera henne bakifrån, precis som om hela den här världen vill henne ont och man aldrig kan vara vaksam nog.

»Rebecka Stenlundh?» säger Malin.

Kvinnan snurrar sittande runt på sina träskor. Ett angenämt ansikte träder fram: mjuka drag, bruna ögon med tusen vänliga nyanser, kinder med hy som strålar av friskhet och mjuk solbränna.

Rebecka Stenlundh ser på dem.

Det rycker i hennes ena ögonbryn, ryckningarna får hennes ögon att skimra klara och rena.

»Jag har väntat på att ni skulle komma», säger hon sedan.

22.

»Tror du han väntar oss?»

Johan Jakobsson låter orden hänga slappa i luften samtidigt som de kör in på gårdsplanen.

»Säkert», säger Börje Svärd och vidgar näsborrarna på ett sätt som får de bruna håren i mustaschen att vibrera. »Han vet att vi kommer.»

Tre grå stenhus mitt på Östgötaslätten, några kilometer från ett morgonslumrande Maspelösa. Husen verkar nästan kvävas av snön som ligger i drivor upp mot de minimala fönstren. Halmtaken pressas neråt under vit tyngd och det lyser från huset till vänster. Ett nybyggt garage med buskar på varje sida ligger inklämt mellan två stora ekar.

Bara ett fel: Maspelösa vaknar aldrig, tänker Johan.

Några bondgårdar, femtiotalsvillor och små hyreshus utslängda i det öppna landskapet, ett av de samhällen på slätten som livet verkar ha lämnat efter sig.

De stannar, kliver ur, knackar på.

Från huset mitt emot hörs ett råmande. Sedan ljudet av något som bankar mot metall. Börje vänder sig om.

Så öppnas den låga, skeva dörren.

Ett huvud nästan helt klätt med hår sticker fram ur mörkret där inne.

»Och vilka i helvete är ni?»

Skägget vildvuxet, verkar sitta över hela ansiktet. Men den blåa blicken är lika skarp som näsan.

»Johan Jakobsson och Börje Svärd, Linköpingspolisen. Får vi komma in? Jag antar att du är Rickard Skoglöf.»

Mannen nickar.

»Först legitimation.»

De bökar i fickorna, tvingas ta av handskarna och knäppa upp jackorna för att få upp sina legitimationer.

»Nöjd nu?» undrar Börje.

Rickard Skoglöf gör en gest med den ena armen samtidigt som han skjuter upp dörren med den andra.

»Man föds med gåvan. Den har anlänt i ens kött vid ankomsten till vår dimension.»

Rickard Skoglöfs röst är klar som is.

Johan gnuggar sig i ögonen, ser sig omkring i det som är husets kök. Lågt i tak. Diskbänken belamrad med smutsiga tallrikar, pizza-kartonger. På väggarna bilder av Stonehenge, av fornnordiska tecken, av runstenar. Och Skoglöfs kläder: Uppenbart hemsydda byxor i svartfärgad canvas och ett kaftanliknande ännu svartare skynke som hänger slappt över en fet mage.

»Gåvan?»

Johan hör hur tvivlande Börje låter.

»Ja, kraften att se, att påverka.»

»Sejda?»

Huset är kallt.

En gammal sjuttonhundratalsgård som Rickard Skoglöf enligt egen utsago renoverat, »kom över den billigt, men jävlar vad dragigt.»

»Sejd är namnet. Men man måste vara försiktig med att nyttja kraften. Den stjäl lika mycket liv som den ger.»

»Och varför en sajt om din sejd?»

»Mitt *sejdande*. I vår kultur har vårt sanna ursprung gått förlorat. Men det finns kamrater.»

Rickard Skoglöf hukar och går till husets andra rum. De följer honom i spåren.

En sliten soffa vid en vägg, och så en gigantisk släckt dataskärm uppställd på ett blänkande skrivbord med glasskiva, två surrande hårddiskar på golvet, en modern kontorsstol klädd i svart skinn bakom.

»Kamrater?» undrar Johan.

»Vissa människor är intresserade av sejden och av våra fornnordiska förfäder.»

»Och ni har sammankomster?»

»Några gånger om året. Under tiden har vi kontakt via diskussionsforum och mejl.»

»Hur många är ni?»

Rickard Skoglöf suckar. Stannar upp och ser på dem.

»Vill ni snacka mer får ni följa med till ladugården. Jag måste ge Särimner och de andra mat.»

Kacklande hönor springer av och an i ett ännu kallare rum med bristfälligt putsade väggar. Ett par nya längdåkningsskidor står lutade mot ett hörn.

»Tycker du om att åka?» frågar Johan.

»Nej, inte jag.»

»Ändå har du ett par nya skidor.»

Rickard Skoglöf svarar inte utan går istället bort mot djuren.

»Det är ju fan minus här inne», säger Börje. »Dina djur kan frysa ihjäl.»

»Ingen risk», säger Rickard Skoglöf samtidigt som han kastar ut foder till hönorna ur en hink.

Två spiltor längs en vägg.

En svullen svart gris i den ena, en brun och vitfläckig ko i den andra. Båda äter, grisen grymtar förnöjt åt vinteräpplena han nyss fick.

»Om ni tror att jag ska ge er namnen på kamraterna som brukar vara med på sammankomsterna tror ni fel. Ni får leta fram dem själva. Men det kommer inte att ge er någonting.»

»Hur vet du det?» undrar Johan.

»Det är bara harmlösa ungdomar och äldre utan eget liv som är intresserade av sådant här.»

»Och du själv? Har du inget liv?»

Rickard Skoglöf gör en gest mot djuren.

»Gården och de här krabaterna är väl mer liv än de flesta har.»

»Det var inte vad jag menade.»

»Jag har gåvan», säger Rickard Skoglöf.

»Vad är gåvan då, Rickard. Rent konkret?«

Börje stirrar frågande på den canvasklädde mannen framför dem. Rickard Skoglöf ställer ifrån sig hinken med foder. När han tittar upp på dem är ansiktet förvridet av förakt. Han viftar bort frågan med handen.

»Så sejdens kraft ger och tar liv«, säger Johan. »Är det därför ni offrar?«

Rickard Skoglöf blir ännu tröttare i blicken.

»Åh«, säger han sedan. »Ni tror det är jag som hängt upp Bengt Andersson i ett träd. Det verkade inte ens journalisten som var här före er tro.«

»Du svarade inte på min fråga.«

»Om jag offrar? Jo, jag offrar. Men inte som ni tror.«

»Och hur tror vi?«

»Att jag dödar djur. Och kanske människor. Men det är gesten som räknas. Viljan att ge. Tiden, frukten. Kropparnas förening.«

»Kropparnas förening?«

»Ja, akten kan vara ett offer. Om man öppnar sig.«

Som jag och min fru gör var tredje vecka? tänker Johan. Är det så du menar? Istället frågar han:

»Och vad gjorde du natten mellan onsdag och torsdag?«

»Ni får fråga min flickvän«, säger Rickard Skoglöf. »Nu reder de sig ett tag. Djuren klarar lite kyla. De är inte så veka som vissa.«

När de kommer ut på gården står en ung kvinna barfota i snön med armarna höjda snett ut från kroppen. Kylan verkar inte bekomma henne, hon är klädd i bara trosor och linne och hon blundar, huvudet sträckt upp mot himlen, det svarta håret blir till en lång skugga ner på ryggens vita hud.

»Det här är Valkyria«, säger Rickard Skoglöf. »Valkyria Karlsson. Morgonmeditation.«

Johan ser hur Börje tappar humöret.

»Valkyria«, skriker han. »Valkyria. Dags att sluta med mumbo-jumbot. Vi vill prata med dig.«

»Börje, för fan.«

»Skrik du«, säger Rickard Skoglöf. »Det hjälper inte. Hon är klar om tio minuter. Ingen idé att försöka störa henne. Vi kan vänta i köket.»

De går förbi Valkyria.

De bruna ögonen är öppna. Men de ser ingenting. Hon är miljoner mil bort, tänker Johan. Sedan tänker han på akten, på att öppna sig för någon annan, något annat.

Valkyria Karlssons hud är rosa av kylan, fingrarna liksom glasklara. Hon håller en kopp med hett te framför sin näsa, drar i sig dofterna.

Rickard Skoglöf sitter vid bordet, flinar nöjt, verkar njuta av att göra det svårt för dem.

»Vad gjorde ni igår kväll?» frågar Börje.

»Vi var på bio», säger Rickard Skoglöf.

Valkyria Karlsson sänker tekoppen.

»Nya Harry Potter», säger hon med mjuk röst. »Underhållande trams.»

»Kände någon av er Bengt Andersson?»

Valkyria skakar på huvudet, sedan tittar hon på Rickard.

»Innan jag läste om honom i tidningen, hade jag aldrig hört talas om honom. Jag har en gåva. Det är allt.»

»Och i onsdags kväll? Vad gjorde ni då?»

»Då offrade vi.»

»Öppnade oss här hemma», viskar Valkyria och Johan ser på hennes bröst, tunga och lätta på samma gång, de upphäver tyngdlagen, svävar under linnet.

»Så du vet ingen i era kretsar som kan ha gjort det här?» frågar Börje. »Av hedniska skäl, så att säga.»

Rickard Skoglöf skrattar.

»Jag tror det är dags att ni går nu.»

23.

Ica-butikens lunchrum är välkomnande ombonat och svagt upplyst av en orange bumlinglampa. Doften av nybryggt kaffe sprider sig över rummet och toscatårtan klibbar behagligt mot tänderna.

Rebecka Stenlundh sitter mitt emot Malin och Zeke, på andra sidan ett bord med skiva i grålaminat.

I det här ljuset ser hon äldre ut än hon är, tänker Malin. På något sätt framhäver ljuset och skuggorna hennes ålder, rynkor som är nästan osynliga framträder. Men någonstans måste väl allt hon varit med om ta vägen. Ingen går omärkt ur sådant.

»Det är inte min butik», säger Rebecka. »Om ni nu tror det. Men ägaren låter mig göra som jag vill. Vi är den butik i vår storlek som har bäst lönsamhet i hela Sverige.»

»Retail is detail», säger Zeke.

»Precis», replikerar Rebecka och Malin tittar ner i bordet.

Sedan gör Rebecka en paus.

Nu samlar du dig, tänker Malin. Du tar ett djupt andetag som går inåt, som gör dig redo att berätta.

Du viker aldrig undan, Rebecka. Eller hur? Hur klarar du det? Hur behåller du kursen?

Så börjar hon prata igen:

»Jag bestämde mig för att lägga allt med mamma och pappa och min bror Bengt bakom mig. Jag bestämde mig för att jag var större än det där. Även om jag på många sätt hatade min far, så förstod jag någon gång, strax efter det att jag fyllt tjugotvå, att han inte kunde äga, eller hade rätt till mitt liv. Jag sprang på den tiden in i alla fel killars famnar, jag drack, rökte, sniffade, åt för mycket, samtidigt som jag tränade så kroppen höll på att ta slut. Jag skulle säkert ha börjat skjuta heroin om jag inte bestämt mig. Jag kunde inte vara arg och rädd och sorgsen längre. Det skulle ha tagit livet av mig.»

»Du bestämde dig. Bara så där?»

Malin överraskas av hur orden far ur henne, som i ilska och avundsjuka.

Rebecka ryggar tillbaka.

»Förlåt», säger Malin. Jag menade inte att låta aggressiv.»

Rebecka biter ihop käkarna innan hon fortsätter:

»Jag tror inte det finns några andra sätt än bara så där. Jag bestämde mig, Malin. Frågar du mig, är det enda sättet.»

»Och dina adoptivföräldrar?» undrar Zeke.

»Jag sa upp bekantskapen med dem. De var en del av det gamla.»

Vart det här fallet än kommer att föra oss, tänker Malin, kommer det att ha att göra med en känslornas aviga logik; den som får någon att tortera en annan människa och hänga henne naken i ett träd mitt på slätten i kylan.

Rebecka biter ihop igen, sedan slappnar hennes ansikte av.

»Orättvist, visst. Jag vet det. Inget fel på dem, men det gällde liv och död och jag var tvungen att gå vidare.»

Bara så där, tänker Malin. Vad var det T.S. Eliot skrev?

Not with a bang, but a whimper.

»Har du familj?»

Rätt fråga, tänker Malin. Men jag ställer den av fel anledning.

»En son. Det tog länge innan jag skaffade barn. Pojken är åtta nu, det är honom jag finns till för. Har du barn?»

Malin nickar.

»En dotter.»

»Då vet du. Vad som än skulle hända vill man finnas till för deras skull.»

»Och pappan?»

»Vi är skilda. Han slog mig en gång, mer av misstag, tror jag, en hand som flög ut en natt efter en kräftskiva, men det räckte.»

»Hade du någon kontakt med Bengt?»

»Med min bror? Nej, inte alls.»

»Försökte han kontakta dig?»

»Ja, han ringde en gång. Men jag lade på när jag förstod vem det var. Det fanns förr och nu, och aldrig, aldrig skulle de två mötas. Fåfängt, eller hur?»

»Inte särskilt», säger Malin.

»Någon vecka efter det att han ringt ringde någon socialsekreterare. Maria, tror jag hon hette. Hon bad att jag skulle prata med Bengt, om än inte träffa honom. Hon berättade om hans depressioner, om hans ensamhet, hon verkade bry sig på riktigt, ni vet.»

»Och då?»

»Jag bad henne att aldrig ringa hit igen.»

»En fråga, och den är hård», säger Malin. »Antastade din pappa eller Bengt dig?»

Rebecka Stenlundh är märkligt lugn.

»Nej, aldrig något sådant. Ibland har jag undrat om jag förträngt något, men nej, inte.»

Sedan en lång tystnad.

»Men vad vet jag egentligen?»

Zeke drar in läpparna.

»Vet du om Bengt hade några fiender, något vi borde veta?»

Rebecka Stenlundh skakar på huvudet.

»Jag såg bilden i tidningen. Kände att allt det som stod handlade om mig, vare sig jag vill eller inte. Man kan inte undkomma, eller hur? Hur man än gör så blir man upphunnen av sitt förflutna, är det inte så? Det är som om man är fjättrad vid en påle med ett rep. Man kan röra sig, men man kommer aldrig loss.»

»Du verkar klara dig alldeles utmärkt», säger Malin.

»Han var min bror. Ni skulle ha hört hans röst när han ringde. Han lät som den mest ensamma människan på jorden. Och jag stängde dörren.»

En röst i en högtalare:

»Rebecka till kassan, Rebecka till kassan.»

»Vad gjorde du i onsdags kväll?»

»Jag var med pojken i Egypten. Hurghada.»

Därav solbrännan, tänker Malin.

»Jag köpte en sista minuten. Kylan gör mig galen. Vi kom hem i fredags.»

Malin dricker ur sitt kaffe, reser sig.

»Jag tror det var allt», säger hon. »Jag tror det var allt.»

24.

Om jag förlåtit dig, syster?

Det började inte med dig, och slutar inte med dig. Så vad finns egentligen att förlåta?

Ordna dina äpplen i rader, uppfostra ditt barn såsom vi aldrig blev uppfostrade. Skänk honom kärleken. Märk ditt kött med den.

Jag kan inte vaka över dig. Men jag kan sväva och se dig, vart du än väljer att fly.

Jag åt Maria Murvalls vänlighet som skogaholmsmackorna, som den prickiga korven, som det osaltade smöret. Jag tvättade mig som hon sa, strök mina byxor, lyssnade på vad hon ordade om, trodde på hennes teorier om värdighet. Men hur värdigt var det som hände i skogen?

Hur rent?

Hur klart?

Du borde sväva med mig, Maria, istället för att sitta där du sitter. Eller hur?

Borde vi inte alla sväva, glida fram som den gröna Volvon där nere på motorvägen?

Huskvarna.

Gräsklippare och älgstudsare. Hagelgevär för allsköns jakt och ett tändsticksträtroll som blickar ut över Vättern. I det vattnet drunknade John Bauer när båten han åkte med förliste. Inga troll räddade honom. Vilar han i en av sina täta skogar nu?

Ingen musik i bilen. Malin vägrade. Och motorns hackande får henne att komma ihåg att sätta på mobilen.

Telesvar ringer tillbaka.

»Du har ett nytt meddelande ...»

»Det var Ebba Nilsson här. Socialsekreterare. Ni hade sökt mig igår kväll. Jag är hemma hela förmiddagen. Det går bra att ringa tillbaka.»

Använd info, ring nummer.

En, två, tre signaler.

Inget svar nu heller? Jo:

»Ja, hallå. Vem talar jag med?»

Pipig stämma, som om fett trycker mot stämbanden. Malin ser Ebba Nilsson framför sig: en kortvuxen rund dam nära pensionsåldern.

»Det är Malin Fors från Linköpingspolisen. Vi har visst ringt om varandra.»

Tystnad.

»Och vad ville du?»

»Bengt Andersson. Du var hans socialsekreterare under en period.»

»Det stämmer.»

»Och du har hört vad som hänt?»

»Det har jag inte kunnat undgå.»

»Kan du berätta om Bengt?»

»Inte mycket, är jag rädd», säger Ebba Nilsson. »Tyvärr. Under den tid jag arbetade i Ljungsbro besökte han mig bara en gång. Han var oerhört tystlåten, men det var inte så konstigt. Han hade ju inte haft det lätt ... och så såg han ju ut som han gjorde.»

»Inget särskilt vi borde veta?»

»Nej, jag tror faktiskt inte det, men flickan som kom efter mig fick bra kontakt med honom, har jag hört.»

»Maria Murvall?»

»Ja.»

»Vi har försökt få tag på henne. Men det nummer vi har ger bara hänvisningston. Vet du var hon finns nu?»

Det blir tyst i luren.

»Kära hjärtanes», säger Ebba Nilsson sedan.

»Förlåt?»

Zeke tar ögonen från vägen, ser på Malin.

»Du skulle säga något.»

»Maria Murvall blev våldtagen uppe i skogen vid Hultsjön för några år sedan. Känner ni inte till det?»

Rita Santesson: »Det vill jag inte gå in på.»

Maria.

Murvall.

Namnet, det var bekant.

Motalapolisens fall. Jag minns det nu. Jag borde kopplat.

Maria Murvall.

Var hon den enda som brydde sig, Bengt?

Till och med din syster vände dig ryggen.

Känslornas logik.

Snörök driver in över körbanan.

Var hon den enda som brydde sig, Bengt?

Och hon blev våldtagen.

25.

Hultsjöskogen, senhösten 2001

Vad gör du ute i skogen alldeles ensam?

Så här sent, unga flicka?

Ingen svamp så här års, och likaså för sent för bär.

Det skymmer.

Trädstammarna, slyn, grenarna, kronorna, löven, mossan och maskarna. Alla gör de sig redo för det innersta övergreppet.

Barnamördare. Våldtäktsmän. Är det en man? Eller flera? Någon kvinna, kvinnor?

De smyger på dig när du går genom skogen, visslande. Ögonen. De ser dig. Men du ser inte dem.

Eller väntar de längre fram, ögonen?

Mörkret faller fort nu, men du blir inte rädd, kan gå den här stigen med förbundna ögon, orientera dig med hjälp av luktsinnet.

Ormarna, spindlarna, det som förruttnar.

En älg?

Ett rådjur?

Du vänder dig om, stilla, tystnaden som sänker sig över skogen.

Gå vidare. Din bil väntar borta på vägen, snart kommer du att se Hultsjön kråma sig i det sista kvällsljuset.

Sedan blir allt mörkt.

Fotsteg på stigen bakom dig.

Någon som slår undan dina ben, som trycker dig mot den våta jorden, som andas med söt och varm andedräkt på din hals. Så många händer, så mycket kraft.

Det spelar ingen roll vad du gör. Ormfingrarna, spindelbenen, de äter sig genom dina kläder, trädens svarta rötter kväver ditt skrik, binder dig för alltid vid jordens tystnad.

Maskarna krälar uppför insidan på dina lår, fäller ut sina taggar, skär sönder din hud och ditt inre.

Hur grov och hård är en trädstam?

Kött och hud och blod. Hur hårt?

Nej.

Inte så.

Ingen hör dina skrik i den svarta vegetationen. Och om de hörde dina skrik, skulle de komma då?

Ingen lyssnar.

Ingen räddning finns.

Bara fukten, kylan och smärtan, det ovillkorligt hårda som brinner i dig, som sliter sönder allt det som är du.

För alltid tyst.

Sova, drömma, vakna.

Den söta andedräkten är luften du andas i skogsnatten. Naken kropp, blodig kropp, dömd att irra i skogsbrynet kring Hultsjön.

Du måste ha gått långt.

Du andades. Nattkylan flydde i panik när du kröp ut på vägen. Bilens strålkastarljus.

Du hade gått så långt.

Ljusen växer, bländar, fräter.

Är det döden som kommer nu? Ondskan?

Igen?

Den kom ju igår, med snabba fotsteg sprang den fram, gömd som den legat bakom ett ärrigt buskage.

26.

»Maria Murvall.»

Zeke gnider fingrarna mot ratten.

»Jag visste att jag hört namnet förut. Satan. Jag och namn. Det var hon som blev våldtagen uppe vid Hultsjön för fyra år sedan. Riktigt illa.»

»Motalapolisens fall.»

»Precis på gränsen, så dom tog det. De hittade henne irrande på en väg nästan en mil från platsen där det hände. Någon lastbilschaufför på väg med singel till ett bygge uppe i Tjällmo. Hon var alldeles söndertrasad, sönderslagen också.»

»De fick aldrig tag på honom.»

»Nej, om det nu ens var en han. Jag tror till och med det var med på Efterlyst. De hittade hennes kläder och platsen där det måste skett, men inget mer.»

Malin sluter ögonen.

Lyssnar på motorljudet.

En man hängd i ett träd.

Hans engagerade socialsekreterare våldtagen fyra år tidigare. Irrande i skogen.

Kalle i Kröken. Den utlevande, galna fadern. *Karlakarlen*.

Och allt dyker upp i utredningen om vartannat, men ändå hör det ihop, på något vis.

En tillfällighet?

Prova teorin på Zeke.

»Bengt Andersson. Han måste ha dykt upp i den utredningen. Om hon nu brydde sig så mycket om honom som alla säger.»

»Säkert», säger Zeke, samtidigt som han pekar mot en bil de passerar.

»En sådan där Seat har jag tänkt skaffa mig. De ägs av Volkswagen numera.»

Jag vet det, Zeke, tänker Malin. Janne har sagt det tio gånger när han gått igång på sina bilar.

»Duger inte den bil du har?»

»Murvall», säger Zeke. »Är inte namnet bekant på något mer vis?»

Malin skakar på huvudet.

»Jag och namn, Malin», säger Zeke.

»Jag ringer Sjöman och ber honom ordna över utredningspappen från Motalapolisen. Nordström där fixar det på nolltid.»

Just som de svänger in på polishusets uppfart ringer den tredje socialsekreteraren på listan, hon som tog över efter Maria Murvall.

»Vidrigt, det som hände. Förskräckligt. Bengt Andersson var deprimerad, tystlåten, på ett möte vi hade mumlade han bara: 'Vad spelar renheten för roll? Vad spelar renheten för roll?' Ska jag vara ärlig kopplade jag aldrig samman det med våldtäkten. Men det kanske hörde ihop? Men våldtäktsman? Bengt Andersson? Han var inte sådan. En kvinna känner på sig sådant.»

Malin kliver ur bilen, ansiktet drar ihop sig i en ofrivillig grimas när köldgraderna slår emot huden.

»I varje fall så kom jag honom aldrig in på livet som Maria Murvall gjorde. Hon ska tydligen ha brytt sig om honom utanför tjänsten, fått lite fason på honom. Nästan lite som en storasyster, vad jag förstått.»

De går in på stationen.

Sjöman står vid Malins plats, viftar med en bunt faxpapper i luften.

Kollegan i Motala var tydligen inte nödbedd.

Sven Sjöman pratar med forcerad röst. Malin och Zeke står bredvid honom. Malin vill säga åt honom att lugna sig, tänka på hjärtat.

»Bengt Andersson finns bland dem Motalapolisen förhörde i samband med våldtäkten på Maria Murvall. Han hade inget alibi för natten, men inget av fynden på brottsplatsen eller något annat pekade på honom. Han var bara en av tjugofem klienter till Maria Murvall som hördes.»

»Riktigt gräslig läsning», säger Sjöman och pekar med papperen mot Zeke.

»Verkligheten överträffar alltid fiktionen», säger Zeke.

»Hon var, är menar jag, syster till bröderna Murvall», fortsätter Sjöman. »Ett gäng tokar ute på slätten som ställt till problem. Även om det var länge sedan nu.»

»Murvalls! Jag visste det», säger Zeke.

»Måste varit före min tid», säger Malin.

»Hårdingar», säger Zeke. »Riktigt elaka typer.»

»Tydligen hittade man kläderna i skogen och fann spår av DNA på dem, men inte tillräckligt för att få fram en profil.»

»På hennes kropp?»

»Det regnade den natten», säger Sjöman. »Allt bortsköljt och tydligen genomfördes våldtäkten med en grov gren. Hon var alldeles stickig, sårig på insidan... står det här. Man vet inte om hon blev penetrerad på annat vis också. Det gick aldrig att fastställa.»

Malin känner smärtan.

Höjer handflatorna mot Sven.

Tänker: Det räcker så.

Maria Murvall.

De ensammas ängel.

Vilket kärleksmöte du fick.

Malin hör orden inom sig. Vill piska sig själv blå, inte vara cynisk nu, Fors, inte bli cynisk, aldrig bli cy... är jag redan det? Cynisk?

»Hon blev aldrig sig lik igen», fortsätter Sjöman. »Enligt sista noteringarna, innan man la fallet till handlingarna, så hamnade hon i något slags psykotiskt tillstånd. Tydligen så finns hon på Vadstenasjukhusets slutna avdelning. Det är den adressen som är noterad.»

»Har vi kollat det?» undrar Malin.

»Inte än, men det är lätt gjort», säger Zeke.

»Hänvisa till brådskande polisärende om någon läkare börjar sätta emot.»

»Och vi har fått meddelande från Karin», säger Sven, »att hon kan ha något klart under sen eftermiddag angående hålen i rutan.»

»Bra. Hon ringer säkert när hon är klar. Hur går det fornnordiska?» frågar Malin sedan.

»Börje och Johan jobbar vidare. De förhörde en Rickard Skoglöf och hans flickvän Valkyria Karlsson när ni var i Jönköping. De fortsätter arbeta.»

»Gav förhöret något?»

»Man vet aldrig», säger Sjöman. »Om man lyssnar noga, så kanske folk säger mer än vad de själva vet. Vi kollar upp dem noggrannare nu.»

En kvinnlig läkares röst på andra sidan luren.

»Ja, vi har en Maria Murvall här. Ja, ni kan få träffa henne, men helst inga män, och så få personer som möjligt. Jaså, du kan komma själv, det låter utmärkt.»

Sedan en lång paus.

»Men förvänta dig inte att Maria ska säga något.»

27.

Samtalet från Karin Johannison kommer när Malin just satt sig i bilen och hunnit vrida om startnyckeln.

»Malin? Karin här. Jag tror jag vet vad som orsakat hålen i glaset nu.»

Malin sjunker ner på det kalla sätet. På bara någon sekund känner hon kall luft sprida sig i bilen, och längtar intensivt efter att värmen ska få fritt spelrum.

»Sorry, jag skulle bara starta bilen. Och vad har du kommit fram till?»

»Jag kan med säkerhet säga att det inte är grus eller sten, det är hålens kanter alldeles för jämna för. Hålen har dessutom givit upphov till mycket grova sprickor i paritet med sin storlek, så jag tror omöjligt att någon kastat in något genom rutan.»

»Vad är det du säger?»

»Det är skotthål, Malin.»

Hål i en ruta.

En ny dörr som öppnas.

»Är du säker?»

»Så säker jag kan vara. Ett riktigt finkalibrigt vapen. Det finns inget sot eller krut vid hålen men det blir det långt ifrån alltid på glas. Men det skulle faktiskt kunna vara ett luftgevär.»

Malin blir tyst, tankarna far genom huvudet.

Finkalibrigt vapen.

Försökte någon skjuta Bengt Andersson?

Luftgevär.

Pojkstreck.

Teknikerna som inte hittade något anmärkningsvärt i Bengt Anderssons lägenhet. Inga skotthål i hans kropp.

»Men då måste det ha varit gummikulor, kan de ha orsakat några av Bengt Anderssons skador, den sortens ammunition?«

»Nej, de lämnar mycket speciella blödningar. Det hade jag sett.«

Motorljud.

Malin, ensam, i bilen, på väg mot en stum våldtagen kvinna.

»Malin, du blev tyst«, hörs Karins röst i luren. »Körde du av vägen?«

»Bara hjärnan«, svarar Malin. »Kan inte du åka tillbaka till Bengt Anderssons lägenhet och se om du hittar något nytt? Ta med dig Zeke.«

Karin suckar, men säger sedan:

»Jag vet vad vi ska leta efter, Malin. Lita på mig.«

»Meddelar du Sven Sjöman?«

»Han har redan fått ett mejl.«

Vad är det jag, vi, inte kan se? tänker Malin samtidigt som hon trycker gaspedalen neråt.

Den här poliskvinnan, tänker överläkare Charlotta Niima. Hon måste vara tio år yngre än jag själv, och som hon ser på en, genomskådande, vaksamt men samtidigt trött, som om hon skulle vilja ha en längre semester från allt vad kyla heter. Likadant verkar det vara med hennes kropp; atletisk, men ändå aningen tung i rörelserna, tveksam inför mig, på något sätt. Gömmer sig bakom saklighet.

Hon är söt, men hon skulle nog hata det ordet. Och bortom det genomskådande? Vad är det jag ser där? En sorgsenhet? Men det har väl med hennes arbete att göra. Vad måste hon inte få se? Precis som jag. Det gäller att kunna spalta upp tillvaron, av och på som vilken apparat som helst.

De svartbågade glasögonen får Charlotta Niima att se sträng ut, men tillsammans med det stora, permanentade röda hårsvallet ger glasögonen henne även ett vagt vansinnigt drag.

Kanske måste man vara galen för att kunna jobba med de galna? tänker Malin. Eller ska man vara helt ogalen?

Det finns något maniskt över överläkare Niima, som om hon kanske använder sina patienters sjukdom för att hålla sin egen slumrande under kontroll.

Fördomar.

Sjukhuset är inrymt i tre vitputsade femtiotalsbyggnader på ett inhägnat fält i utkanten av Vadstena. Genom fönstren i doktor Niimas rum ser Malin den istäckta Vättern, närapå bottenfrusen: stela fiskar som flämtar under isen, försöker tvinga sina kroppar genom en trögrörlig, svekfull massa. Här kan vi snart inte andas.

Till vänster, bortanför stängslet kan hon ana nunneklostrets röda tegelmur.

Birgitta. Bön. Helgon. Klosterliv.

Hon åkte själv. Kvinna till kvinna. Zeke protesterade inte.

Det gamla dårhuset, vida känt över slätterna som en slags sopstation för de förtappade, är ombyggt till bostadsrätter. Malin körde förbi den vita jugendbyggnaden på väg in i staden. Dårhusets vita fasad var grå och i den omgivande parken slokade svarta grenar på träd som hört tusen dårar skrika om nätterna.

Hur kan man välja att bo i en sådant hus?

»Maria har varit här i snart ett halvt decennium. Hon har inte pratat under den tiden.»

Niimas röst, medkännande, intim men ändå distanserad.

Den röstlösa, ordlösa.

»Hon uttrycker inga som helst egna önskningar.»

»Tar hon hand om sig?»

»Ja, hon tvättar sig och äter. Går på toaletten. Men hon pratar inte, och vägrar att gå ut från sitt rum. Det första året hade vi vak på henne, hon försökte hänga sig i elementet några gånger. Men nu är hon inte, så vitt vi kan bedöma, suicidal.»

»Skulle hon kunna bo i en lägenhet utanför sjukhuset? Med understöd?»

»Försöker vi ta henne ut ur rummet får hon kramper. Jag har aldrig sett något liknande. Hon är helt oförmögen, enligt vår bedömning, att vistas ute i samhället. Hon verkar se på hela sin kropp som en protes, en ersättning för något som gått förlorat. Hon är metodisk

150

i sin dagliga hygien, sätter på sig de kläder vi lägger fram till henne.»

Doktor Niima gör en paus innan hon fortsätter:

»Och så äter hon, tre mål mat om dagen, men inte så mycket att hon lägger på hullet. Total kontroll. Men vi får ingen kontakt med henne. Våra ord, vi, det är som om vi inte finns. Gravt autistiska människor kan uppvisa liknande symptom.»

»Mediciner?»

»Vi har försökt. Men inga av våra kemiska nycklar har kunnat överlista Maria Murvalls låsanordningar.»

»Och varför inga män?»

»Hon får kramperna då. Inte alltid, men ibland. Hennes bröder besöker henne ibland. Det går bra. Bröder är inte män.»

»Några andra besökare?»

Doktor Niima skakar på huvudet.

»Hennes mor håller sig borta. Fadern dog för länge sedan.»

»Och de fysiska skadorna?»

»De har läkt. Men hennes livmoder fick man operera bort. De saker man stoppade in i henne där ute i skogen gjorde stor skada.»

»Har hon ont?»

»Fysisk smärta? Det tror jag inte.»

»Terapi?»

»Ni måste förstå en sak, inspektör Fors, det är nästan omöjligt att bedriva terapi med en människa som inte pratar. Tystnaden är själens kraftigaste vapen.»

»Så ni tror hon liksom håller sig fast i sig själv genom tystnaden?»

»Ja, om hon pratade skulle hon bli utom sig.»

»Här bor Maria.»

Det kvinnliga biträdet öppnar försiktigt dörren, den tredje av sju i en korridor på husets andra våning. Lysrören i korridorens tak får linoleumgolvet att blänka och från ett av rummen hörs låga stönanden. Annat rengöringsmedel här än på äldreboendet. Parfymerat. Citrongräs. Precis som på spaet på Hotel Ekoxen.

»Låt mig gå in först och säga vem det är som kommer.»

Genom dörrspringan hör Malin biträdets röst, det låter som om hon pratade till ett barn.

»Det är en tjej från polisen här som skulle vilja prata med dig? Går det bra?»

Inget svar.

Så kommer biträdet tillbaka.

»Du kan gå in nu.»

Malin öppnar dörren helt, går igenom en liten hall där dörren till en dusch och toalett står på glänt.

En lunchbricka med halväten mat står på ett bord, en tv på en bänk, en blågrön trasmatta på golvet, några motorcykel- och dragsterplanscher på väggarna.

Och på en säng i ett av rummets hörn, Maria Murvall. Hennes kropp verkar inte finnas, hela hon är bara ett försvinnande ansikte omgivet av blonda välkammade hårtestar.

Du liknar mig, tänker Malin. Du liknar mig mycket.

Kvinnan på sängen tar ingen notis när Malin kommer in. Sitter stilla, med benen dinglande över sängkanten och ner mot golvet, fötterna klädda i gula tubsockor, huvudet hängande framåt. Hennes ögon är öppna; en tom men ändå märkligt ljus blick fäst någonstans i luften som fyller rummet.

Kaskader av snö mot fönsterrutan. Det har börjat snöa igen. Kanske kan det äntligen bli några grader varmare.

»Jag heter Malin Fors. Jag arbetar som kriminalinspektör vid Linköpingspolisen.»

Ingen reaktion.

Bara stillhet och tystnad i Maria Murvalls kropp.

»Kallt ute. Och blåsigt också», säger Malin.

Idiot.

Munnen som går.

Bättre rakt på. Det må bära eller brista.

»En av dina klienter på socialkontoret i Ljungsbro har hittats mördad.»

Maria Murvall blinkar, förblir i samma position.

»Bengt Andersson. Han hittades hängd i ett träd. Naken.»

Hon andas. Blinkar igen.

»Var det Bengt som du stötte på i skogen?»

En fot som rör sig under gul bomull.

»Jag har förstått att du hjälpte Bengt. Att du ansträngde dig lite extra för att han skulle få det bra. Stämmer det?»

Nya kaskader av fin snö.

»Varför brydde du dig om honom? Varför var han annorlunda? Eller var du sådan mot alla?»

Orden finns i tystnaden:

Gå nu, kom inte här med dina frågor, förstår du inte att jag dör om jag lyssnar på dem, eller tvärtom, att jag tvingas leva om jag svarar. Jag andas, men det är allt. Och vad betyder andningen då.

»Vet du något om Bengt Andersson som kan vara till hjälp för oss?»

Varför fortsätter jag med det här? För att du vet?

Maria Murvall lyfter benen från sängkanten, förflyttar sin späda kropp till liggande, blicken rör sig i samma bana som kroppen.

Precis som på ett djur.

Berätta vad du vet. Maria. Använd orden.

Ett svart rovdjur i en skog. Samme man som på en snöklädd vindplågad slätt?

Kanske?

Nej.

Eller?

Istället detta:

»Varför tror du någon ville hänga upp Bengt Andersson i ett träd mitt ute på Östgötaslätten under den kallaste vintern någon kan dra sig till minnes?

Varför, Maria? Hade inte han fått nog ändå?

Och vem sköt genom hans ruta?»

Maria sluter ögonen, öppnar dem igen. Hon andas, uppgivet, som om att andas eller inte för länge sedan mist sin betydelse. Som att allt det där inte spelar någon som helst roll.

Försöker du trösta mig?

Vad ser du som inte andra ser, Maria? Vad hör du?

»Fina planscher», säger Malin innan hon går ut ur rummet.

I korridoren hejdar Malin biträdet som passerar med en trave orange frottéhanddukar i famnen.

»Planscherna på väggarna, de verkar inte höra hemma där. Har hennes bröder satt upp dem?»

»Ja. Tror väl att de ska påminna henne om hemma.»

»Är bröderna här ofta?»

»Bara en av dem. Den yngsta, Adam. Han kommer då och då, verkar på något vis ha dåligt samvete för att hon är här.»

»Doktor Niima sa att flera bröder kommer.»

»Nej, bara en. Jag är säker.»

»Hade de särskilt bra kontakt?»

»Det vet inte jag. Men kanske, eftersom det är han som kommer. Det var en annan här en gång, men han klarade inte av att gå in i rummet. Han sa att det var för instängt, att han inte klarade det. Att det var precis som i en garderob, just så sa han. Sedan gick han.»

28.

»Är du där Bengt?»

»Jag är här, Maria. Ser du mig?»

»Nej, jag kan inte se dig, men jag kan höra dig sväva.»

»Jag som trodde mitt svävande var ljudlöst.»

»Det är det också. Men du vet, jag hör sådant inte andra hör.»

»Var du rädd?»

»Var du?»

»Jag tror det, men efter ett tag förstår man att rädslan är lönlös och då klingar den ut. Eller hur, visst är det så?»

»Ja.»

»Det är inte för sent för dig, Maria. Inte på samma sätt som det är för mig.»

»Säg inte så.»

»Allt hör samman.»

»Det doftar ensamhet här. Är det du eller jag?»

»Du menar äppeldoften? Det är ingen av oss. Det är någon annan.»

»Vem då?»

»De, han, hon, vi alla.»

»Den som sköt mot ditt fönster?»

»Jag minns att jag kom hem och såg hålen, sent, sent. Jag visste att det var skotthål.»

»Men vem sköt?»

»Jag tror alla sköt.»

»Är de flera?»

»Om vi alla hör ihop är vi väl alltid flera, Maria?»

Zeke står tre meter bakom Karin Johannison i dörrposten mellan köket och vardagsrummet i Bengt Anderssons lägenhet. Jackan är knäppt, värmen neddragen till ett minimum av värden, bara tillräckligt varmt för att vattnet inte ska frysa och rören explodera. Det har hänt på flera ställen i stan den här vintern, med en topp kring jul då de tjusiga åkte till Thailand och alla andra ställen de åker till och deras värmepannor la av och sedan pang! med vattenskador som följd.

Nu höjs väl mina försäkringspremier, tänker Zeke.

Karin sitter på knä på golvet, böjer sig fram över soffan, gräver med en pincett i ett hål i stoppningen.

Zeke kan inte hjälpa det, men när hon böjer sig fram så där, så här bakifrån, är hon riktigt uthärdlig, för att inte säga begärlig. Välsvarvad. Onekligen.

De åkte tysta hitut. Han lät henne med hela sin kropp förstå att han klarade sig helt utan småprat. Och Karin koncentrerade sig på vägen, men verkade ändå vilja prata, som om hon väntat på ett tillfälle att få vara ensam med honom.

Hålet där Karin gräver sitter i rät linje från fönstren. Men hålet kan komma från vad som helst.

Så vrider och vänder Karin på handen, säger:

»Såja, såja», och sedan drar hon triumfatoriskt ut pincetten.

Hon vänder sig om, håller fram pincetten mot honom, säger:

»Om jag letar lite till, lovar jag att vi hittar ett par sådana här skönheter till.»

Malin står i köket i sin lägenhet. Försöker skaka av sig bilden av Maria Murvall på sängen i det dystra rummet.

»Fortsätt du och Zeke på Murvall-linjen. Men om asaspåret plötsligt kräver mycket arbete, flyttar vi fokus dit.»

Karim Akbars röst vid genomgången som om hela kedjan fram till Maria Murvall var hans idé. Skönt ändå att få koncentrera arbetet.

Sven Sjöman: »Vi får ta fram bröderna Murvalls brottsregister. Och du och Börje, Johan, ni arbetar vidare med asaspåret. Vänd på varenda runsten. Och vi får höra Bengt Anderssons grannar igen, om de sett något, eller hört något märkligt, nu när vi vet att rutan skjutits sönder.»

Gummikulor.

Tre stycken gröna hade Karin och Zeke hittat i soffan. Troligtvis en för varje hål. Storlek för att passa i ett finkalibrigt vapen, antagligen ett salongsgevär.

Gummikulor.

För tufft för att vara pojkstreck. Men kanske inte heller på allvar. Troligtvis för att orsaka smärta. Plåga. Precis som du blev plågad, Bengt.

Gummikulor.

Omöjligt att säga vilken vapentyp kulorna skjutits med enligt Karin: »Det blir inte tillräckligt tydliga reliefer från pipan. Gummi är mer flexibelt än metall.»

Malin häller en skvätt rött vin i grytan hon har kokande framför sig.

Johan Jakobsson: »Vi förhörde några asafanatiker i Kindatrakten idag. Så vitt vi kunde bedöma var de bara några harmlösa, ska vi säga *historieintresserade* personer. Professorn på universitetet, han måste vara en av de mediekåtaste personer jag någonsin stött på. Och han verkar helt ren. Pojkvännen, en Magnus Djupholm, bekräftar inci-denten med katterna.»

Mediekåt.

Ordet fick Karim att höja på ögonbrynen, som om han drabbades av plötslig sjukdomsinsikt.

Och Malin att skratta inom sig.

Johan hade haft med sig Aftonbladet och Expressen till mötet. Inget på löpen. Bara helsidor nu med professorn på stor bild, »experten på fornnordiska ritualer» som beskrev hur ett midvinterblot gick till, och antydningar om att han trodde det skulle ske igen.

Sven tyst under nästan hela mötet.

Malin rör i köttgrytan på spisen, drar i sig doften av vitpeppar och lagerblad.

Deras mord försvinner ur det allmänna medvetandet. Nya mord, nya skandaler av människor som är med i tv, politiska utspel, mör-darbakterier i Thailand.

Vad är en hängande kropp i ett träd värd när den inte längre är »ny»? Bollbengan, du är inte längre aktuell.

Dörren som öppnas i hallen.

Tove.

»Mamma, är du hemma?»

»Jag är i köket.»

»Har du lagat mat? Jag är jättehungrig.»

»Köttgryta.»

Toves kinder rosiga, vackra, världens vackraste kinder.

»Jag har träffat Markus. Vi fikade hemma hos honom.»

En stor vit läkarvilla i Ramshäll. Pappa kirurg, en av de vit- och grönklädda, mamma läkare på Hals- och öronkliniken. Två läkare: En vanlig kombination i staden.

Så ringer telefonen.

»Svara du», säger Malin.

»Nej, svara du.»

Malin lyfter luren från den väggfasta hållaren.

»Malin, det är pappa här. Hur har ni det?»

»Bra. Men kallt. Jag vattnade blommorna.»

»Det är inte därför jag ringer. Är allt bra?»

»Jag sa ju det. Allt är bra.»

»Ni har kallt där hemma va? Vi såg på TVSverige hur elementen fryser sönder i lägenheterna i Stockholm.»

»Det händer här också.»

Han har något på hjärtat, tänker Malin. Undrar om han får fram det.

»Ville du något särskilt?»

»Det var bara det att jag, nej vi kan ta det en annan gång.»

Orkar inte krusa, orkar inte.

»Som du vill, pappa.»

»Är Tove där?»

»Hon gick just på toaletten.»

»Nja, det var ändå inget viktigt. Vi hörs vid, hej då.»

Malin står med telefonluren i sin hand. Ingen kan avsluta ett samtal lika abrupt som pappa. Han finns där, sedan är han borta.

Tove kommer tillbaka ut i köket.

»Vem var det?»

»Morfar. Han lät lite konstig.»

Tove sätter sig vid bordet, tittar ut.

»Alla kläder man måste ha så här års gör människor fula», säger hon. »De ser tjocka ut.»

»Vet du», säger Malin. »Maten räcker till Janne också. Ska vi ringa och höra om han har lust att komma hit?»

En plötslig lust att träffa honom. Ta vid vid någonting. Känna honom. Bara så där.

Tove skiner upp.

»Ring du», säger Malin och Tove tappar sitt leende lika snabbt som det kom.

»Det får du göra själv, mamma.»

En, två, tre, fyra, fem signaler. Inget svar.

Han kanske har jour på brandstationen.

På stationen säger telefonisten: »Han är ledig idag.»

Mobilen.

Jannes meddelande går igång: »Hej, du har ringt till Janne. Lämna ett meddelande efter tonen så ringer jag upp.»

Inget meddelande.

»Fick du inte tag i honom?»

»Nej.»

»Då äter vi själva, mamma.»

Tove sover i sin säng.

Klockan är strax efter halv tolv. Malin klarvaken i soffan.

Hon reser sig, ser in i Toves rum, på den perfekta flickkroppen under lakanet, bröstkorgen som höjer och sänker sig.

Bröder är inte män.

Ett överflöd av liv.

Ett varmt, varmt blodomlopp. En andra kropp i en annan säng.

Janne, Janne, var är du? Kom hit. Kom tillbaka. Det står en köttgryta på spisen.

Kan inte. Jag kör mjölsäckar över ett berg i Bosnien, vägen minerad under oss. De behöver min hjälp, här.

Vi behöver dig.

Malin går in i sitt sovrum. Sitter stilla på sängkanten när mobilen ringer.

Hon rusar ut i hallen, hittar telefonen i jackfickan.

»Daniel Högfeldt här.»

Först ilska, sedan uppgivenhet, därpå förhoppning.

»Har du något till mig?»

»Nej, inget nytt. Vad tror du?»

»Jag tror att du är välkommen hit om du vill.»

»Är du hemma?»

»Ja. Kommer du?»

Malin ser sig själv i hallspegeln, hur ansiktet verkar bli svagare i sina konturer ju mer hon tittar på det.

Varför hålla emot?

Hon viskar in i telefonen: »Jag kommer, jag kommer, jag kommer.»

Dricker ett dricksglas med tequila innan hon lämnar lägenheten. På golvet i hallen en lapp.

Tove

De ringde från jobbet jag finns på mobilen

Mamma

Del 2.

Bröder

Är det ni som kommer?

Med kärlek?

Skisser, anteckningar, min lilla svarta bok med små svarta ord, bilder av nu, av framtiden, av det förflutna, av blodet.

Jag är inte galen. Det är bara en del av mig som givit efter, som släppt i fogarna. Vad hjälpte det att prata med psykologpersonen?

Den ligger i garderoben där hemma anteckningsboken, här finns bara kaksmulor, äpplen, en inkorg att tömma och så det som måste göras, som redan är gjort och som måste göras igen.

Släpp in mig, hör ni det, det är kallt här ute. Släpp in mig.

Varför skrattar ni? Era skratt gör att jag går sönder.

Det är kallt och fuktigt.

Jag vill gå hem. Men det här är nog mitt hem nu.

Jag vill bara vara med och leka.

Få kärlek.

Det är allt.

29.

Onsdag den åttonde februari

Daniel Högfeldts sovrum.

Vad gör jag här?

Är det hans händer på min kropp? Han är ivrig, bestämd, kramar, nyper, daskar. Slår han? Låt honom slå. Låt honom riva lite, det kan gott få göra lite ont.

Jag ger efter. Låter det hända. Hans kropp är hård och det räcker, jag skiter i vem han är.

De gråa väggarna. Mina händer nära den kromade sänggaveln, han nafsar mot mina läppar, hans tunga i min mun och han pumpar, pumpar.

Svett. Trettiofyra minusgrader.

Tove, Janne, pappa, mamma, Bollbengan, Maria Murvall.

Daniel Högfeldt ovanpå mig, bestämmer nu, tror du jag är din, Daniel? Vi kan låtsas det om du vill.

Det gör ont. Och det är skönt.

Hon tar kommandot, rullar bort från honom, trycker ner honom mot madrassen. Klättrar på, in.

Nu, Daniel. Nu.

Jag försvinner i den sköna smärtan. Och det är underbart.

Kan det inte få vara allt som behövs?

Malin ligger bredvid Daniel, vrider sig upp till sittande ställning. Ser på den sovande muskulösa kroppen bredvid sin. Reser sig, tar på sig kläderna, går ut ur lägenheten.

Klockan är fem. Linköping öde.

Hon går mot polisstationen.

Jag hörde dig gå, Malin, jag var vaken, men du märkte ingenting.

Jag ville hålla kvar dig, det ville jag, det är ju så förbannat kallt där ute, ville säga att jag vill att du ska stanna. Även den allra tuffaste, till synes hårda, behöver värme, alla behöver det.

Det finns inget originellt i värmen.

Men ändå betyder den allt.

Jag gräver och rotar i människors liv, försöker avslöja deras hemligheter. Det finns ingen värme i det värvet, ändå tycker jag om det.

Hur blev jag sådan?

Bröderna Murvall.

Adam, Jakob, Elias.

Malin har deras akter framför sig på skrivbordet, bläddrar förstrött bland papperen, läser, dricker kaffe.

Tre människor. Stöpta i nästan samma form.

Brödernas brottsregister går att läsa som protokollet från en boxningsmatch.

Första ronden: Snatterier, hasch, vässade mopeder, olovlig körning, hindrande av tjänsteutövning, inbrott i kiosker, stölder ur Cloettas lastbilar.

Andra ronden: Misshandel, krogslagsmål.

Tredje ronden: Tjuvjakt, utpressning, båtstöld, olaga vapeninnehav. Salongsgevär, Husqvarna.

Sedan är det som om matchen tagit slut.

Senaste noteringarna i brödernas akter är tiotalet år gamla.

Så vad har hänt med bröderna Murvall. Har de lugnat ner sig? Skaffat familj? Slagit in på en anständig bana? Blivit smartare? Aldrig det sistnämnda. Det händer inte. En gång gangster, alltid gangster.

Vem är värst?

Noteringar, utdrag ur förhör.

Yngste brodern Adam. En haschrökande våldsbenägen motortok om man ska tro papperen. Slog en förare på Mantorp blodig efter att denne inte vunnit loppet som Adam hoppats på.

Vadslagning? Säkert. Tre månader på Skänningeanstalten. Två älgar fällda i februari. En månad på Skänninge. Misshandel av en flickvän. Påstått våldtäktsförsök. Sex månader.

Mellanbrodern Jakob. Analfabet enligt papperen. Dyslektiker. Benägen till raseri. Och vad gör en sådan? Slår en lärare i sjunde klass, sparkar av armen på en jämnårig utanför kiosken i Ljungsbro. Ungdomsvårdsskola. Haschlangning på skolgården när han kom tillbaka, slog av käkbenet på en polis när de skulle gripa honom. Sex månader på Norrköping, utpressning av affärsidkare i Borensberg, rattfylla. Ett år på Norrköping. Sedan ingenting. Som om det skeva tystnat.

Äldste brodern Elias. Ett praktexemplar. Något slags fotbollstalang, med i B-laget som trettonåring och ända tills han gjorde inbrott i Ljungsbro IF:s kiosk och blev utesluten ur klubben. Vållande till annans död när han körde in i ett träd på fyllan. Sex månader på Skänninge. Grov misshandel på restaurang Hamlet. Slog en ölsejdel i huvudet på en annan gäst. Mannen förlorade synen på ena ögat.

»Trögtänkt, lättledd, tvivlande.» Psykologens ord. Trögtänkt? Tvivlande? Skriver man så?

Lillasyster Maria.

Så det här är dina bröder, Maria? De som satte planscherna på väggarna i ditt rum? Adam? På deras språk, hans språk, antar jag att det betyder omtanke.

Bengts blå kropp i trädet.

Tre bröders hämnd?

Fjärde ronden: Mord?

Malin gnuggar sig i ögonen. Läppjar på sin tredje kopp kaffe.

Hon hör dörren till kontoret öppnas, känner en kall vindfläkt.

Zekes röst, raspig och trött.

»Tidig idag, Fors? Eller bara en ovanligt lång natt?»

Zeke sätter på radion.

Volymen på lågt.

»Härlig läsning, eller hur?»

»De verkar ha lugnat ner sig», säger Malin.

»Eller bara blivit smartare.»

Zeke ska till att säga något mer, men hans röst döljs av ljudet från radion. Låten som spelats tonar ut, en jobbig jingel, sedan Malins väninnas mjuka röst, »det var ...»

Helen.

Hon växte upp där ute, tänker Malin. Nästan samma ålder som bröderna. Kanske känner hon till dem? Jag kan ringa henne, jag ringer.

»Hej Malin.»
Rösten lika smeksam och sexig i telefon som i radio.
»Kan du prata?»
»Vi har tre minuter och tjugotvå sekunder innan den här låten är slut. Sedan kan jag ge oss lika mycket tid till om jag slopar mellansnacket.»
»Då går jag rakt på sak: Kände du till några bröder som hette Murvall när du växte upp ute i Vreta kloster?»
»Hurså?»
»Det vet du att jag inte kan säga.»
»Bröderna Murvall. Visst. Alla kände till dem.»
»Ökända?»
»Det kan man säga. De gick under öknamnet 'De galna bröderna Murvall'. De var lite läskiga. Men ändå. Det var liksom något ledsamt över dem. Du vet, de var de där som alla vet att det aldrig kommer att bli något av, men som protesterar högljutt mot den ordningen. Du vet de som på något sätt är lite vid sidan av från början. Som ja, jag vet inte, kanske är dömda från början att knacka på porten till det vanliga samhället utan att bli insläppta. De är liksom märkta. De bodde i Blåsvädret. Slättens värsta blåsiga helveteshål. Det var familjen Murvalls domäner. Skulle inte förvåna mig om de bor där än.»
»Minns du Maria Murvall?»
»Ja. Hon var den som det skulle bli något av. Gick i min parallellklass.»
»Umgicks ni?»
»Nej, på något sätt var hon lite utanför hon också. Som om hon också hade det där märket, som om hennes bra betyg nästan bara var, ja, det låter hemskt, meningslöst trots, liksom. Bröderna skyddade henne. Det var en kille som försökte mobba henne för något, jag minns inte vad, men honom sandpapprade de kinderna på. Två stora sår, men han vågade inte berätta för någon vem som gjort det.»
»Och pappan?»

»Han var diversearbetare. Svarten, jag minns det. Han var ganska ljushyllt, men kallades ändå för Svarten. Råkade ut för någon olycka, bröt ryggen och hamnade i rullstol. Sedan söp han ihjäl sig, fast det hade han börjat med innan. Han bröt tydligen nacken när han rullade utför trappen i deras hus.»

»Mamman?»

»Det gick rykten om att hon var någon slags häxa. Men jag antar att hon var en vanlig hemmafru.»

»Häxa?»

»Rykten Malin, en sketen landsortshåla som Ljungsbro lever av rykten och skvaller.»

Rösten i radion.

»Och nästa skiva spelar jag för min goda väninna Malin Fors, Linköpingspolisens klarast lysande stjärna.»

Zeke grinar.

»Blinka på, Malin. Snart är du världsberömd. Men just nu utreder hon fallet med Bengt Andersson, som vi alla är så intresserade av i staden. Vet ni något om fallet, ring till Malin Fors på Linköpingspolisen. Vad som helst är av intresse.»

Zeke grinar ännu bredare.

»Nu blir det folkstorm på din telefon.»

Musiken går igång.

»Det här är min kärlekssång. Det här är min stund på jorden ...»

Sångaren Pluras röst, vibrerande av törst och sentimentalitet.

»... jag är vad jag är ... landsortsgrabb, kalla mig landsortsgrabb ...»

Vad är jag, tänker Malin.

Landsortstjej?

Inte av kärlek. Kanske av tvång.

30.

I samma ögonblick som låten på radion tar slut, ringer telefonen på Malins skrivbord.

»Det var som fan», säger Zeke.

»Det kan vara vad som helst», säger Malin. »Behöver inte ha ett skit med fallet att göra.»

Luren verkar vibrera vid nästa ringning, pocka på att bli tagen på allvar.

»Malin Fors, Linköpingspolisen.»

Tystnad i luren.

Andetag.

Malin gör en avvaktande gest mot Zeke, håller upp handen.

Så en grötig röst, nyss kommen ur målbrottet.

»Det är jag med tv-spelet.»

Tv-spelet?

Malin söker febrilt i minnet.

»Med Gnu warriors.»

»Förlåt?»

»Ni förhörde mig om ...»

»Nu minns jag», säger Malin och ser Fredrik Unning sitta med joysticken i sin hand i det burgna husets källare, ser hans pappa se på sin son med avståndstagande blick.

»Jag frågade dig om du inte visste något vi behövde veta.»

»Ja, just det. Jag hörde på radion.»

Samma rädsla i rösten nu, som i ögonen då. En hastig uppflammande känsla, som är borta lika snabbt som den kom.

»Och du vet något?»

»Kan ni komma ut hit, du och han den där andre?»

»Vi ska åt Ljungsbrohållet till idag. Det kan dröja ett slag, men sedan kommer vi.»

»Ingen behöver få veta? Eller hur? Att ni varit här?»

»Nej då, det kan stanna mellan oss», säger Malin, tänker: Men det beror förstås på vad du ska säga, och det slår henne med vilken lätthet hon ljuger en ung människa rakt in i örat, så länge det gagnar utredningen, hennes egna syften, och hon vet att hon själv skulle hata att bli behandlad så. Men ändå gör hon det:

»Det stannar mellan oss.»

»Okej.»

Sedan ett klick och Zekes frågande min på andra sidan skrivbordet.

»Vem?» säger han.

»Minns du Fredrik Unning? Den tv-spelande tonåringen i den stora kåken.»

»Han?»

»Ja, han har något att berätta, men vi tar Murvalls först. Eller vad tycker du?»

»Murvalls», säger Zeke och pekar mot dörren. »Och vad kan nu grabben Unning ha på hjärtat?»

»Går du över vägen här sjunker fastighetspriserna med trettio procent», säger Zeke samtidigt som han vid en öde Preem-mack svänger in på den väg som leder in till den samling hus som går under namnet Blåsvädret. Kylan sprakar i vredesmod utanför bilen. Kallgraderna verkar vrida sig i vinden, kastbyar slår upp snö ur de döda drivorna, stoftet sköljer i transparenta vågor över vindrutan.

»Jävlar, vad det blåser», säger Malin.

»Och himlen är vit.»

»Tyst Zeke, håll truten.»

»Jag älskar när du använder plattityder, Malin, jag älskar det.»

En kuslig plats. Så är den första känslan.

Perfekt att ha Zeke vid sin sida. För om något händer, kan han ställa om på bråkdelen av en sekund. Som när den där knarkaren i Lambohov drog upp en spruta och tryckte den mot hennes hals. Hon hann inte ens märka det, hur Zeke slog upp med armen och slog sprutan ur handen på knarkaren. Sedan såg hon hur Zeke sparkade omkull knarkaren, och fortsatte att sparka honom i magen.

Hon fick hålla fast Zeke för att få honom att sluta.

»Ingen fara, Fors, det kommer att se ut som ett par vanliga knytnävsslag. Men det gör ondare. Han ville ju för fan döda dig och det kan vi ju inte tillåta, eller hur?»

En ny, ännu kraftigare by.

»Fan vad märkligt, det blåste knappt alls på vägen hit. Vad är det här?»

»Blåsvädret är en bermudatriangel», säger Zeke. »Här kan vad som helst hända.»

En enda gata.

Blåsstigen.

Fem rödmålade trähus på ena sidan, garage och verkstäder på den andra, en kåk i mexitegel med fördragna persienner. Ett större vitmålat hus längre fram där gatan slutar, nästan osynliggjort av snörök.

De hus i Blåsvädret som inte bebos av familjen Murvall ligger tysta, dess invånare säkert på sina arbeten. Klockan på instrumentbrädan visar 11.30, lunchdags snart och Malin känner magen dra sig samman.

Mat, tack, inte kaffe.

Bröderna Murvall bor grannar. De två sista trähusen och tegelhuset är deras, den vita villan moderns. Fönstren i trähusen svarta, bilvrak uppställda huller om buller på tomterna, halvt täckta av snö och is. Men det lyser bakom persiennerna i mexihuset, ett trasigt, bågnande svart järnstaket skevar i vinden. Verkstadsbyggnaden mitt emot har tunga, rostiga järndörrar, och framför står en grön Range Rover av gammal årsmodell.

Zeke stannar bilen.

»Adams hus», säger Zeke.

»Vi ringer väl på.»

De knäpper sina jackor, kliver ur. Fler bilvrak. Men inte likadana som Jannes. De här bilarna är förfallna bortom räddning, ingen kärleksfull hand väntar på att ta sig an dem. På garageinfarten en grön

Skoda-pickup. Zeke tittar ner i flaket, drar med handsken i snön, skakar på huvudet.

Vinden, den trotsar all beskrivning, stora ilskna stötar, med små inneboende pustar av arktisk kyla som med lätthet, och hånfullhet, tränger igenom jackans tyg, ullen i polotröjan.

Sand på betongtrappan. Ringklockan fungerar inte, Zeke bankar på dörren, men det är tyst inifrån huset.

Malin ser in genom den gröna rutan i dörren. Vaga konturer av en hall, barnkläder, leksaker, ett vapenskåp, stökigt.

»Ingen hemma.»

»De är väl och jobbar så här dags», säger Malin.

Zeke nickar.

»Kanske har det blivit ärligt folk av dem.»

»Skumt», säger Malin. »Märker du hur husen verkar hänga ihop på något vis.»

»De är ett och samma», säger Zeke. »Inte fysiskt, men om hus har en själ, har de här husen en gemensam.»

»Vi går till morsans hus.»

Trots att den vita trävillan ligger bara sjuttiofem meter neråt vägen är det omöjligt att urskilja annat än fasadens konturer, och det vita träet som då och då glimmar till mot det omgivande vita.

De går mot huset.

När de närmar sig skingras snöröken och kölddimman och de ser att hela trädgården är full av högresta äppelträd. Grenarna spretar svarta i vinden, och Malin drar in luft i näsan, sluter för en kort stund ögonen och försöker känna doften av äppelblom och frukt som måste finnas här om våren och sensommaren.

Men världen här är doftlös.

Hon öppnar ögonen.

Husets fasad har satt sig och det skeva träet verkar trött men ändå oändligt trotsigt. Ljus strömmar ut från fönstren.

»Verkar som mamma är hemma», säger Zeke.

»Ja», säger Malin, och innan hon hinner säga mer blir hon avbruten.

En man, lång och med säkert veckogammal skäggstubb runt en tydligt tecknad mun. Han är klädd i grön verkstadsoverall och har öppnat ytterdörren på den vita villan. Mannen står på farstubron och stirrar stint på dem.

»Och vilka i hela helvetet är ni? Kommer ni in på tomten hämtar jag studsaren och skjuter skallarna av er.»

»Välkommen till Blåsvädret», säger Zeke och ler förväntansfullt.

»Vi är från polisen.»

Malin håller upp sin legitimation samtidigt som de närmar sig mannen på farstubron.

»Får vi komma in?»

Och nu ser hon dem.

Alla människorna, familjen som tittar på dem genom det vita husets fönster: trötta kvinnor, barn i olika åldrar, en schalettklädd dam med djupt liggande svarta ögon ovanför en vass näsa och tunna strimmor av rakt vitt hår som faller ner över hennes kinders glasaktiga hud. Malin ser på ansiktena, de halva kropparna bakom fönstret och tänker att det verkar som om de här människorna är sammanväxta i de delar som är dolda för hennes ögon. Att familjens lår, knän, vader och fötter sitter ihop, oskiljaktiga, annorlunda, men också överlägsna.

»Vad vill ni oss?»

Mannen på förstubron slungar orden mot dem.

»Och vem har vi den äran att prata med?»

Zekes rättframhet verkar ha effekt.

»Elias Murvall.»

»Då så, Elias, släpp in oss, och låt oss inte stå i den här kylan.»

»Vi släpper inte in någon.»

Från huset hörs en skarp kvinnoröst som röjer en människa van att få som hon vill.

»In med polisen nu, pojk.»

Elias Murvall kliver åt sidan, följer dem in i hallen och en doft av bränd kål slår emot dem.

»Och skorna tar ni av er», hörs kvinnorösten igen.

Hallen är full av vinterkläder, barnjackor i grälla färger, billiga täckjackor, en armérock. Rakt fram ser Malin ett vardagsrum; stilmöbler på Wiltonmattor, reproduktioner av Johan Krouthéns solbadande östgötska hagar. En malplacerad dataskärm av senaste, tunnaste snitt.

Malin drar av sig Caterpillar-bootsen, känner sig utlämnad i bara strumplästen bland de här människorna.

Köket.

Vid ett gigantiskt slagbord dukat för lunch, uppställt mitt i rummet, sitter vad som måste vara hela familjen Murvall tysta och väntande, fler människor än i fönstret nyss, inte sammanväxta. Malin räknar tre kvinnor med små barn, bebisar i sina famnar, på andra stolar barn i olika åldrar, borde inte vissa av dem vara i skolan? Hemundervisning? Eller är de alla för små ännu?

Två män till i rummet, den ena med välklippt kort skägg och den andra nyrakad. De är klädda i likadana verkstadsoveraller som Elias som mötte dem i dörren och har samma grova kraftfulla utseende. Den nyrakade, som ser yngst ut, måste vara Adam. Han knackar på en tygservett på bordet som vore skivan en dörr, hans ögon så mörkt blåa att de nästan blir svarta som moderns. Mellanbrodern, Jakob, tunnhårig, sittande framför spisen, med tydlig buk under overallen, ser på dem med dimmig blick, som om han tusen gånger förut stött på poliser som vill ha något av honom och som han tusen gånger bett dra åt helvete.

Modern står vid spisen. Den kortvuxna, magra gumman är klädd i röd kjol och grå kofta. Hon vänder sig mot Malin.

»På onsdagar äter min familj kålpudding.»

»Gott», säger Zeke.

»Vad vet han om det?» säger modern. »Har han ätit min kålpudding?»

Samtidigt pekar hon med ena handen mot Elias med en gest som säger: Se så, sätt dig vid bordet. NU.

Några av barnen tappar tålamodet, hoppar ner från sina stolar och springer ut ur köket och in i vardagsrummet och sedan uppför trappan till övervåningen.

»Nå?»

Gumman stirrar på Malin, sedan på Zeke.

Zeke tvekar inte, snarare ler han en smula, när han kastar orden ut i rummet:

»Vi är här med anledning av mordet på en Bengt Andersson, han var aktuell i fallet med våldtäkten på din dotter Maria Murvall.»

Och Malin blir, handlingen orden röjer till trots, för en kort stund varm inombords. Precis så här ska det vara. Zeke är helt orädd, går rakt in i getingboet. Sätter sig i respekt. Jag glömmer det ibland, men jag vet varför jag beundrar honom.

Ingen vid bordet rör en min.

Jakob Murvall sträcker sig lojt över skivan, tar en cigarett ur ett paket med gula Blend och tänder den. En bebis i en av kvinnornas knän gnyr.

»Det vet vi inget om», säger kvinnan. »Eller hur, pojkar?»

Bröderna vid bordet skakar på sina huvuden.

»Ingenting», flinar Elias. »Ingenting.»

»Er syster blev våldtagen. Och en av de som figurerade i utredningen hittas mördad», säger Zeke.

»Vad gjorde ni alla natten mellan onsdag och torsdag?» frågar Malin.

»Vi behöver inte berätta ett skit för er», säger Elias, och Malin tänker att han säger orden överdrivet tufft, som om han inte vill visa sig svag inför de andra.

»Jo, det behöver ni, ni måste till och med», säger Zeke. »Er syster ...»

Adam Murvall häver sig upp, hans armar far ut och han skriker över bordet:

»Den jäveln kan mycket väl ha våldtagit Maria. Och nu är han död och det är jävligt bra.»

Färgen i hans ögon går från blått till svart när han stöter fram orden.

»Kanske kan hon få ro nu.»

»Pojk, sätt dig ner.»

Moderns röst från spisen.

Nu skriker flera av barnen, kvinnorna försöker lugna dem, och Elias Murvall pressar ner sin bror på stolen.

»Såja», säger modern när tystnaden åter lagt sig. »Nu tror jag puddingen är klar. Och potatisen också.»

»Asatro», säger Malin. »Håller ni på med det?»

Spridda skratt från de vuxna kring bordet.

»Vi är riktiga karlar», säger Jakob Murvall. »Inga vikingar.»

»Har ni vapen hemma?» frågar Malin.

»Jaktvapen har vi alla», säger Elias Murvall.

»Hur fick ni licens på dem, med er historia?»

»Våra ungdomssynder? Det har gått lång tid.»

»Har ni salongsgevär?»

»Vilka gevär vi har ska ni skita i.»

»Så ni sköt inte med salongsgevär genom fönstret hos Bengt Andersson?» frågar Malin.

»Har någon skjutit genom hans fönster», säger Elias Murvall. »Det bryr han sig inte mycket om nu, eller hur?»

»Vi skulle vilja se era vapenskåp», säger Zeke. »För ni har väl sådana till vapnen? Och vi har många frågor. Vi vill prata med er en och en. Antingen här och nu, eller på stationen. Välj själva.»

Kvinnorna, de ser alla på mig, tänker Malin, deras ögon försöker förstå vad jag vill, som om jag skulle ta ifrån dem något de innerst inne ändå inte vill ha, men skulle kunna försvara till döden.

»Ni kan kalla pojkarna mina till förhör. Och vill ni se skåpen får ni komma tillbaka med husrannsakan», säger gumman. »Men nu ska pojkarna Murvall äta, så se så, ut nu.»

»Vi vill nog prata med dig också, fru Murvall», säger Zeke.

Rakel Murvall höjer näsan mot taket.

»Elias, följ poliserna ut.»

Malin och Zeke står i kylan utanför huset, ser bort mot fasaden, konturerna bakom de allt immigare rutorna. Malin känner hur skönt det är att ha fått på sig skorna igen.

»Att man kan leva så där, i Sverige, idag», säger hon. »Helt utanför allt gängse på något vis. Anakronistiskt på ett nästan bisarrt sätt.»

»Jag vet inte det jag», säger Zeke. Sedan tar han till den första förklaringen som verkar dyka upp för honom: »Det är bidragen», säger han. »De jävla bidragens fel. Jag lovar att hela högen har a-kassa och soss och hela skiten. Och barnbidragen för en sådan barnaskara måste uppgå till en mindre förmögenhet varje månad.»

»Jag är inte säker på bidragen», säger Malin. »De kanske inte har ett enda bidrag. Men ändå. 2000-talet. I Sverige. En familj som verkar leva helt utifrån sina egna spelregler.»

»De mekar och jagar och fiskar när vi sliter. Vill du att jag ska känna sympati för dem?»

»Kanske för barnen. Vem vet hur de har det?»

Zeke står stilla, verkar tänka efter.

»Att leva utanför samhället är inte så ovanligt, Malin. Inget otidsenligt alls egentligen. Titta på gänget i Borlänge, Knutby, Sheike, och halva jävla Norrland. Klart de finns här ibland oss, och så länge de inte stör den allmänna ordningen är det ingen som bryr sig. Låt dem leva sina miserabla liv ifred så sköter de vanliga sitt. Fattiga, knasiga, invandrare, handikappade. Ingen bryr sig, Malin. Annat än för att få bekräftelse på den egna tillvarons normalitet. Och vilka är vi att egentligen ha åsikter om hur andra människor ska leva? De kan faktiskt ha det roligare än vi.»

»Jag vill inte tro det», säger Malin. »Och vad gäller Bengt Andersson, så finns motivet där.»

De går bort till bilen.

»Fina människor i alla fall, Murvalls», säger Zeke samtidigt som han vrider om tändningsnyckeln.

»Du såg ilskan i Adam Murvalls ögon», säger Malin.

»Och de är flera, de skulle kunna ha gjort det tillsammans. Och skjuta sönder hans fönster med gummikulor? En baggis för de där herrarna. Vi får ordna en husrannsakan så vi får kolla deras vapen. Men de kan ha vapen utan licens också, kontakter saknas nog inte för att ordna den saken och själva kulorna.»

»Tror du verkligen vi har så det räcker för husrannsakan? Det finns ju egentligen inget konkret rent juridiskt som påvisar att de skulle vara inblandade.»

»Kanske inte. Vi får se vad Sjöman säger.»

»Så otroligt arg han var, Adam Murvall.»

»Tänk om det var din syster, Malin, skulle du inte vara arg då?»

»Jag har inga syskon», säger Malin. Sedan lägger hon till: »Jag skulle vara ursinnig.»

31.

På avstånd, så här från en höjd, ser Roxen ut som ett tillplattat grå-vitt duntäcke. Träden och buskarna, liksom kvalfyllda, nedtryckta vid sjöns kant och fälten framför, snaggade, sönderblåsta i väntan på en värme som det är svårt att föreställa sig någonsin ska komma.

Vitt tegel och bruna knutar, låda lagd till låda på bästa sjuttiotals-vis, fyra privilegierade boningar samlade i en backe ovan en brant slänt.

De har knackat på dörren med lejonhuvudet, polerade käftar som öppnar sitt gap.

Förra gången de pratade med Fredrik Unning var Malin övertygad om att han hade något att berätta som han höll inne med av rädsla, nu vet hon, och för varje meter de närmar sig huset ökar förväntan inom henne.

Vad döljs här innanför?

De får vara försiktiga. Zeke rastlös bredvid henne, rök ur hans mun, huvudet bart, frilagt för kylan att fästa sina trubbiga, infekte-rade krokar i.

Rassel bakom dörren.

En glipa som vidgas till en öppning och Fredrik Unnings tretton-årsansikte där bakom, och en otränad lätt svullen kropp klädd i ljus-blå Carhartt-t-shirt och gråa gymnastikbyxor av armémodell.

»Vad lång tid det tog. Nu kommer ni», säger han. »Jag trodde ni skulle komma direkt.»

Om du visste, Fredrik, tänker Malin, hur väl du sammanfattar många medborgares känslor inför polisen när du säger så.

»Får vi komma in?» undrar Zeke.

Fredrik Unnings rum ligger på husets tredje våning och väggarna är täckta med skateboardaffischer. Bam Margera från Jackass svävar i luften högt ovan en betongkant och på en nytryckt vintageaffisch glider en ung Tony Alva fram längs en bakgata i Los Angeles. Skira vita gardiner skymmer utsikten genom fönster som går från golv till tak och den rosa heltäckningsmattan är fläckig här och där. I ena hörnet en stereo som ser ny ut, och en golvmonterad platt-tv, säkert fyrtiofem tum bred.

Fredrik Unning på sängkanten, fokuserad på dem nu, borta är hans nonchalans från förra gången, borta är hans föräldrar, pappa försäkringsmäklaren har tagit sin fru boutiqueinnehaverskan på en liten tripp till Paris. »De brukar åka dit ibland, mamma gillar att shoppa, och pappa att käka. Skönt att få vara själv.»

Tomma pizzakartonger i köket, halvätna Gorby's-piroger, läskflaskor och en överfull skräppåse mitt på golvet.

Malin bredvid Fredrik Unning på sängen, Zeke vid det största fönstret i rummet, som en svart kontur i motljuset.

»Vet du något om Bengt Andersson som vi borde veta?»

»Om jag säger något, då får ingen annan reda på att jag sagt det, eller hur?»

»Nej», säger Malin och Zeke nickar instämmande, säger: »Det stannar mellan oss. Ingen behöver få reda på var informationen kommer ifrån.»

»De kunde aldrig låta honom vara ifred», säger Fredrik Unning och stirrar mot gardinerna. »De var på honom hela tiden. Som besatta.»

»På Bengt Andersson?»

Zeke borta från fönstret:

»Vilka var på honom?»

Och Fredrik Unning blir rädd igen, kroppen sjunker ihop, drar sig undan från Malins och hon tänker på hur rädslan blivit allt vanligare runt omkring henne med åren, hur människa på människa verkar ha förstått att tystnaden alltid är det säkraste, att varje ord som yttras är en potentiell fara och kanske har de rätt?

»Kommer ni nu. Vad lång tid det tog.»

»Bengt», säger Fredrik Unning.

»Vem? Det är okej», säger Malin. »Var modig nu.»

Och ordet mod får Fredrik Unning att slappna av.

»Jocke och Jimmy. De jävlades alltid med honom, med Bollbengan.»

»Jocke och Jimmy?»

»Ja.»

»Vad heter de på riktigt? Jocke och Jimmy?»

Ny tvekan. Ny rädsla.

»Vi måste få veta.»

»Joakim Svensson och Jimmy Kalmvik.»

Fredrik Unning säger deras namn med bestämd röst.

»Och vilka är de?»

»De går i nian på skolan, riktiga jävla svin. Stora och taskiga.»

Borde inte du vara i skolan? tänker Malin, men hon frågar inte.

»Vad gjorde de med Bollbengan?»

»Förföljde honom, retade honom, skrek saker. Och så tror jag de sabbade hans cykel och kastade fyllda fryspåsar på honom, stenar och sådant. Jag tror till och med att de hällde in någon sörjblandning i brevlådan hos honom.»

»Sörjblandning?»

Zeke frågande.

»Mjöl, smuts, vatten, ketchup, vad som helst, i en enda röra.»

»Och hur vet du det här?»

»De tvingade mig att vara med ibland. Annars skulle jag få stryk.»

»Fick du stryk?»

Skam i Fredrik Unnings ögon, rädsla:

»De behöver väl aldrig få veta att jag sagt det här? De plågar ju för fan katter också.»

»Katter. Hur då?»

»Fångar dem och har senap i röven på dem.»

Modiga killar, tänker Malin.

»Har du själv sett det?»

»Nej, men hört om det. Från andra.»

Zeke bortifrån fönstret, rösten som en släpande pisksnärt.

»Kan de ha skjutit genom hans fönster med gevär? Har du varit med och gjort det också?»

Fredrik Unning skakar på huvudet:

»Något sådant har jag aldrig gjort. Och var skulle de få gevär ifrån?»

Ute har molntäcket spruckit upp en aning och genom några få glipor sprider sig tveksamma ljusstrålar ner mot den gråvita marken, gör den klar och vibrerande, och inom sig kan Malin se hur Roxen måste se ut om sommaren här uppifrån, i varmt ljus, när strålarna får fritt spelrum över en alldeles blank yta. Men tyvärr, en vinter som denna förslår inte tankar på värme särskilt mycket.

»Fy fan», säger Zeke. »Vilka killar de verkar vara de där Jocke och Jimmy. Bästa sort.»

»Jag tycker synd om Fredrik Unning», säger Malin.

»Synd om?»

»Du måste väl ändå sett hur ensam han är? Han måste gjort vad som helst för att få vara med de tuffa grabbarna.»

»Så de tvingade honom inte?»

»Det gjorde de säkert. Men det är inte så enkelt.»

»De verkar ändå ha det hyfsat ordnat hemma.»

Fredrik Unnings ord nyss: »Jimmys pappa jobbar på oljeplattformar och hans morsa är hemmafru, Jockes farsa är död och hans morsa tror jag jobbar som sekreterare.»

Malins telefon ringer.

Sven Sjömans nummer på displayen.

»Malin här.»

Hon berättar kort om besöket hos Murvalls, och om vad som framkommit hos Fredrik Unning.

»Vi tänkte försöka förhöra Jimmy Kalmvik och Joakim Svensson nu direkt.»

»Vi behöver samla ihop oss», säger Sven. »De kan få vänta en timme eller två.»

»Men ...»

»Möte med spaningsgruppen om trettio minuter, Malin.»

Barnen trotsar kylan.

Lekparken utanför mötesrumsfönstret är full av de trögrörliga små månfigurerna som stapplar omkring i sina vadderade vinteroveraller. Blåa barn, röda, och så ett orange varningsbarn; var försiktig med mig, jag är liten, jag kan gå sönder. Fröknarna huttrar i gråblåa fleecebyxor, tät rök ur deras munnar. De hoppar på stället när de inte hjälper någon liten som ramlat, de slår sig om sina kroppar med armarna.

Om inte kylan ger med sig, så får man lära sig leva med den. Som en bruten rygg.

Börje Svärds återgivanden, förgreningarna från Rickard Skoglöf. Förhör med ungdomar som verkar leva sina liv framför datorn eller som medverkande i rollspel. »Vad som helst men inte det egna livet.»

Tvekan i Börjes kropp. Malin kan se den, lukta den. Som om hela livet givit honom en enda läxa: Ta aldrig något för givet.

Eftersökningarnas svar.

Rickard Skoglöf verkade ha haft en normal uppväxt i ett vanligt arbetarhem i Åtvidaberg, hans pappa hade arbetat på Facit tills de lade ner, sedan på Adelsnäs fruktodlingar där även sonen arbetat på sommarloven när han gick på högstadiet. Tvåårigt gymnasium. Sedan helt tomt. Valkyria Karlsson var uppvuxen på en bondgård i Dalsland. Hade tagit 120 poäng i antropologi i Lund efter gymnasiet i Dals Ed.

Karim Akbar. Tvekande likaså, men ändå: »Asaspåret. Fortsätt där, det finns något.»

Rösten lite för övertygad, som om han tar på sig den övertygades, pådrivandes roll.

Johan Jakobsson hålögd. Vinterkräksjuka, vaknätter, lakansbyten. Nya rynkor i pannan varje morgon, allt djupare. *Pappa, var är du? Vill inte, vill inte.*

Malin sluter ögonen.

Orkar inte med mötet. Vill ut och jobba. Förhöra Ljungsbros egna »teenage bullies», se vad de vet. Kanske kan de leda dem vidare, kanske har de fått tag på vapen och ligger bakom skjutningen i Bollbengans lägenhet, kanske har något av deras jävelskap gått överstyr, vem vet vad två företagsamma femtonåringar är kapabla till?

Tove och Markus i hennes föräldrars lägenhet.

På sängen.

Malin ser dem framför sig.

»Och så har vi de här tonåringarna som ska ha jävlats med Bengt Andersson», säger Sven Sjöman. »Du och Zeke får förhöra dem. Åk till deras skola efter mötet. De är väl där så här dags.»

Säkert, Sven, säkert, tänker Malin, säger:

»Är de inte på skolan så får vi ta reda på var de bor, och vi har deras mobilnummer.»

Efter grabbarna vill hon kalla bröderna Murvall till förhör, dra in gumman, pressa henne. Lyssna på fruarna.

Bröderna.

Kvinnornas blickar.

Ingen vänlighet, bara misstänksamhet mot *främlingen*. Ensamma trots att de håller ihop.

Vad är sådan ensamhet. Varifrån kommer den? Från omvärldens upprepade elakheter? Från att hela tiden ha mötts av ett nej? Av alla. Eller är den ensamheten oss given? Finns den i oss alla och om den får tillfälle att gro växer den sig oss övermäktig?

Insikten om ensamheten. Rädslan.

När såg jag första gången den ensamheten, den avogheten i Toves blick? När såg jag i hennes blick för första gången något annat än ren snällhet, glädje?

Hon var kanske två och ett halvt. Plötsligt fanns där bland det oskyldiga och charmiga ett beräknande men också ängsligt drag. Barnet hade för alltid blivit en människa.

Ensamheten. Rädslan. De flesta lyckas ändå behålla något av barnets glädje, den oberäknande, i mötet med en annan människa, i tillhörigheten. Övervinna den kanske givna ensamheten. Som Fredrik Unning ändå försökte göra idag. Sträcka ut en hand, som om han insett att han var värd mer än att lämnas vind för våg av sina föräldrar och tvingas vara hantlangare åt grabbar som egentligen inte vill veta av honom.

Glädjen är möjlig.

Som hos Tove. Som hos Janne, trots allt. Som hos mig själv.

Men kvinnorna vid familjen Murvalls bord? Vart tog deras rena glädje vägen? Vart försvann den? Är den förbrukad för alltid? Kan det vara så, tänker Malin samtidigt som Sven summerar läget i utredningen, att det bara finns så mycket glädje fri från bakslughet att varje gång den sortens glädje går förlorad, så är den förlorad för gott, och ersätts istället med stumhet och hårdhet.

Och vad händer om man tvingas ge vika för ensamheten?

Vilket våld föds då? I den brytpunkten? I det slutgiltiga utanförskapet?

Barnet som sträcker sina armar mot mamma, mot en dagisfröken:

Ta hand om mig, bär mig.
Det är klart att jag ska bära dig.
Jag lämnar dig inte vind för våg.

»Mamma, jag tänkte bo hos pappa i natt, är det okej?»

Toves meddelande på telesvar. Malin lyssnar av meddelandet när hon går genom det öppna kontorslandskapet.

Malin ringer upp.

»Mamma här.»

»Mamma, du fick mitt meddelande.»

»Jag fick det. Det är okej. Hur tar du dig ut?»

»Jag går ner till stationen. Han slutar sitt skift vid sex, så åker vi ut då.»

»Okej, jag kommer nog jobba sent ändå.»

Sjömans ord på mötet. »Jag har redan kallat dem till förhör. Kommer inte hela familjen Murvall in frivilligt i morgon, så kan vi hämta dem. Men vi har inte nog för husrannsakan angående deras vapen.»

När hon avslutat samtalet med Tove ringer Malin till Janne. Svararen går igång.

»Stämmer det att Tove ska sova hos dig i natt? Vill dubbelkolla.»

Sedan sätter hon sig bakom skrivbordet. Väntar. Ser hur Börje Svärd tvekande tvinnar sina mustascher på andra sidan rummet.

32.

Ljungsbroskolans huvudbyggnads fasad är matt grå, det rödbrända tegeltaket, lagt på alla byggnaderna, är täckt av ett tunt lager snö; små virvlar av frusna stunder, stelnade cirkelrörelser på flera större ytor.

De parkerar vid slöjdsalarna; hantverkarakvarier på rad i låga enplanshus längs den väg som leder in i samhället.

Malin ser in i salarna, tomma, med vilande sågar, svarvar och utrustning för att bränna och löda. De går förbi vad som måste vara en tekniksal; traverser och kedjor hänger från taket, ensamma, liksom redo att tas i bruk. När hon ser åt andra hållet kan hon ana Vretalidens sjukhem, och för sitt inre ser hon Gottfrid Karlsson sitta i sin säng, under en orange sjukhusfilt och stilla mana på henne: »Vad hände med Bengt Andersson? Vem mördade honom?»

Malin och Zeke promenerar till huvudbyggnaden, förbi det som måste vara skolans matsal. Innanför de frostiga fönstren skrubbar personalen värmebaden och diskarna. Zeke sliter upp dörren till entrén, angelägen om att komma undan kylan, och i det luftiga, sal-liknande rummet tjattrar femtiotalet elever i munnen på varandra, och imman ligger tät på rutorna ut mot skolgården.

Ingen tar någon notis om Malin och Zeke utan alla är fullt upptagna med konversationer om det som hör tonåren till.

Toves värld.

Så här ser den ut.

Malin lägger märke till en mager kille med svart långt hår och orolig blick som pratar med en söt, blond tjej.

På andra sidan rummet förkunnar en skylt ovanför en glasdörr: Rektorsexpedition.

»Vamos», säger Zeke när han får syn på skylten.

Britta Svedlund, rektor på Ljungsbroskolan, lät dem komma in direkt, kanske första gången polisen hade ärende till skolan under hennes tid.

Men troligen inte.

Skolan är känd som problemskola och varje år är det några elever som förpassas till ungdomsvårdskola, någonstans långt ute på landet, för vidare utbildning i småskalig brottslighet.

Och nu lägger Britta Svedlund det ena benet över det andra, kjolen åker upp en bit på låret, blottar mer än brukligt av ett par svarta nylonstrumpor och Malin märker hur Zeke har svårt att hålla blicken i styr. Han kan inte tycka att kvinnan framför dem är vacker, rökrynkig, sliten och gråhårig som hon är.

Manlig förbannelse, tänker Malin och sätter sig till rätta på den obekväma besöksstolen.

Kontorets väggar är täckta av bokhyllor och reproduktioner av Bruno Liljefors-målningar. Skrivbordet domineras av en ålderstigen dator och efter att ha lyssnat på Malins och Zekes förklaring till varför de är där, säger Britta Svedlund:

»De slutar i vår, Jimmy Kalmvik och Joakim Svensson, Jimmy och Jocke, det är bara ett par månader kvar och det ska bli skönt att bli av med dem. Varje år har vi några rötägg, vissa kan vi skicka iväg. Joakim och Jimmy är mer förslagna än så. Men vi gör vad vi kan för att det ska bli folk av dem.»

Malin och Zeke måste lyckas se frågande ut, för Britta Svedlund fortsätter:

»De gör aldrig något olagligt, och har de gjort det har de aldrig åkt fast. De kommer från ordnade förhållanden, vilket är mer än vad man kan säga om alla på den här skolan. Nej, det de gör är att mobba andra, elever och lärare. Och så håller de på med kampsport och jag lovar att varenda lampa som har förstörts i den här skolan har de sparkat sönder.»

»Vi behöver numret till deras föräldrar», säger Zeke. »Hemadresserna.»

Britta Svedlund knappar på tangentbordet, sedan skriver hon ner namn, adresser och nummer på en lapp.

»Här», säger hon och sträcker lappen mot Malin.

»Tack.»

»Och Bengt Andersson?» frågar Zeke sedan. »Vet du något om vad de kan ha gjort honom?»

Britta Svedlund blir plötsligt avvaktande.

»Hur fick ni fatt i den här informationen egentligen? Jag betvivlar inte att det stämmer. Men hur fick ni veta?»

»Det är vi förhindrade att säga», svarar Malin.

»Vad de gör utanför skolans väggar efter skoltid bryr jag mig ärligt talat inte om. Om jag brydde mig om vad eleverna gör på sin fritid skulle jag bli tokig.»

»Så du vet inte», säger Zeke.

»Just det. Det jag vet är att de i varje fall inte skolkar mer än exakt vad som är tillåtet för att de ska få sina betyg, som faktiskt är förvånansvärt goda.»

»Är de på skolan nu?»

Britta Svedlund knappar på datorns tangentbord.

»Ni har tur. De börjar just sin slöjdlektion. Den missar de nog ogärna.»

Inne i slöjdsalen luktar det av nyhyvlat och bränt trä, men i kärnan av salens dofter finns också en antydan till färg och lösningsmedel.

När de kommer in i salen lämnar läraren, en man i sextioårsåldern klädd i grå kofta och med ansiktet täckt av ett lika grått skägg, en elev vid en svarv och kommer dem till mötes.

Han sträcker fram en hand täckt av spån och damm, drar tillbaka den, och han ler och Malin lägger märke till hans varma blåa ögon, som uppenbarligen inte mist sin lyster med stigande ålder. Istället håller han upp handen till hälsning.

»Ugh», säger han och Malin känner att hans andedräkt doftar starkt av koffein och tobak, en riktigt klassisk lärarandedräkt. »Vi får hälsa som indianer. Mats Bergman, slöjdlärare. Bakom mig har ni klass 9b. Ni är från polisen antar jag? Britta ringde ner och sa att ni var i antågande.»

»Stämmer», säger Malin.

»Då vet du vilka vi söker. Är de här?» frågar Zeke.

Mats Bergman nickar.

»Längst in i salen. I målarrummet, de har motivlackat en bensintank till en moped.»

Bakom läraren ser Malin målarrummet. Inklämt i ett hörn med grågröna färgburkar på hyllor bakom repiga glasväggar, två killar där inne, sittandes så Malin bara kan skönja deras blonda kalufser.

»Kan det bli problem?» undrar hon.

»Inte här», säger Mats Bergman och ler igen. »Jag vet att de kan vara stökiga annars. Men här sköter de sig.»

Malin rycker upp dörren till målarrummets glasbur. Killarna sittandes på var sin pall tittar upp, ger henne blickar som först är slöa men som sedan blir vaksamma, spända och oroliga och hon blickar ner på dem med all den auktoritet hon kan uppbåda. En röd dödskalle målad på en svart bensintank.

Mobbare?

Ja.

Skyttar?

Kanske.

Mördare?

Vem vet? Den frågan måste hon hålla öppen.

Så reser sig pojkarna upp, de är båda muskulösa och huvudet längre än hon själv, båda klädda i rymliga jeans av hiphop-modell och munkjackor med WE:s logotyp.

Finniga tonårsansikten, de är märkligt lika i sin valpighet, knotiga kinder, för stora näsor, ångande begynnande lust och ett överflöd av testosteron.

»Och vilka är ni?» frågar en av dem samtidigt som han reser sig.

»Sätt dig ner», väser Zeke bakom henne. »NU.»

Och som om han träffats av ett nedfallande tak trycks han ner på den målarfläckiga pallen där han nyss satt. Zeke stänger dörren till rummet, och de gör en medveten paus innan Malin säger:

»Jag är Malin Fors från polisen och det här är min kollega Zacharias.»

Malin tar fram sin legitimation ur jeansens bakficka.

Håller den mot pojkarna som ser än mer oroliga ut, som om de är rädda för att ett hav av oförrätter nu har jagat ikapp dem.

»Bengt Andersson, vi vet att ni plågat honom, retat och stått i. Nu vill vi veta allt om det och vad ni gjorde natten mellan onsdag och torsdag.»

Skräck i pojkarnas ögon.

»Vem är vem av er. Jimmy?»

Den av de två som är klädd i blå munkjacka nickar.

»Då så», säger Malin. »Berätta.»

Den av pojkarna som är Joakim Svensson börjar urskulda sig.

»Va fan, vi laja ju bara med honom lite. Reta honom för att han var så tjock. Inget konstigt alls.»

Jimmy Kalmvik fortsätter:

»Han var ju helt jävla knäpp med sina bollar på matcherna. Och han luktade också. Piss.»

»Och det gjorde att ni kunde jävlas med honom?»

Malin kan inte dölja ilskan i rösten.

»Precis», flinar Jimmy Kalmvik.

»Vi har vittnen som säger att ni vandaliserat Bengt Anderssons hem, och att ni misshandlat honom med stenar och vattenbomber. Och nu har han hittats mördad. Jag kan plocka in er till stationen här och nu om ni inte snackar», säger Malin. Hon tystnar och låter Zeke fortsätta. »Det här handlar om mord. Kan ni få in det i era tröga jävla skallar?»

»Okej, okej.»

Jimmy Kalmvik slår ut med armarna och tittar mot Joakim Svensson som nickar:

»Misshandlade? Vi kastade sten efter honom, och bröt strömmen till hans lägenhet, och vi hällde skit i hans brevlåda, visst, men nu är han ju död så vad spelar det för roll.»

»Det kan spela all roll i världen», säger Zeke med lugn röst. »Vad är det som säger att ni inte gick för långt en dag? Att ni på något sätt kom för nära. Att det blev bråk. Och ni råkade mörda honom? Försök se vår sida av saken, grabbar. Så vad gjorde ni i onsdags kväll och natt?»

»Hur skulle vi kunnat få ut honom dit ut?» säger Joakim Svensson, sedan fortsätter han: »Vi var hemma hos Jimmy och kollade på dvd.»

»Ja, min morsa var hos sin snubbe. Farsan är död så hon har en ny. Rätt vettig typ.»

»Kan någon bekräfta detta?» frågar Malin.

»Ja, vi», säger Joakim Svensson.

»Ingen annan?»

»Behövs det?»

Tonårspojkar, tänker Malin. De glider mellan övermod och rädsla på sekunder. En farlig blandning av grandios självbild och tvivel. Men ändå: Toves Markus verkade helt annorlunda. Vad skulle Tove tycka om de här två? De är inga Jane Austenska gentlemän precis.

»Din malliga lilla typ», säger Malin. »Mord. Hörde du det? Inget jävla kattplågeri. Det kommer att behövas bekräftelse, det kan du ge dig fan på. Vad såg ni?»

»*Lords of Dogtown*», svarar de båda killarna i mun på varandra. »Jävligt bra film», fortsätter Jimmy Kalmvik. »Den handlar om snubbar som är lika bäst som vi.»

Joakim Svensson flinar.

»Vi har aldrig plågat någon katt, om du trodde det.»

Malin ser sig över axeln.

Där ute brukas svarvarna och sliparna och sågarna precis som om ingenting har hänt. Någon hamrar febrilt ner en spik i en lådliknande form och hon vänder sig på nytt mot pojkarna:

»Har ni någon gång skjutit mot Bengt Anderssons lägenhet?»

»Vi? Skjutit? Var skulle vi fått vapen ifrån?»

Oskyldiga som små lamm.

»Är ni intresserade av asatro?» frågar Zeke.

Och båda ser frågande ut. Dumma, eller skyldiga, omöjligt att avgöra vilket.

»Intresserade av vad?»

»Asatro.»

»Vad fan är det?» säger Jimmy Kalmvik. »Något med att man tror på *asses*. Visst, det gör jag.»

Fullblodssvin innan de knappt hunnit bli byxmyndiga. Störiga, bullriga. Men farliga?

»Kattplågare? Så han tjallade, Unning», säger Jimmy Kalmvik sedan. »Den lille skiten. Han pallar ingenting.»

Zeke sträcker sig fram mot honom, låter sina ögon bli till en orms, Malin vet hur de ser ut då. Hon hör hans röst, hesheten lika iskall som kvällen och natten som nalkas utanför slöjdsalens fönster.

»Om ni rör Fredrik Unning ska jag personligen se till att ni får äta era egna stuvade tarmar. Med avföring och allt. Bara så ni vet.»

33.

»Ja, hon kan sova här.»

Jannes sms kommer 20.15. Malin är trött, på väg hem i bilen från gymmet på jobbet, var tvungen att rensa skallen efter en dag av alltför mycket mänsklig skit.

De åkte tillbaka till stationen efter att ha pratat med Ljungsbros bullies, och i passagerarsätet bredvid Zeke sammanfattade hon läget för sig själv i all hast:

Bengt Andersson retad och trakasserad och kanske mer än så av testosteronstinna elakingar. Vi får höra deras föräldrar imorgon. Se vad som kommer fram. Inget egentligt att hålla dem på nu. Oförrätterna mot Bengt Andersson, de erkända, preskriberades i och med hans död, och var kanske mer pojkstreck än något annat.

Skotten genom vardagsrumsrutan.

Asadårar ute på slätten. Mordet bevisligen utfört som en hednisk ritual.

Och så familjen Murvall som en stor skugga över hela utredningen.

Vapen i vapenskåp.

Maria Murvall stum och tyst, våldtagen. Av vem? Bengt?

Malin ville svara nej på den frågan. Men visste att hon ännu inte fick stänga någon dörr åt något håll, till något rum. Istället fick hon försöka överblicka det oöverblickbara. Lyssna på utredningens röster.

Vad mer kan stiga ur slättens och skogarnas mörker?

»Ja ...»

Hon ser på första ordet i meddelandet.

Tar koncentrationen från vägen några ögonblick.

Ja.

Så lovade vi varandra en gång, Janne, men vi redde inte ut det som låg framför oss. Hur övermodig kan man bli?

Malin parkerar, skyndar sig upp i lägenheten. Steker sig ett par ägg, sjunker ner i soffan och slår på teven. Hon fastnar framför ett program om några labila amerikaner som tävlar om vem som kan bygga den snyggaste och mest perfekta motorcykeln.

Programmet gör henne glad på ett okomplicerat vis och efter ett par reklamavbrott förstår hon varför.

Janne skulle kunna vara en av de där amerikanerna, glad bortom bristningsgränsen när han äntligen fått släppa all vardag, alla minnen, och bara ägna sig åt det som är hans verkliga passion.

Hon ser tequilaflaskan på bordet.

Hur hamnade den där?

Du ställde den där Malin, samtidigt som du nyss dukade bort tallriken med resterna av äggen.

Bärnstensvätska.

Ska jag ta lite?

Nej.

Motorcykelprogrammet är slut.

Så ringer det på dörren och Malin tänker att det är Daniel Högfeldt som går över sin sista gräns och nu ringer på oanmäld precis som om de har ett officiellt förhållande.

Knappast, Daniel. Men kanske.

Malin kliver ut i hallen, sliter upp dörren utan att först se i nyckelhålet. »Daniel din jävla ...»

Inte.

Daniel.

Istället en man med blåsvarta ögon, en lukt av motorolja, fett och svett och rakvatten. Brinnande ögon. De skriker, nästan i raseri, mot henne.

Han står kvar utanför dörren, Malin ser in i honom, ilska, förtvivlan, våld? Han är otroligt mycket större än i köket. Vad i helvete gör han här. Zeke, du borde vara här nu, vill han komma in?

Magen drar ihop sig, hon blir rädd, på bråkdelen av en sekund börjar hon rista, omärkligt. Hans ögon. Dörren, måste dra igen dörren, ingen valpighet i den här mannens beslutsamhet.

Hon slår igen dörren, men nej, en grov svart stövel i dörrspringan, en jävla stövel. Slå på den, sparka, stampa, men stålhättan gör hennes strumpklädda fötter verkningslösa, smärtan, naken, blir hennes egen istället.

Han är stark. Sätter händerna i springan och vrider upp.

Ingen idé att hålla emot.

Maria Murvall. Ska det bli som för dig?

Rädd.

En tanke mer än en känsla nu.

Adam Murvall.

Gjorde du din syster illa? Kommer din blick därifrån? Är det därför du blev så arg idag?

Bara en rädsla. Tvinga bort den.

Och var är jackan med min pistol, men han stirrar bara på mig, ler, flinar, och så stirrar han igen med förvirrad blick och sedan drar han undan foten, tvingar sig inte in, drar undan händerna, vänder sig om och går lika hastigt som han måste kommit.

Helvete.

Händerna darrar, kroppen sprutar av adrenalin, hjärtat skenar.

Malin ser ut i trapphuset. Det ligger en lapp på trappans sten, skakig handstil:

Låt Murvall vila. Hon ska ge fan i oss.

Som om allt det här var en stek, en deg, en trött gammal man. Sedan ett vagt hot. Ge fan ...

Nu känner Malin den igen, rädslan, den kokar samtidigt som adrenalinet rinner ur kroppen och rädslan blir till skräck och den häftiga, snabba andningen tar över. *Om Tove varit hemma.* Sedan skräckens ilska:

Hur i hela helvete kunde han vara så dum?

Mannen utanför dörren.

Han kunde tagit mig, bara så där. Brutit mig.

Jag var ensam.

Hon rör sig tillbaka mot soffan. Sjunker ner. Motstår frestelsen att ta en tequila. Det går fem minuter, tio, kanske en halvtimme innan hon samlat ihop sig nog för att ringa Zeke.

»Han var här nyss.»

»Vem?»

Plötsligt kan Malin inte komma på hans namn.

»Den med de svartblåa ögonen.»

»Adam Murvall? Ska vi skicka någon?»

»Nej, för helvete. Han har dragit.»

»Satan Malin. Satan. Vad gjorde han.»

»Jag tror man kan säga att han hotade mig. »

»Vi plockar in honom nu med en gång. Kom in själv så fort du känner dig redo. Eller ska jag plocka upp dig?»

»Jag klarar mig själv, tack.»

Tre bilar med blåljus, två fler än för några timmar sedan. Adam Murvall ser dem genom fönstret, de stannar utanför hans hus, han gör sig redo, vet varför de kommit, varför han gjorde som han gjorde.

»Man måste säga ifrån.»

Och så tusen saker mer. Lillasyster, storebror, händelser i skogen, om man intalar sig en sak, finns kanske inte en annan?

»Åk till den där grisjäntan Adam. Ge henne lappen och gå sedan.»

»Mor, jag …»

»Åk.»

Det ringer på dörren. Uppe sover Anna och barnen, bröderna sover i sina hus. Fyra uniformerade polismän på farstubron.

»Får jag ta på mig jackan?»

»Käftar du med oss din jävel?»

Så är poliserna över honom, han kämpar för att få luft på golvet, de trycker ner honom och Anna och barnen står i trappan upp till övervåningen, skriker och ropar, pappa, pappa, pappa.

På gården håller andra poliser hans bröder borta när de leder honom som en snarad vildhund till den väntande piketen.

Längre bort, i det ljusa fönstret, står mor. Han ser henne, trots sin krökta, raka rygg.

34.

Kylan förtar det sista av oron och rädslan, och effekten av adrenalinet har klingat ut. För varje steg närmare polishuset Malin kommer desto mer redo känner hon sig att möta Adam Murvall nu, de andra bröderna imorgon. För hur mycket utanför samhället de än vill leva, så har de klivit in i det nu, och efter det klivet finns det ingen återvändo, om det nu någonsin funnits någon sådan.

När Malin går förbi den gamla brandstationen kommer hon, utan att veta varför, att tänka på mamma och pappa. På mexitegelvillan i Sturefors där hon växte upp. Hur hon i efterhand förstått hur hennes mamma hela tiden försökte få deras hem att verka finare än det var, men att de få tränade ögon som kom över deras tröskel måste sett att de äkta mattorna var av låg kvalitet, att litografierna på väggarna hade höga upplagor; att hela hemmet var ett försök till märkvärdighet. Eller var det kanske något annat?

Kanske ska jag fråga dig nästa gång vi ses, mamma? Men du skulle nog bara skjuta bort min fråga, även om du säkert skulle förstå vad jag menade.

»Vilken dåre», säger Zeke.

Malin hänger av sig jackan på stolen vid sitt skrivbord och hela stationen andas förväntan och doften av nybryggt kaffe är påtaglig på ett vis den annars bara är om morgnarna.

»Inte så smart, eller hur?»

»Jag vet inte det, jag», säger Malin.

»Hur menar du?»

»De är de som styr utvecklingen. Har du inte tänkt på det?»

Zeke skakar på huvudet.

»Gör nu inte saker mer komplicerade än de är. Är du okej?»

»Ja, jag reder mig.»

Två uniformerade manliga poliser kommer in från fikarummet, deras kinder röda av varmt kaffe.

»Martinsson», ropar den ena av dem. »Gör grabben din några mål mot Modo?»

»Han var jävligt bra mot Färjestad», ropar den andra.

Zeke ignorerar de båda uniformsklädda kollegorna, låtsas som han inte hör, försöker se upptagen ut.

Karim Akbar kommer till Zekes räddning. Ställer sig bredvid Malin och honom.

»Vi tar in honom», säger Karim. »Sjöman har sett till att piketen hämtar honom just nu. Borde vara här vilken minut som helst.»

»Vad kan vi hålla honom på?» undrar Malin.

»Han ofredade en polis i dennas hem.»

»Han ringde på min dörr, lämnade en lapp.»

»Har du lappen?»

»Visst.»

Malin gräver i jackfickan, tar fram det hopvikta papperet, sträcker det mot Karim som försiktigt vecklar ut det och läser.

»Solklart», säger han. »Ett solklart fall av obstruktion av brottsutredningen, det gränsar till hot, och till ofredande.»

»Det gör det», säger Zeke.

»Det är riktat mot dig personligen Malin, varför tror du?»

Malin suckar.

»För att jag är kvinna. Jag tror det är så enkelt. Ge er på det lättskrämda fruntimret. Tröttsamt.»

»Fördomar är alltid tröttsamma», svarar Karim. »Det kan inte vara något annat?»

»Inte som jag kan tänka på.»

»Var är Sjöman?» frågar Zeke.

»På väg in.»

Tumult borta i receptionen.

Kommer de nu? Nej, inga blåljus på planen.

Så ser hon honom:

Daniel Högfeldt som gestikulerar, pratar upprört, men genom den skottsäkra, ljudisolerade rutan mellan kontorslandskapet och entrén hörs ingenting, bara ett välbekant ansikte, en skinnjacksklädd kropp som vill något, vet något, som verkar allvarlig men som ändå på något vis ägnar sig åt en lek.

Bredvid Daniel står den unga fotografen. Hon plåtar frenetiskt receptionisten Ebba och Malin undrar om näsringen kan fastna i kameran, om rastaflätorna kan slingra sig om objektivet. Börje Svärd försöker lugna Daniel, men sedan skakar han bara uppgivet på huvudet och går därifrån.

Daniel kastar en blick mot Malins håll. Självgodheten sköljer över hans ansikte. Men kanske också längtan? Lekfullhet? Svårtydd som få.

Fixera blicken, tänker Malin.

»Meet the press», säger Karim och ler mot henne samtidigt som huden i hans ansikte verkar bytas ut och bli en annan. Sedan tillägger han: »Förresten Malin. Du ser tagen ut. Är allt okej?»

»Tagen ut? Så där skulle du aldrig säga till en manlig kollega», säger Malin och vänder sig mot sin dator, försöker se upptagen ut.

Karim ler igen.

»Men Fors, det var en undran, i all välmening.»

Börje kommer fram till dem. Lätt road blick, som den som har något någon annan vill ha, men som den andra inte kommer att få.

»Presskårens stolthet. Han ville veta om Adam Murvall är misstänkt för mordet, eller om vi tar in honom för något annat. Blev arg när jag sa 'inga kommentarer'.»

»Reta inte upp pressen i onödan», säger Karim. »De är jävliga nog som det är.» Sedan: »Hur vet han att vi har något på gång just nu?»

»Åtta poliser, åtta mobiltelefoner», säger Zeke.

»Plus tio andra», säger Malin.

»Plus löjligt låga löner», lägger Karim till innan han lämnar dem med riktning mot Daniel.

»Vad var det där?» säger Börje. »Ett försök till inställsamhet för fotfolket?»

»Vem vet», säger Zeke. »Han kanske har haft en uppenbarelse som sträcker sig bortom exponeringen av det egna ansiktet.»

»Han är okej», säger Malin. »Sluta fåna er.»

Så börjar blåljus frenetiskt blinka utanför entrén och snart drar gympumpade kollegor upp dörrarna till den vitmålade piketen.

Muskler.

Järnhårda nävar på Adam Murvalls överarmar, böjda bakåt och uppåt och handklovarnas metall som skär in i handlederna, så rycket, och kroppen åker instinktivt framåt för att skydda sig själv. Huvudet böjs neråt, och de sliter honom framåt, deras blåklädda ben, svarta kängor och magnetiskt blått ljus får den snötäckta asfalten att likna en stjärnhimmel. Fotoblixtar. Automatiska dörrar som åker upp. En kyla byts mot en annan kyla.

En gäll röst, en kvinna eller man?

»Adam Murvall, vet du varför du gripits?»

Tror du jag är dum?

Sedan ännu en dörr, ett blått och beigt mönster under fötterna, röster, ansikten, den unga tjejen, ett par mustascher.

»Ta in honom i förhörsrummet direkt.»

»Vilket?»

»Ettan.»

»Vem?»

»Vi väntar på Sjöman.»

En bestämd mansröst. Han tror nog brytningen inte hörs. Men han är bara en jävla svartskalle.

Genom rutan in till förhörsrummet ser Malin Sven Sjöman sätta på bandspelaren, hon hör honom läsa datum och tid och sitt eget namn och namnet på den som ska förhöras och ärendenumret.

Hon ser Sjöman sätta sig tillrätta på den svartlackerade metallstolen.

Rummet.

Fyra gånger fyra meter.

Grå väggar täckta med perforerade akustikplattor. En stor spegel som inte lurar någon; bakom den där rutan är jag betraktad. Taket målat svart med infälld halogenbelysning, förtroenden ska skapas, brytas, skuld ska beläggas, erkännas. Sanningen ska fram och sanningen behöver tystnad och lugn.

Ingen är lugnare än Sven.

Han har gåvan.

Förmågan att få främlingar att känna tillit, att göra vän av den som är fiende. Briefad: »Hur ser det ut där de bor? I deras hem? Detaljer, ge mig detaljer.»

På andra sidan bordet Adam Murvall.

Lugn.

Händerna i handklovar framför sig på bordets blanklackerade silveryta, begynnande blåmärken strax ovan metallringarna. I det relativa dunklet planar färgen i hans ögon ut och för första gången lägger Malin märke till hans näsa, hur den tveksamt letar sig ut från roten och slutar i en skarp tipp som glider ut över två välsvarvade näsborrar.

Ingen riktig bonnäsa.

Ingen kran, som de säger på slätten.

»Så Adam», säger Sven. »Du kunde inte hålla dig?»

Adam Murvall rör inte en min, skruvar bara på sina händer och åstadkommer ett skevande ljud när metall skaver mot metall.

»Vi behöver inte prata om det nu. Och inte om din syster heller. Vi kan prata om bilar, om du hellre vill det.»

»Vi behöver inte prata alls», säger Adam Murvall.

Sven lutar sig fram över bordet. Med en röst som är själva essensen av vänlighet och förtroende säger han: »Kom igen, berätta lite om alla de där bilarna ni har hemma i era trädgårdar. Antar att ni tjänar bra med pengar på att plocka isär dem?»

35.

Fåfänga, Malin. Hitta en väg in i deras berättelser via fåfängan. Då öppnar de sig, och har de öppnat sig ordnar det mesta sig i regel.
Sven Sjöman.
En mästare i lirkande, på att få människor att berätta.

Adam Murvall tänker att den här polisen har varit med länge, men inte så länge i den här stan, då borde han ha kommit ihåg mig. För han kan ju inte ha glömt mig. De brukar aldrig glömma. Eller låtsas han? Nu står de bakom spegeln, stirrar på mig, stirra ni, vad bryr jag mig om det. Tror ni jag ska snacka, hur kan ni ens tro det. Bry dig inte om bilarna, men visst, om du undrar om bilarna så kan jag ju alltid prata om dem, vad är hemligt med bilarna?
Adam känner motvilligt trotset släppa en aning.

»Du var inte här för tio år sedan», säger Adam Murvall. »Var var du då?»
»Tro mig», svarar Sven. »Min karriär är tråkig. För tio år sedan var jag kriminalinspektör i Karlstad, men så fick frugan jobb här och då var det bara att maka på sig.»
Adam Murvall nickar och Malin kan se att han är nöjd med svaret, varför bryr han sig om det? Om Sjömans CV. Så slår det Malin: om Sjöman var gammal i gården borde han kommit ihåg bröderna.
Fåfängan, Malin, fåfängan.
»Och bilarna då?»
»Det? Det är bara en sak vi håller på med.»
Adam Murvall låter självsäker, hans röst en nysmord motor.

»Vi plockar isär dem och säljer de fina delarna.»

»Är det allt ni lever av?»

»Vi har ju macken också. Den vid vägen ner mot akvedukten, Preem-macken.»

»Och det klarar ni er på?»

»Det verkar inte bättre, eller hur?»

»Kände du Bengt Andersson?»

»Jag visste vem han var. Alla visste det.»

»Hade han något med våldtäkten på er syster att göra, tror du det?»

»Ge fan i det. Prata inte om det.»

»Jag måste fråga, Adam, det vet du.»

»Prata inte om Maria, hennes namn lämpar sig inte för grymtande som ditt.»

Sven sätter sig tillrätta, inget i hans rörelse röjer någon som helst ilska över förolämpningen.

»Har du och din syster bra kontakt? Jag har hört att du är den av er som besöker henne.»

»Prata inte om Maria. Hon ska ha ro.»

»Så det var därför du skrev lappen?»

»Det här är inget för er. Det här löser vi själva.»

»Och vad gjorde du natten mellan onsdag och torsdag?»

»Vi åt middag hos mor. Sedan gick jag hem med min familj.»

»Så det gjorde du? Ni hängde inte Bengt i trädet då? Löste ni det här själva då?»

Adam skakar på huvudet.

»Svin.»

»Vem då? Jag eller Bengt? Och var det du eller någon av dina bröder som sköt genom rutan till hans vardagsrum? Smög ni dit någon kväll precis som ni smög till inspektör Fors ikväll? För att lämna ett meddelande?»

»Jag vet ingenting om några skott genom någon jävla ruta. Nu säger jag inget mer. Du kan hålla på hela natten. Från och med nu är jag tyst.»

»Som din syster?»

»Vad vet ni om min syster.»

»Hennes goda hjärta. Alla pratar om det.»

Musklerna i Adam Murvalls ansikte slappnar av en aning.

»Du vet att du ligger illa till. Eller hur? Hot mot tjänsteman, våldsamt motstånd, övergrepp i rättssak. Med din historia är det allvarliga saker.»

»Jag har inte hotat någon. Jag har överlämnat ett brev.»

»Jag vet hur arg du kan bli Adam. Var du arg på den fete vedervärdige Bengt? Han som våldtog din syster? Han som förstörde hennes goda hjärta. Va? Adam? Hängde du ...»

»Jag borde gjort det.»

»Så du ...»

»Du tror du vet allt.»

»Vad är det jag inte vet?»

»Dra du åt helvete.»

Adam Murvall viskar fram orden, innan han långsamt sätter pekfingret för munnen.

Sven slår av bandspelaren, reser sig. Går ut ur rummet, lämnar Adam Murvall ensam bakom sig. Han sitter overkligt rak i ryggen, som om hans ryggrad bestod av en enda solid balk, gjord av stål, omöjlig att knäcka.

»Vad tror ni?»

Sven Sjöman ser på dem alla.

Karim Akbar avvaktande vid dörren.

»Det är något som inte går ihop», säger Malin. »Något.»

Men hennes hjärna kan inte komma på vad.

»Han nekar inte», säger Johan Jakobsson.

»De är en samling tough guys», säger Zeke. »Neka eller erkänna? Aldrig, vilket som skulle vara en eftergift. Det ligger inte för dem helt enkelt.»

»Sven har beslutat att anhålla honom. Vi sätter honom i den kallaste cellen i natt, så kanske han mjuknar», säger Karim och det blir tyst i gruppen, ingen vet om han skämtar eller menar allvar.

»Jag skämtade», säger han sedan. »Vad tror ni? Att jag ska göra kurdisk fängelsehåla av stationen?»

Karim skrattar. De andra ler.

Klockan på åskådarrummets vägg. De svarta visarna pekar på tjugo över elva.

»Jag tror», säger Malin, »att det kan vara lönt att prata med hela familjen Murvall. Det är vad jag tror. Imorgon.»

»Vi kan hålla honom en vecka. Bröderna och modern är kallade tills imorgon. Vi kan ta in fruarna också», säger Karim.

Bakom den ljudisolerade rutan ser Malin hur två uniformerade poliser, piketbroilers, leder Adam Murvall ut ur förhörsrummet, för vidarebefordran till en cell i häktet.

Himlen är stjärnklar.

Vintergatan ler mot människorna; det långväga ljuset är bistert men samtidigt trösterikt och varmt.

Malin står tillsammans med Zeke på parkeringen, strax bredvid den svarta Mercedes som tillhör Karim Akbar.

Snart midnatt.

Han röker en av sina sällsynta cigaretter. Fingrarna verkar blåna av kylan, men det bekommer honom inte.

»Du borde ta det lugnare, Fors.»

Ljuset från stjärnorna svalnar.

»Ta det lugnt med vad?»

»Med allt.»

»Allt?»

»Bara dra ner några varv, på tempot.»

Malin står stilla, väntar på att värmen i ögonblicket ska komma tillbaka men den dröjer, kommer aldrig att komma.

Zeke fimpar, rotar efter sina bilnycklar.

»Ska du åka med?»

»Nej, jag går», svarar Malin. »Behöver promenera lite.»

Adam Murvall ligger på britsen i häktet, har dragit filten om sin muskulösa kropp, och tänker på orden Svarten alltid brukade yra, om och om igen som ett mantra, när han satt full i rullstolen i köket.

Den dagen du släpper efter är det kört. Kört, fattar du?

Svarten släppte efter. Och han förstod det aldrig själv.

Sedan tänker Adam Murvall på mor, att hon kan lita på honom

som han alltid kunnat lita på henne. Hon har alltid på något vis stått mellan dem och alla jävlar som en mur.

Adam är inte den som snackar, och barnen, de sover säkert nu, även om det måste tagit tid för Anna att få dem till ro.

Adam Murvall ser sjuåriga Annelis tunna bröstkorg resa sig och sjunka ihop, han ser treåriga Tobias vågiga blonda hår mot ett lakan som har mönster av små blåa segelbåtar och han ser åttamånaders-grabben på rygg i spjälsängen. Sedan somnar Adam, drömmer om en hund som står utanför en dörr mitt i vintern. Det är en stjärnklar natt och hunden skäller så högt att dörren rister i de rostiga spikar som håller den samman. Och Adam drömmer om att han själv sitter vid ett dukat bord i köket inne i ett stort vitt hus och hur en hand täckt av de finaste små ådror sliter ett ben från en av de ugnsstekta kyck-lingarna på bordet och hur samma hand slänger benet till hunden ge-nom fönstret.

Han står alltjämt utanför i snön och skäller.

Med benet blir det tyst.

Sedan startar skällandet igen. En röst nu:

Släpp in mig.

Låt mig inte stå här ute.

Jag fryser.

36.

Torsdag den nionde februari

Det är ingen ond dröm.

Det är bara som det är.

Janne går av och an i husets vardagsrum. De unga pojkarna från flyktinglägret i Kigali kom till honom i natt igen, alldeles nyss. De bar sina avhuggna fötter i handflatorna, närmade sig hans säng med dem som blodiga troféer. Det mörkröda blodet droppade på hans lakan, det ångade och luktade färskt av järn.

Han vaknade av att det blev vått i sängen.

Svetten.

Som vanligt.

Det är som om kroppen minns de fuktiga djungelnätterna och anpassar sig efter minnet, snarare än nuet.

Han smyger uppför trappan, gläntar på dörren till Toves rum. Hon sover där, trygg i värmen.

I gästrummet ligger Markus. Okej kille, så vitt Janne kunde bedöma under den korta middagen, innan Tove och Markus försvann in i Toves rum.

Han hade inte sagt något till Malin om att Markus skulle sova över. Hon verkade inget veta och han skulle kunna säga att han trodde hon visste. Hon skulle säkert protestera, men det är okej, tänker Janne, samtidigt som han smyger nerför trappan igen. Bättre att vi har koll på dem än tvärtom, att de slipper smyga i svärfars lägenhet.

Svärfar?

Tänkte jag så?

Jag ringde i alla fall Markus farsa och kollade att arrangemanget var okej.

Han verkade vänlig. Ingen viktigpetter, som de flesta läkartyperna man stöter på uppe på sjukhuset när man kommer med ambulansen.

På morgonen inställde sig familjen Murvall på polishuset.

De anlände i den gröna Range Rovern och en Peugeot minibuss strax efter åtta.

Solen fick de båda bilarnas lack att vibrera och fordonen spydde ut människor, ja närmast så ville Malin beskriva det för sig själv.

Klanen Murvall: män, fruar, barn efter barn belägrade polisstationens foajé.

Rastlöst prat.

Människor i brytpunkten.

I väntan på att inte göra det myndigheterna begärde att de skulle göra: berätta. En medveten blandning av trots och uppgivenhet i varje rörelse, min och blinkning. Sjavigheten i kläderna, jeansen slitna, tröjor och jackor i grälla, otidsenliga färger parade hipp som happ, smutsen, fläckarna, barnens snor som sammanhållande kitt.

»Zigenare», viskade Börje Svärd i Malins öra när de betraktade scenen från kontorslandskapet. »De är som ett gäng zigenare.»

Mitt i gruppen av människor satt modern.

Liksom ensam bland de andra.

»Det är en fin familj du har», säger Sven Sjöman och trummar med fingrarna mot bordet i förhörsrummet.

»Vi håller ihop», konstaterar modern. »Som i gamla tider.»

»Det är ovanligt i dag.»

»Ja, men vi håller ihop.»

»Och fru Murvall har fått många fina barnbarn.»

»Nio allt som allt.»

»Det kunde kanske ha varit fler. Om inte Maria ...»

»Maria? Vad vill han med henne?»

»Vad gjorde du natten mellan onsdag och torsdag förra veckan?»

»Sov. Det är vad en gammal gumma gör om natten.»

»Och dina söner?»

»Pojkarna? Så vitt jag vet sov de också.»

»Var frun bekant med Bengt Andersson?»

»Bengt vem, inspektören? Jag har läst om honom i tidningen om han menar han som de hängde i trädet.»

»De?»

»Ja, jag kunde ju läsa att de troligen varit flera.»

»Som dina söner?»

»Skäms, inspektören. Skäms.»

Malin ser in i Sofia Murvalls ögon. Påsarna under dem hänger långt ner på kinderna men det bruna håret verkar nytvättat och samlar sig till en prydlig svans vid nacken. Mötesrummet får dubblera som förhörsrum.

Jakob, mellanbroderns fru. Fyra barn, sju månader till tio år. Utammad, utvakad, tärd långt in i märgen.

»Fyra barn», säger Malin. »Du kan skatta dig lycklig. Jag fick bara ett.»

»Får jag röka här inne?»

»Nej, tyvärr. Hårda regler på det. Men jag kanske kan göra ett undantag», säger Malin och föser sin tomma kaffekopp över bordet. »Aska i den här.»

Sofia Murvall gräver i fickorna på sin gröna munkjacka, tar upp ett paket Blend Menthol och en reklamtändare från ett åkeri. Hon tänder cigaretten och den söta, mintaktiga röken ger Malin kväljningar, och hon anstränger sig för att le.

»Det måste vara tufft ute på slätten.»

»Det är kanske inte alltid så kul», säger Sofia Murvall. »Men vem har sagt att det ska vara kul?»

»Hur träffades du och Jakob?»

Sofia ser sig över axeln, drar ett bloss på cigaretten.

»Det har du inte med att göra.»

»Är ni lyckliga?»

»Väldigt, väldigt lyckliga.»

»Även efter det som hände Maria?»

»Det gjorde ingen skillnad.»

»Jag har svårt att tro det», säger Malin. »Jakob och hans bröder måste ha blivit otroligt frustrerade.»

»De tog hand om sin syster, om du menar det, och det gör de nu också.»

»Tog de hand om den de trodde gjort det också? När de hängde Bengt Andersson i trädet?»

Det knackar på dörren till rummet.

»Kom in!» ropar Malin och en nybliven polisassistent vid namn Sara tittar in genom en springa i dörren.

»Det är pojke som gråter här ute. De säger att han måste amma. Är det okej?»

Sofia Murvall rör inte en min.

Malin nickar.

Den kvinna som måste vara Adam Murvalls fru bär in en tjock skrikande pojkbebis och lägger honom i famnen på Sofia. Pojken gapar, klättrar mot närmsta bröstvårta, och Sofia Murvall fimpar sin cigarett och munkjackan åker upp, blottar ett bart bröst, en rosa vårta som pojken hugger efter och fångar.

Förstår du din lycka? Känner du den?

Sofia smeker pojken över huvudet.

»Är du hungrig, älskling?» Sedan: »Jakob kan inte ha haft med det att göra. Omöjligt. Han har sovit hemma varenda natt, och på dagarna har han varit i verkstan. Jag ser honom från köksfönstret hela dagarna.»

»Och svärmor. Kommer du överens med henne?»

»Ja», säger Sofia Murvall. »En finare människa finns inte.»

Elias Murvall sluten, hans minnen en musselpärla.

»Jag säger ingenting. Jag slutade prata med polisen för femton år sedan.»

Sven Sjömans röst.

»Så farliga är vi väl inte, särskilt inte för en tuffing som du?»

»Om jag inget säger, hur ska ni då få reda på vad jag gjort, eller inte gjort? Och tror ni jag är så svag att jag ger vika för er?»

»Det är ju just det», säger Sven. »Vi tror inte du är svag. Men om du inget säger, blir det svårt för oss. Vill du att vi ska ha det svårt?»

»Vad tror du?»

»Var det du som sköt genom …?»

Elias Murvalls mun hopsydd med osynlig kirurgtråd, tungan lam, ligger slapp i munnen. Det är tyst så när som på ljudet från ventilationsanläggningen.

Från sin åskådarplats hör inte Malin ljudet, men hon vet att det finns där, ett dovt mekaniskt surr; frisk luft åt människorna.

Jakob Murvall skrattar åt frågan: »Skulle vi ha något med det att göra? Ni är galna, vi är laglydiga nu, har hållit oss lugna länge, inom lagens råmärken, vi är som vilka bilmekar som helst.«

Börje Svärd:

»Okej, vad säger du om ryktena att ni skulle hotat de som lagt bud på hus som varit till salu i Blåsvädret, att ni skulle hotat fastighetsmäklare?«

»Rykten. Det är våra domäner, och om vi lägger högsta budet, får vi köpa, eller hur?«

»Natten mellan onsdag och torsdag? Jag sov i sängen bredvid min fru. Ja, inte sov hela natten, men jag var där i sängen, med min fru.«

»Maria. Du förtjänar inte ens att nämna hennes namn. Hör du det, snutjävel? Bengt Andersson ... Maria ... Bollbengan, det jävla missfostret, hon skulle gett fan i honom ...«

Jakob Murvall reser sig häftigt.

Sedan en manskropp som faller samman, muskler som tappar all sin kraft.

»Hon tog hand om honom. Hon är den mjukaste varmaste människa gud skänkt den här jävla planeten. Hon tog bara hand om honom lite, kan du inte fatta det snutjävel? Hon är sådan. Ingen kan hindra henne. Och om han tackade genom att göra det där i skogen förtjänade han att dö, att få dra sig tillbaka till helvetet.«

»Men ni gjorde det inte?«

»Vad tror du snuten, vad tror du?«

37.

En härs återtåg, tänker Malin.

Klanen Murvall evakuerar polishusets foajé, huttrande i kylan tar de plats i sina fordon.

Elias och Jakob hjälper sin mor upp i framsätet på bussen, men nog skulle gumman klara det själv?

Nyss stod hon i entrén, med en schal runt huvudet, ögonen så vitt uppspärrade att de verkade hota att flyga ut ur sina hålor.

Hon skällde på Karim Akbar.

»Jag ska ha med mig min Adam hem.»

»Förundersökningsledaren ...»

Karim bragd ur fattningen av den gamla människans lika tabube-lagda som plötsliga ilska. Av sin uppfostran till respekt för de äldre.

»Han ska hem. Nu.»

De övriga i familjen som en mur bakom henne, Adams fru främst, med barn runt benen, snörvlande.

»Men ...»

»Då ska jag åtminstone träffa honom.»

»Fru Murvall, er son. Han får inte ta emot besök. Förundersök-ningsledare Sven Sjöman ...»

»Jag ger väl självaste djävulen i förundersökningsledaren. Jag ska träffa pojken. Och hör sedan.»

Så ett leende som snabbt övergår i en grimas, protesens tänder overkligt vita.

Trotset som skådespel, som lek.

»Jag ska se vad jag kan ...»

»Du kan inte göra ett skvatt, kan du?» och så vänder sig Rakel

Murvall om, höjer ena armen i luften och återtåget tar sin början.

Klockan på väggen i entrén visar 14.50.

Mötesrummet. För kallt för att vädra så stanken av mentholcigaretter dröjer sig kvar.

»Lisbeth Murvall ger alibi för sin man Elias», säger Malin.

»De ger alla alibi för varandra», säger Zeke. »På ett eller annat sätt.»

Johan Jakobsson: »Och de verkar inte ha någon annan koppling till Bengt Andersson mer än att han var klient till deras syster och förekom i utredningen om hennes våldtäkt.»

»Vi bör ändå genomföra en husrannsakan ute i Blåsvädret», säger Sven Sjöman. »Jag vill veta vad som finns i de där husen.»

»Har vi nog för det?» Karim Akbar tvekande. »Ett motiv, några indicier. Det är allt vi har.»

»Jag vet vad vi har och inte har. Men det räcker.»

»Vi ska ju bara titta lite», säger Börje Svärd. »Så farligt blir det ju inte. Eller hur?»

Bara upp-och-ner-vända världen, tänker Malin. Annars inte så farligt. Säger: »Ordna husrannsakan.»

»Okej», säger Karim.

»Jag vill höra Joakim Svenssons och Jimmy Kalmviks föräldrar», säger Malin. »Någon måste bekräfta vad de gjorde på onsdagskvällen och kanske kan vi få fram mer om hur de trakasserade Bengt Andersson.»

»Skotten», säger Zeke. »Vi vet fortfarande inte vem det var som sköt.»

»Vi gör så här», säger Sven. »Först husrannsakan. Sedan kan ni snacka med killarnas föräldrar.»

Malin nickar, tänker att de behöver alla krafter ute i Blåsvädret. Vem vet vad de galningarna kan ta sig till.

Sedan hör hon Fredrik Unnings rädda röst: »Det här stannar väl mellan oss ...» och hon tänker att det är hennes förbannade skyldighet att driva den linjen i utredningen så långt hon kan.

»Mot Blåsvädret», säger Johan och reser sig.

»Draggar man i dyn, dyker alltid något upp», säger Börje.

Dyn, du vet en del om den, Börje, eller hur?

Du har varit i dyn, när du legat vaken tillsammans med din fru och hört hur hon haft svårt att andas när hennes förtvinande diafragma knappt orkat bära lungorna.

Du har känt modden täcka dig, slemsugen i dina fingrar om natten, i ett svagt upplyst sovrum, när hon vill att du ska ta hand om henne och ingen av de namnlösa vårdarna.

Ja, du vet en hel del om dyn du Börje, men också att det finns något annat än den.

På ditt vis har du väntat på att bollarna ska flyga över ett stängsel så att du ska få kasta tillbaka dem. Men ingen har någonsin skrattat åt dina rörelser.

Du har aldrig behövt vara riktigt, riktigt hungrig, Börje. Riktigt ensam. Farligt ensam. Så ensam att du hugger en skarpslipad yxa mot din fars huvud.

Jag svävar över slätten, närmar mig Blåsvädret, så här uppifrån är den lilla samlingen hus som små svarta prickar på en oändlig vit duk, trädet där jag hängde en askflaga någon mil åt väster. Jag sjunker, ser bilarna, de frysande poliserna och hur Murvalls har trängt ihop sig i köket i Rakels hus, hör deras förbannelser, illa tyglade ilska, förstår ni inte tryckkokarens principer, den okylda reaktorn som exploderar. Våldet kan bara stängas in så mycket, och nu rör ni er längs den gränsen. Tror ni fyra uniformsklädda poliser utanför deras dörr kan stänga våldet inne?

I verkstaden, den största, det stora vita tegelhuset.

Malin och Zacharias, som han heter, öppnar porten till ett av de innersta rummen. Det är kallt därinne, tio grader bara, men ändå kan ni känna lukten.

Fåfängan har drivit er dit.

Eller nyfikenheten?

Eller kanske botgöringen, Malin?

Ni kommer att undra varför inte Murvalls städat bättre och er undran kommer att så tvivel inom er. Vad är detta? Vilket är djuret som inte böjer sig?

Ni kommer att se kedjorna som hänger från taket, traverserna som hjälper människorna att hissa tyngre saker än de egentligen förmår

mot taket eller skyn.
  Ni kommer se de levrade spåren.
  Känna lukten.
  Och så kommer ni att ana.

»Ser du Zeke.»
  »Jag ser. Och jag känner lukten.»
  Stanken av motorolja som dominerade verkstadens första stora hall är som bortblåst i det inre rummet.
  »Ljus, vi måste ha mera ljus.»
  Nyss gled de gigantiska skjutdörrarna i järn, som skilde rummen åt, villigt och välsmort isär. Tyngden känns inte, tänkte Malin och lade märke till hjulspåren som ledde ända fram till dörren.
  Lätthetens rike; en välsmord skjutdörr.
  Och så det fönsterlösa rummet. Betonggolvet fläckigt, kedjorna som hänger stilla i takbalkarna men ändå verkar rassla som skallerormsungar, traverserna, näpna svarta planeter allra högst uppe vid taket. Längs alla väggar stålbänkar, vagt glimmande i mörkret, och så stanken, den av död och blod.
  »Där.»
  Zeke pekar bort mot väggen, på strömbrytaren.
  Sekunderna senare badar rummet i ljus. Zeke och Malin ser det levrade blodet på golvet, på kedjorna, de prydliga raderna med knivar som ligger på de blankpolerade stålbänkarna.
  »Det var som fan.»
  »Ropa hit teknikerna.»
  »Nu backar vi försiktigt ut härifrån.»

Malin, Zeke och Johan Jakobsson står vid diskbänken i köket i Adam Murvalls hus. Uniformsklädda poliser river ut innehållet i lådorna i vardagsrummet vars golv är belamrat med tidningar, foton, dukar och bestick.
  »Så hela det inre rummet i verkstaden liknar ett slakteri? De kan ha gjort det där?» frågar Johan.
  Zeke nickar.
  »Och vad har ni hittat?» frågar Malin.

»Hela källaren är fylld med kött. Stora vita frysar. Påsar märkta med årtal och styckningsdetaljer, färs 2001, stek 2004, rådjur 2005. Det finns likadana i alla tre husen. Säkert hos mamman också.»

»Inget annat?»

»Bara en ohygglig massa bråte. Inte så mycket papper. De verkar inte vara så mycket för den typen av dokumentation.»

De avbryts av ropen från fyrbilsgaraget vid Elias Murvalls hus.

»Vi har något här.»

Ungtupparnas glädjefyllda röster. Lät min röst så för nio år sedan? tänker Malin. När jag var nyutexaminerad från Polisskolan och gjorde min första vända som patrullerande, tillbaka i hemstaden. *Tillbaka för gott?*

Malin, Zeke och Johan rusar ut ur Adam Murvalls kök, sprintar över gårdsplanen och ut på vägen och vidare mot garaget.

»Här», ropar en av de unga uniformerade och vinkar åt deras håll. Hans ögon lyser av upphetsning när han pekar ner i flaket på en Skoda Pickup.

»Hela jävla flaket verkar ha badat i blod», säger han. »Helt otroligt.»

Knappast, tänker Malin innan hon säger: »Rör ingenting.»

Hon märker inte hur den unga killens ansikte går från att ha utstrålat stolthet och lycka, till att istället förmörkas av den sorts kliande ilska som bara en överordnads arrogans kan ge upphov till.

Börje Svärd går med magmusklerna spända, kan känna hur kraften i dem strömmar ut genom hela kroppen.

Macken är välhållen, så mycket måste han ge dårarna. Inget konstigt i butiken, inget i verkstäderna. Välskött och med en aura av kompetens. Här skulle han själv ha kunnat lämna in bilen.

Bakom butiken ett litet kontor, några pärmar på en hylla, en fax. Och ännu en dörr. Två kraftiga hänglås på en regel, men inte kraftiga nog.

I verkstaden hittar Börje en kraftig järnstång. Tillbaka på kontoret sticker han stången bakom balken, hänger sig på den med hela sin vikt och snart kan han höra hur låsen protesterar, och sedan, när han trycker till med bröstkorgen en extra gång viker metallen och balken flyger ur sina fästen.

Han tittar in i rummet. Först känner han den välbekanta doften av vapenfett. Sedan ser han bössorna uppradade mot väggarna.

Det var som fan, tänker han. Sedan slår det honom att mackar blir utsatta för inbrott hela tiden. Och har man vapen på sin mack är man inte särskilt rädd för att det ska ske. Annars skulle man ha dem någon annanstans.

Han flinar.

Hör snacket gå bland småbuset: »Vad ni än gör, rör inte macken i Blåsvädret. Bröderna Murvall är bindgalna, bara så ni vet.»

Mörkret börjar sänka sig vid horisonten, fullt pådrag runt omkring Malin. Uniformer, civila, blod, vapen, genomfruset kött. Familjen samlad i Adam Murvalls kök nu när de letar igenom gummans hus.

Malin tänker att det är något som fattas. Men vad? Så kommer hon på det. Daniel Högfeldt. Han *borde* vara här.

Men istället någon annan murvel hon inte kan namnet på. Fotografen är däremot här, med näsring och allt.

Malin kommer på sig själv med att vilja fråga efter Daniel men det vore omöjligt. Vilket skäl skulle hon ha för att fråga det?

Telefonen ringer.

»Hej mamma.»

»Tove, älskling, jag kommer hem snart, det har hänt stora saker på jobbet idag.»

»Ska du inte fråga om jag hade det bra hos pappa i natt?»

»Jo, hade du ...»

»JA!»

»Är du hemma nu?»

»Ja. Hade kanske tänkt ta bussen till Markus.»

Genom larmet ropar Johan: »Börje har hittat mängder med vapen nere i macken.»

Malin tar ett djupt, kallt andetag.

»Till Markus? Vad bra ... kan du få lite käk där i så fall?»

38.

Karin Johannisons kinder liksom äter strålkastarskenet och hennes hys bruna nyans framhävs av det glansiga vinröda tyget i hennes glamorösa dunjacka. Inte samma som ute vid trädet, en annan.

Bordeaux, tänker Malin, så skulle Karin beteckna färgen.

Karin skakar på huvudet när hon närmar sig Malin som står och stampar på infarten till verkstaden.

»Så vitt vi kan se är det bara djurblod, men det kommer ta oss flera dagar att gå över varenda kvadratcentimeter av utrymmet. Frågar du mig tror jag de slaktat djur därinne.»

»Nyligen?»

»Senast för några dagar sedan.»

»Det är inte jaktsäsong för särskilt mycket nu.»

»Sådant kan inte jag», säger Karin.

»Men det har aldrig hindrat vissa från att jaga allt året runt.»

»Tjuvjakt?»

Karin rynkar pannan som om blotta tanken på att pulsa omkring i skogen i trettio graders kyla med ett gevär på axeln är henne motbjudande.

»Inte omöjligt», säger Malin. »Det finns pengar i det. När jag bodde i Stockholm undrade jag alltid hur det kunde finnas färskt älgkött i saluhallarna året om.»

Karin glider iväg med blicken mot garaget.

»Det verkar vara samma sak med bilen. Men vi vet inte än.»

»Djurblod?»

»Ja.»

»Tack, Karin», säger Malin och ler utan att riktigt veta varför.

Karin blir förbryllad.

Hon rättar till sin mössa så att örsnibbarna tittar fram, de små konkava örhängena med tre infattade diamanter vardera glimmar.

»När», säger Karin, »började vi tacka varandra för att den andra gör sitt jobb?»

Vapnen ligger uppradade på svarta sopsäckar på golvet i mackens butiksdel.

Inte den vanliga sortens butik, med varm korv och färskvaror, utan en hard core-mack, tänker Malin. Några pliktskyldiga chokladkakor och en rostig gammal drickakyl som skramlar i ett hörn är de enda eftergifterna för kulturen bortom motoroljor, reservdelar och biltillbehör.

Janne skulle gilla det här stället.

Studsare från Husqvarna.

Gravyrer av rådjur och älgar, av män på pass i skogsdungar, av blommor.

Hagelgevär från Smith&Wesson.

Pistoler: Lugers, colt och en SigSauer P225, polisens standardvapen.

Inget mausergevär. Inget luftgevär. Inget vapen som kan ha använts för att skjuta genom Bengt Anderssons fönster, så mycket kan Malin se. I vapenskåpen uppe i husen fanns bara vanliga hagelgevär och studsare. Kan bröderna ha en gömma någon annanstans? Eller kanske har de trots alla vapen inget med skotten genom fönstret att göra? Som de hävdar.

Märkligast av allt: två k-pistar av armémodell och en handgranat.

Den ser ut som ett äpple, tänker Malin, ett missbildat äpple med muterad grön färg.

»Jag lovar att de där k-pistarna och handgranaten kommer från inbrottet i vapenförrådet uppe i Kvarn för fem år sedan», säger Börje. »Det stals tio k-pistar och en låda granater. Jag ger mig fan på att de kommer därifrån.»

Han hostar, vankar av och an genom rummet.

»De kan starta ett krig med det här», säger Zeke.

»Kanske har de redan startat ett?» säger Börje. »När de hängde Bengt Andersson i trädet.»

Jakob och Elias Murvall sitter på var sin sida om sin mor vid köksbordet i hennes villa, utdragna kökslådor i bakgrunden, porslin i travar på trasmattorna.

Bröderna är sammanbitna, som om de väntar på order som ska utföras till varje pris. Som om de är i krig, tänker Malin, precis som Börje sa, som om de strax ska klättra upp över skyttegravskanten och rusa mot fiendernas linjer. Rakel Murvall, mamman, som en matrona emellan dem, underkäken svagt skjuten framåt, nacken böjd något bakåt.

»Ta det ni två, Malin och Zeke», hade Sven Sjöman sagt. »Tryck till, hota.»

Uniformerade poliser i hallen utanför, i vardagsrummet, »Om de skulle försöka något.»

Zeke bredvid Malin, mitt emot trion. De bestämde det innan, världens äldsta förhörsrutin, en ond och så en god. Zekes ögon, vargen på slätten som vädrar fruset vinterblod.

»Jag kör den onda.»

»Okej. Pallar du?»

»Med dig vid min sida blir jag stenhård.»

Malin lutar sig fram över bordet, ser först på Jakob, sedan på Elias och sist på modern.

»Ni har fått en jävla massa trubbel på halsen.»

Ingen av dem reagerar, de andas bara tungt och taktfast, som om lungor och hjärtan givits samma rytm.

Zeke fortsätter: »Fem år vardera. Minst. Inbrott, vapenstöld, olaga vapeninnehav, tjuvjakt, och hittar vi människoblod så är det åtal för mord som gäller. Om vi hittar hans blod.»

»Inbrott? Vilket inbrott?» säger Elias Murvall. Hans mor: »Hysch, inte ett ord.»

»Tror ni inte vi kan ta er för k-pistarna?»

»Aldrig», viskar Elias. »Aldrig.»

Malin ser hur något i tonen i Elias Murvalls röst får Zeke att gå över gränsen, hon har sett det förr, hur hans spärrar liksom släpper och hela han blir handling, en blandning av muskler, adrenalin och här och nu. Han flyger runt bordet i en enda rörelse. Greppar halsen på Elias Murvall och trycker, dunkar hans huvud rätt ner i slagbordets träskiva, pressar hårt neråt så kinden blir vit.

»Din jävla urskogsindian», viskar Zeke. »Jag ska plocka fjädrarna ur arslet på dig och köra ner dem i halsen.»

»Stilla Jakob», säger modern. »Stilla.»

»Dödade du honom, din jävel, gjorde ni det? Där ute i verkstaden? Som en jävla hund, och så hängde ni honom i träden för allmän beskådan, som för att visa hela jävla slätten hur det går om man jävlas med familjen Murvall, gjorde ni det?»

»Släpp mig», fräser Elias Murvall och Zeke trycker hårdare. »Släpp mig», gnyr han sedan och Zeke släpper, drar armarna bakåt.

Järnkärnan, tänker Malin. Du skulle ta dig an bröderna ensamma och samtidigt om det krävdes, eller hur?

»Jag förstår», säger Malin lugnt när Zeke återvänt till deras sida bordet. »Om ni inte kunde släppa tanken på att det var Bengt som kanske våldtog er syster, om ni ville göra något åt saken bara för att. Folk kommer att förstå.»

»Vad bryr vi oss om vad folk tycker», säger Jakob Murvall.

Modern lutar sig bakåt på pinnstolen, lägger armarna över bröstet.

»Inte ett skit, mor», säger Elias Murvall.

»Räcker det inte nu?» säger Zeke. »Vi hittar säkert Bengts blod i pickupen och då har vi nog för åtal.»

»Ni hittar inget blod från honom där.»

»Ni måste varit så arga. Gav ni efter för ilskan i torsdags? Var det dags att hämnas?» Malin med sin mjukaste röst, den mest medlidsamma blicken i ögonen.

»Ta pojkarna för tjuvjakten och vapeninnehavet», säger modern plötsligt. »Men de vet ingenting om det andra.»

Men det vet du, tänker Malin.

»Men det vet du?»

»Jag? Jag vet ingenting. Men berätta för henne om jakten, pojkar, om stugan vid sjön, berätta så vi får slut på tjafset någon gång.»

39.

Stugan, Malin.

Skogen.

Det som krälar mellan trädstammarna där ute i kylan.

Bröderna och modern.

Var det de som gjorde mig ont, Malin? Som sköt genom mitt fönster, som hängde mig i ett träd? Som gav min kropp alla dess sår?

De spjärnar emot. Försöker behålla det som är deras.

Eller var det pojkarna?

De troende?

Frågorna tar aldrig slut.

Prata med de unga pojkarnas föräldrar, Malin, jag vet att ni ska göra det nu, du och Zacharias. Bringa klarhet. Komma närmare sanningen du tror att du söker.

Någonstans där ute finns svaret.

Någonstans, Malin.

Följ planen.

Rör dig enligt de givna mönstren. Släpp ingenting förrän du vet med säkerhet.

Förutsättningslöst, Malin.

Sven Sjömans favoritord.

Dörrar öppna på vid gavel, dörrar stängda som den framför henne nu.

Zekes finger på ringklockan, den lilla marklägenhetens entrétak rödmålat ovanför dem, ljus ur fönstret strax bredvid dörren, ett kök men ingen människa där.

Pallasvägen.

Trettiotalet marklägenheter byggda någon gång i slutet av sjuttiotalet av stilen att döma, liksom utplacerade på ett glömt stycke slätt strax bortom Ljungsbros kommunala badplats, isiga men välgrusade gångar kantade av vinterdöda buskar, små snötäckta gräsplättar framför varje entré.

Som villor fast inte, tänker Malin. Som låtsashus för dem som inte har råd. En boendeform som är varken eller. Blir människorna varken eller i sådana bostäder? Till och med garagen borta vid de buskkantade parkeringsplatserna ger ett splittrat, slokande intryck.

Joakim Svenssons mamma. Margaretha.

Hon är hemma, tänker Malin. Men varför öppnar hon inte?

Zeke ringer på klockan igen, och röken stiger ur hans mun, vit mot den annalkande kvällens svärta.

Klockan i bilen visade 17.15 när de parkerade borta på parkeringsplatsen. Kvällen, och kanske natten, kommer bli lång.

Bröderna i häktet.

Stugan i skogen.

Så hör Malin steg som dunkar nerför en trappa. Hon hör låset som rasslar och ser en dörrspringa som vidgas.

Alla dessa människor, tänker Malin. Som bligar ut på världen genom springor i sina ytterdörrar. Vad är ni rädda för?

Så ser hon Bengt Anderssons kropp i trädet.

Bröderna Murvall.

Rakel. Tänker att det nog är bäst att du håller dörren stängd, Margaretha, säger:

»Margaretha Svensson? Vi är från Linköpingspolisen och har några frågor angående din son. Får vi stiga på?»

Kvinnan nickar och vidgar dörrspringan. Hon har kroppen svept i en vit handduk, håret är vått och det droppar mot golvet från de blonda, lockiga testarna. Presentationer och handslag.

»Jag låg i badet», säger Margaretha Svensson. »Men kom in ni. Ni kan vänta i köket medan jag sätter på mig lite kläder.»

»Är Joakim hemma?»

»Nej, Jocke är ute någonstans.»

Köket är renoveringsfärdigt, den vita färgen på luckorna flagnar och spisens plattor är nedslitna, men ändå finns det en känsla av trivsel i rummet, det brunlackerade matbordet och de udda pinnstolarna ger på något vis en stilla värdighet åt enkelheten och när kylan släppt sitt grepp om näsan känner Malin en tydlig doft av kryddpeppar.

De tar av sig jackorna, slår sig ner vid köksbordet och väntar. På diskbänken står olivolja och en fruktskål med olika kexpaket.

Fem minuter.

Tio.

Sedan kommer Margaretha Svensson tillbaka. Klädd i en röd träningsoverallsjacka och vita gymnastikbyxor, sminkad och hon kan inte vara mer än trettioåtta, max fyrtio, bara några år äldre än Malin och hon är snygg, har fin figur, tränar säkert.

Hon sätter sig vid bordet, ser på Malin och Zeke frågande.

»Rektorn ringde och sa att ni varit på skolan.»

»Ja, som du kanske vet så ska din son och Jimmy Kalmvik ha trakasserat mordoffret Bengt Andersson», säger Malin.

Margaretha Svensson låter orden sjunka in.

»Hon sa det, rektorn. Inget jag visste något om. Men jag håller det inte för otroligt. Vem vet vad de kan hitta på tillsammans?»

»Håller de ihop?» frågar Zeke.

»Ja, de är som bröder», säger Margaretha Svensson.

»Och du vet ingenting om vad de kan ha gjort mot Bengt Andersson?»

Margaretha Svensson skakar på huvudet.

»Kan de ha haft tillgång till vapen?»

»Knivar och så menar ni? Lådorna i köket är fulla.»

»Skjutvapen», säger Malin.

Nu ser Margaretha Svensson förvånad ut.

»Det kan jag inte tänka mig. Absolut inte. Var skulle de fått ett sådant ifrån?»

»Asatro», säger Zeke sedan. »Har Joakim någonsin intresserat sig för sådant?»

»Jag lovar dig att han inte vet vad det är. Taekwondo och skateboard däremot. Det vet han allt om.»

»Kan han köra bil?» frågar Malin.

Margaretha Svensson tar ett djupt andetag och för handen genom sitt våta hår.

»Han är femton. Men vem vet allt de där två kan?»

»De sa till oss att de såg på film här i torsdags men att du inte var hemma?»

»När jag gick vid sju var de här, och när jag kom hem låg Jocke och sov. Filmen stod och vevade på tv:n. Den där skateboardfilmen de alltid ser.»

»Var hade …»

»Först höll jag i vattengympan i simhallen. Sedan gick jag hem till min vän. Ni kan få numret om ni vill. Jag var hemma vid halv tolv.»

»Vän?»

»Min älskare. Han heter Niklas Nyrén. Ni kan få hans nummer.»

»Bra», säger Zeke. »Har han någon kontakt med din son?»

»Han försöker. Tycker nog grabben behöver en manlig förebild.»

»Joakims pappa är död, eller hur?» frågar Malin.

»Han omkom i en bilolycka när Joakim var tre.»

Sedan rätar Margaretha Svensson på ryggen.

»Jag har gjort mitt bästa för att uppfostra pojken på egen hand, slitit heltid som ekonomiassistent på en jäkla byggfirma och försökt göra en anständig person av honom.»

Men du har inte lyckats, tänker Malin. Han verkar mest vara en halvkriminell, elak plågoande, men precis som om hon kan läsa Malins tankar säger Margaretha Svensson:

»Jag vet att han inte är guds bästa barn och omöjlig att ha att göra med. Men han är tuff, och det har jag uppmuntrat, låter ingen sätta sig på honom, och han tar för sig. Och det gör honom rätt bra rustad för den kamp mot allt som ligger framför honom, eller hur?»

»Får vi se hans rum?»

»Uppför trappan, rakt fram.»

Zeke sitter kvar vid köksbordet när Malin går upp.

Rummet luktar instängt. Ensamt. Skateboardaffischer. Hiphopstjärnor. Tupac, Outkast.

En bäddad säng på en ljusblå heltäckningsmatta, ljusblåa väggar. Ett skrivbord med lådor. Malin öppnar lådorna, några pennor, papper, ett tomt anteckningsblock.

Hon tittar under sängen, men där är tomt, bara några dammtussar uppträngda mot hörnet där väggarna möts.

En sovstation, tänker Malin.

Sedan tänker hon att det är skönt att Tove inte träffat en kille som Joakim Svensson, att hennes läkarson är en dröm jämförd med de hårda boysen på slätten.

Nästa hus en annan värld.

Trots att det ligger bara femhundra meter från Margaretha Svenssons marklägenhet.

En stor mexitegelvilla från sjuttiotalet med dubbelgarage belägen precis vid en sluttning som leder upp mot Göta Kanal, ett av kanske tio överdimensionerade hus i en fyrkant runt en välhållen lekpark, en svart Subaru stadsjeep parkerad ute på gatan vid ett buskage.

Malins finger på en ringklocka av gängse svartvit modell, namnet skrivet med darrig stil på en lapp fäst bakom en liten plastruta nedanför det svarta fält där ringknappen är placerad.

Kalmvik.

Mörkt och kallt nu, kvällen har anlänt till Ljungsbro och med tiden sipprar natten in med än mer förgörande kyla.

Joakim Svensson och Jimmy Kalmvik var ensamma i lägenheten från sju till halv tolv. Hur kan de veta att de verkligen var i lägenheten då? Att de inte smög ut och gjorde något jävelskap? Kan de ha hunnit göra Bengt Andersson illa på den tiden? Fått ut honom till trädet? Eller kan Joakim Svensson ha smugit ut efter det att hans mamma kom hem?

Inget är omöjligt, tänker Malin. Och vem vet hur många filmer de sett på för att få inspiration? Kan det hela ändå ha varit ett pojkstreck som spårade ur?

Henrietta Kalmvik slår upp dörren på vid gavel.

Ingen tveksam springa.

»Ni är från polisen? Eller hur?«

Ett stort rött hårsvall, gröna ögon, skarpa drag. En elegant vit blus över eleganta mörkblå byxor, en kvinna i fyrtiofemårsåldern som vet vad hon tar sig väl ut i.

»Är det din bil?» frågar Malin. »Ute på gatan?»

»Just det. Snygg, eller hur?»

Henrietta Kalmvik går före dem in i huset, gör en gest till dem att hänga av sig jackorna i den inre av två hallar. När Malin krånglar av sig dunjackan ser hon henne liksom skrida över parketten och vidare in i vardagsrummet där två vita skinnsoffor tronar kring ett bord vars ben ser ut som tjocka lejontassar i röd marmor.

Henrietta Kalmvik sätter sig i den minsta av sofforna och väntar på dem.

En rosa kinamatta på golvet. På väggen ovanför den största av sofforna hänger en orangekolorerad målning föreställandes ett naket par på en strand i en solnedgång. Utanför fönstret vilar en snötäckt pool upplyst av en strålkastare och Malin tänker hur skönt det måste vara att bada där om morgnarna den varma årstiden.

»Slå er ner.»

Och Malin och Zeke sätter sig bredvid varandra i den största av sofforna och skinnet sjunker undan och det känns som att hon nästan försvinner i den mjuka stoppningen. Hon lägger märke till en svarvad träskål med fetglänsande gröna äpplen på bordet.

»Jag antar att skolans rektor ringt dig», säger Zeke.

»Ja», säger Henrietta Kalmvik.

Och sedan samma frågor som till Margaretha Svensson.

Samma svar, fast ändå inte.

Henrietta Kalmvik gröna ögon fästa på poolen på andra sidan fönstret när hon säger:

»Jag gav upp Jimmy för länge sedan. Han är omöjlig, men så länge han håller sig innanför lagens ramar får han göra vad han vill. Han har ett eget rum i källaren med egen ingång, han får komma och gå som han vill. Och om ni säger att han förföljt Bengt Andersson, så säger jag visst, säkert. Och vapen? Inte omöjligt. Han slutade lyssna på mig när han var i nioårsåldern. Kallade mig 'satans jävla kärring' när han inte fick vad, eller som, han ville. Och till slut struntade jag i att försöka. Nu kommer han hem och äter. Inte mer. Jag gör annat, är med i Lions och Jazzklubben inne i stan.»

Henrietta Kalmvik tystnar, som om hon sagt allt hon har att säga.

»Jag antar att ni vill se hans rum?»

Hon reser sig och går mot den trappa som leder ner i källaren.

De följer på nytt efter henne.

Nere i källaren går de igenom en tvättstuga, ett annat rum med bastu och ett stort bubbelbad innan Henrietta Kalmvik stannar framför en dörr.

»Hans rum.»

Hon kliver åt sidan.

Låter Zeke öppna dörren.

Rummet är stökigt, hundratjugosängen obäddad, märkligt placerad mitt i det lilla rummet, kläder ligger slängda på det gråspräckliga stengolvet bland serietidningar och godispapper och tomma läskburkar. De vitmålade väggarna tomma och Malin tänker att det aldrig kan komma in särskilt mycket ljus genom fönstren.

»Tro det eller ej», säger Henrietta Kalmvik. »Men här nere trivs han.»

De tittar i lådorna i den enda byrån, rotar igenom sakerna på golvet.

»Inget märkligt här», säger Zeke. »Vet du var Jimmy är nu?»

»Ingen aning. De är väl ute och drar någonstans, han och Jocke. De är som bröder de där två.»

»Och Jimmys far? Finns det möjlighet att prata med honom?»

»Han jobbar på en oljeplattform i Nordsjön. Utanför Narvik. Borta tre veckor, hemma två.»

»Måste bli ensamt», säger Zeke samtidigt som han stänger dörren till Jimmy Kalmviks rum.

»Inte så särskilt», svarar Henrietta Kalmvik. »Det passar oss bra att inte slita på varandra. Och så tjänar han väldigt bra med pengar.»

»Har han mobil där ute?»

»Nej, men det går att ringa till plattformen om det är något brådskande.»

»När kommer han hem?»

»På lördag morgon. Med morgontåget från Oslo. Men ring honom på plattformen om det är något som brådskar.»

40.

En röst i andra änden av luren, spraket gör norskan otydlig, drömlik, när Zeke svänger ut från garageinfarten till Kalmviks hus.

»Ja, hallo. Dere spør etter Göran Kalmvik. Ja, han har ikke vært her på litt over en uke nå. Han gikk av skiftet sitt siste tirsdag og er ikke forventet tilbake før om to uker. Jeg hører deg veldig dårlig, veldig... Hvor han måtte være? Hjemme... javel ikke det... ja da aner jeg ikke... ja, han arbeider to uker og er fri tre.»

»Det var som fan», säger Malin när hon lagt på. »Kalmviks pappa är inte på plattformen. Har inte varit där på mer än en vecka.»

»Det verkade inte Henrietta alls veta om», säger Zeke. »Vad tror du det betyder?»

»Det kan betyda en hel massa jävla saker. Att han var hemma förra veckan när Bengt Andersson blev mördad och att han kanske hjälpte pojkarna om de på något sätt råkat gå för långt i sina trakasserier mot Bengt Andersson. Eller så har han bara fört sin fru bakom ljuset och har en älskarinna eller något ännu knasigare någon annanstans. Eller så har han bara tagit lite semester på egen hand.»

»Var det lördag han skulle komma hem?»

»Ja.»

»Blir svårt att få fatt i honom innan dess. Tror du hon ljuger Henrietta? Att hon spelar ovetande. För att skydda honom och sonen?»

»Det verkade inte så», säger Malin. »Det verkade inte så.»

»Nu släpper vi Kalmvik, Fors. Nu trotsar vi kylan och mörkret och åker och tar en titt på Murvalls stuga i skogen. Lika bra att komma vidare med det här.»

Lika bra, tänker Malin och sedan sluter hon ögonen, vilar och låter bilderna i huvudet komma och gå som de vill.

Tove i soffan hemma i lägenheten.

Daniel Högfeldt med bar överkropp.

Janne på fotot vid sängen.

Och så bilden som tränger undan alla de andra, som expanderar och bränner sig fast i medvetandet, en bild omöjlig att få bort, Maria Murvall på sängen i sitt rum på sjukhuset, Maria Murvall mellan svarta trädstammar en rå, fuktig natt.

Bilens strålkastare lyser upp skogsvägen, träden som frusna skräckfigurer runtomkring, de öde sommarstugorna blir till svarta konturer, stelnade drömmar om goda dagar vid vattnet; fruset nu som en ljusgrå klick i det vaga månljuset som sipprar fram mellan molnslöjorna.

Elias Murvalls beskrivning tidigare i moderns hus:

»Hultsjön, efter Ljungsbro kör man upp mot Olstorp och sedan vidare förbi golfbanan och in på Tjällmovägen. Efter en mil kommer ni till sjön, vägen till stugorna är plogad, sedan får ni gå. Det är snitslat. Men ni kommer inte att hitta något där.»

Före det Jakob Murvall, plötsligt mångordig, som om modern tryckt på en knapp där det stod »ord». Han gick på om deras organiserade tjuvjakt, om försäljning av kött och rådjursfällar, om att de ryska miljonärerna är som galna i fällarna.

»Vi åker ut ikväll. Nu. Sjöman får ordna med tillstånd för husrannsakan.»

Zeke tveksam.

»Kan det inte vänta tills imorgon? Bröderna ska föras till häktet, de kan inget göra.»

»Nu.»

»Men jag ska öva med kören ikväll, Fors.»

»Va?»

»Okej, okej, Malin. Men vi tar Joakim Svenssons och Jimmy Kalmviks föräldrar först», och denna gång röjer hesheten i hans röst vissheten om att hon skulle reta honom i månader om han lät en övning med Da Capo gå före utforskandet av en alldeles färsk ledtråd.

Husrannsakan gick igenom, Sven Sjöman ringde och bekräftade.

Och nu håller Zeke sin händer på ratten samtidigt som någon kör-
trupp ledd av Kjell Lönnå tar i för full kraft i »Swing it, magistern».
Körsången: Det absoluta villkoret för att de skulle åka vidare till
stugan. Zeke parerar halkan, pressar bilen framåt genom att gasa,
bromsa, gasa. Dikesgrenen som en vitkantad avgrund bredvid dem
och Malin spejar ut mot sidorna efter lysande djurögon: ett rådjur, en
älg eller en hjort som får för sig att korsa vägen just som de kommer.
Få människor kan köra bil som Zeke, inte med proffsförarens
respektlösa självsäkerhet utan med en försiktig hängivenhet till
målet: att komma fram.

De rundar sjön, men kan ana det frusna vattnet fortsätta in i sko-
gen, smalna av till något som liknar en flod som leder rätt in i mörk-
rets och nattens hjärta.

Klockan på instrumentbrädan visar 22.34. En ogudaktig tid för
det här arbetet.

Tove hemma, kom aldrig iväg till Markus: »Jag värmde resterna av
köttgrytan. Jag klarar mig, mamma.»

»Så fort det lugnat ner sig på jobbet gör vi något kul.»

Kul? tänker Malin när hon ser snövallen torna upp sig vid vägens
slut, hur någon hackat en glipa i vallen och hur reflexer fästa på trä-
den glimmar som stjärnor i ett försvinnande perspektiv.

Vad tycker du är kul, Tove? Det var lättare när du var mindre. Gå
till simhallen brukade vi göra förr. Och bio vill du gå på med andra.
Shoppa gillar du, men inte lika maniskt som många tjejer i din ålder.
Kanske kan vi åka på en konsert i Stockholm, det skulle du gilla. Vi
har pratat om det men inte kommit iväg. Åka till bokmässan i Göte-
borg? Men den är väl på hösten?

»Det här måste vara rätt», säger Zeke samtidigt som han stänger
av motorn. »Hoppas det inte är för långt att gå. Det är ju fan till och
med ännu kallare i natt.»

Ondskans geografi.

Hur ser den ut? Vilken är dess topografi?

Det var inte långt härifrån man hittade spåren efter övergreppet
på Maria Murvall, fem kilometer åt väster. Ingen av bröderna viss-
te vad hon hade i skogen att göra, ingen berättade om stugan då,

torpet de får låna gratis av bonden Kvarnström av skäl ingen vill gå in på.

»Vi håller det i skick, inte mer med det.»

Maria i skogen.

Sönderskuren inifrån.

Höstkall natt.

Fuktdrypande värld.

Bollbengan i trädet.

Kylan på slätten.

Grenar som ormar, löv och ruttnande svampar som spindlar, och så maskarna under dina fötter, vassa taggar som skär sönder dina fotsulor. Vem hänger där i träden? Fladdermöss, ugglor, ny ondska?

Är ondskans geografi små bergsknölar och grunda sänker? Halvvuxen skog, en kvinna som med svarta klädrester hängandes på kroppen släpar sig fram längs en öde skogsväg i gryningen.

Finns djuret här i skogen?

Allt det hinner Malin tänka när hon och Zeke pulsar genom snön på väg mot bröderna Murvalls stuga, de lyser upp i träden med sina ficklampor, reflexerna glittrar, får den svarta barken att vibrera i den knäpptysta natten, och snökristallerna på marken att blinka som otaliga vakande lämmelögon, blinkfyrar att navigera efter i det okända.

»How far, Fors? Det är minst femton minus men ändå dryper jag av svett.»

Zeke går först, häver sig fram i snön, ingen har varit här sedan det senaste snöfallet, även om det finns spår att gå i. Skoterspår vid sidan av.

Djuren, tänker Malin. Det måste vara så de får ut dem, med skoter.

»Jobbigt som fan», säger Malin för att ingjuta mod i Zeke genom att visa på delad plåga. »Vi har säkert pulsat en kilometer nu.»

»Hur långt skulle det vara?»

»Det ville de inte säga.»

De stannar bredvid varandra, pustar ut i tystnad.

»Vi kanske skulle väntat?» säger Malin.

»Nu fortsätter vi», svarar Zeke.

Efter trettio minuters kamp mot snön och kylan öppnar sig skogen till en dunge, i dess mitt ett torpliknande hus, säkert flera hundra år gammalt, snövallar upp till gluggarna.

De riktar ficklamporna mot huset, långa skuggor faller från ljuskäglorna och träden i skogen blir ett draperi av svarta nyanser bakom det snötäckta taket.

»Vi går väl in», säger Zeke.

Nyckeln hänger där bröderna sa, på en krok under vindskivorna. Låset gnisslar i kylan.

»Knappast någon el», säger Zeke när dörren går upp. »Inte stor idé att leta efter lysknapp.»

Ljuskoner som dansar över ett ensamt, fruset rum. Prydligt, tänker Malin. Trasmattor på golvet, ett gasolkök på en enkel träbänk, ett campingbord mitt i rummet, fyra stolar, stearinljus, inga lampor och så tre dubbelsängar längs med de fönsterlösa kortväggarna.

Malin går fram till bordet.

Dess yta är fläckad av ljus olja.

»Vapenfett», säger hon och Zeke hummar instämmande.

På en skänk bredvid köksbänken står konservburkar med ärtsoppa och ravioli och köttbullar, i en låda strax bredvid står spritflaskor.

»Det påminner på ett märkligt sätt om ett omklädningsrum», säger Zeke.

»Ja, det är neutralt. Känslolöst.»

»Vad väntade du dig, Fors? De visade oss hit för att vi inte skulle hitta något.»

»Jag vet inte. En aning, bara.»

Ett rum utan känslor.

Vad finns bortanför det?

Om ni har onda hjärtan, allra längst där inne, Murvalls, i så fall, vilken skada har ni gjort?

Så hyschar Zeke och Malin vänder sig om, ser hur han lägger handsken för munnen och sedan pekar ut genom dörren samtidigt som de lägger händerna över sina ficklampors ljuskoner.

Mörkret som följer är orubbligt.

»Hörde du något?» artikulerar Malin.

Zeke hummar och de står stilla och lyssnar. Ett släpande ljud i riktning mot dem, ett hasande djur? Skadskjutet? Som släpar sig fram mot gläntan. Så blir det åter tyst. Har djuret stannat? Bröderna Murvall är i häktet. Gumman? Inte här och nu. Kanske har hon flera skepnader? Bulliesen? Men vad skulle de göra här?

Malin och Zeke smyger mot den öppna dörren, sträcker sig försiktigt ut på var sin sida, ser på varandra och så börjar ljudet igen men längre bort nu och de kastar sig fram, riktar ficklamporna mot den plats där ljudet kommer ifrån.

Något svävande och svart försvinner neråt skogsbrynet, en meditativ rörelse, en människa?

En kvinna?

En tonårspojke? Två tonårspojkar?

»Stanna», skriker Zeke. »Stanna!»

Malin springer efter, följer det svarta i spåren, men när hon springer skär kängorna igenom skaren under snön och hon snubblar, reser sig på nytt, springer, faller, reser sig, jagar, ropar: »Stanna! Stanna! Stanna! Kom tillbaka hit.»

Zekes röst bakom henne, full av allvar:

»Stanna eller jag skjuter.»

Malin vänder sig om. Hon ser Zeke stå mitt på farstubron framför jaktstugan och hålla sin pistol framför sig, sikta rakt ut i det tomma mörkret.

»Lönlöst», säger Malin. »Vad det där än var är det långt borta nu.»

Zeke sänker sitt vapen. Nickar.

»Och det kom på skidor», säger han och pekar med ficklampan ner på de smala spåren i snön.

41.

Tove i Malins famn.

Hur mycket väger du nu?

Fyrtiofem kilo?

Tur att mamma ändå går på det där gymmet ibland, eller hur?

Benen värker, men värmen har i varje fall börjat återvända till fötterna.

De följde spåren i två kilometer. Under tiden drog ett oväder in över skogarna vid Hultsjön och när de nådde spårens slut var de så gott som dolda av vitt puder. Spåren slutade vid en skogsväg och det gick inte att avgöra om det stått en väntande bil parkerad där. Det fanns ingen olja på marken. Märkena efter hjulen igensnöade.

»Uppslukad av skogen», sa Zeke, sedan tog han ut deras position på sin mobil.

»Det är bara en halvmil. Det går snabbare att gå till vår bil än vad det tar för stationen att skicka hit en.»

Tove sov i soffan när Malin kom hem. Tv:n flimrade och Malins första tanke var att väcka Tove, få henne att gå in till sin säng själv.

Men sedan, när hon såg kroppen utsträckt på tyget, lång och smal för sin ålder, det blonda tunna håret mot kudden och de slutna ögonen, den fridsamma munnen, ville hon känna sin dotters tyngd, den levande kärlekens börda.

Hon fick uppbåda alla sina krafter för att rubba kroppen, trodde Tove skulle vakna men till slut stod hon där i den tysta och mörka lägenhetens vardagsrum med Tove i famnen och nu stapplar hon genom hallen, skjuter upp dörren till Toves rum med foten.

Och så ner i sängen. Men Malin tappar balansen av den lealösa tyngden, känner dess värme glida ifrån sig och hur kroppen ramlar ner i madrassen med ett dovt ljud.

Tove slår upp ögonen.

»Mamma?»

»Ja.»

»Vad gör du?»

»Jag bar bara in dig till sängen.»

»Jaså.» Sedan sluter Tove ögonen, somnar på nytt.

Malin går ut i köket. Ställer sig vid diskbänken och ser mot kylskåpet. Det brummar i mörkret, och kylsystemet droppar trött.

Vad du vägde, Tove?

Tretusentvåhundrafemtiofyra gram.

Fyra kilo, fem och så vidare, för varje kilo kropp mindre beroende, mindre barn, mer vuxen.

Kanske sista gången jag bar henne så där, tänker Malin samtidigt som hon sluter ögonen och lyssnar på nattens ljud.

Är det i drömmen telefonen ringer? Eller i rummet utanför drömmen? I vilket fall ringer den och Malin sträcker ut handen mot nattduksbordet och greppar där luren borde vara, på andra sidan vakuumet där hon befinner sig nu, gränslandet mellan sömn och vakenhet, där allt kan hända, där inga förutsättningar för några ögonblick känns givna.

»Malin Fors.»

Hon lyckas låta bestämd men är hes, så hes.

Nattvandringen måste satt sig på luftrören, men hon är kry i övrigt, kroppen är på plats, och huvudet likaså.

»Väckte jag dig, Malin?»

Hon känner igen rösten, men kan först inte placera den, vem? Jag hör rösten ofta men inte som i ett samtal.

»Malin, är du där? Jag ringer mellan två låtar och har inte mycket tid.»

Radiopraterskan. Helen.

»Jag är här. Lite nyvaken.»

»Då ska jag vara rakt på sak. Minns du när du ringde mig om

bröderna Murvall? Det var något jag glömde berätta för dig, något som du kanske vill veta. Jag läste i tidningen i morse att ni anhållit de tre bröderna, det var ju inte riktigt klart om det var i samband med mordet eller inte, men då kom jag ihåg: Det fanns en fjärde bror, han var deras halvbror, tror jag. Han var lite äldre, en riktig enstöring, hans pappa var visst någon sjöman som drunknat. Nåväl. Jag minns att de andra bröderna höll ihop men inte han.»

En fjärde bror, en halvbror.

Tystnaden som en mur.

»Vet du vad han hette?»

»Ingen aning. Han var lite äldre. Det är nog därför jag minns det som att han inte riktigt hörde ihop med de andra. Man såg honom sällan. Det var länge sedan. Kanske inget stämmer. Jag kan blanda ihop saker.»

»Det är till stor hjälp», säger Malin. »Vad skulle jag göra utan dig? Dags att ses över en öl snart?»

»Det vore kul, Malin, men när? Vi verkar ju jobba för mycket båda två.»

De lägger på. Malin hör Tove ute i köket, reser sig ur sängen, känner en plötslig längtan efter sin dotter.

Tove vid köksbordet, äter filmjölk, läser Correspondenten.

»De där bröderna, mamma, verkar ju vara helknasiga», säger hon och rynkar på ögonbrynen. »Är det de som gjort det?»

Svart eller vitt, tänker Malin.

Gjort eller inte gjort.

På ett sätt har Tove rätt, det är så enkelt, men ändå så oändligt mycket mer komplicerat, diffust och mångtydigt.

»Vi vet inte.»

»Nähä. Men jag antar att de får sitta i fängelse för vapnen och jakten? Och blodet, var det bara djurblod, som den där medicintanten säger här?»

»Det vet vi inte än. De jobbar på det i labbet.»

»Och här står det att ni förhört några tonårskillar. Vilka då?»

»Det kan jag inte säga, Tove. Hade du det bra hos pappa häromkvällen?»

»Ja, det sa jag ju på telefon, minns du inte det?»

»Vad gjorde ni?»

»Markus och pappa och jag åt middag, sedan såg vi på tv innan vi gick och la oss.»

Malin känner hur magen drar sig samman.

»Var Markus där?»

»Ja, han sov över.»

»SOV ÖVER?»

»Ja, men det var ju inte så att vi sov i samma säng eller så. Det fattar du väl.»

Både Tove och Janne pratade med henne på eftermiddagen. Ingen nämnde Markus. Inte att han skulle sova över, inte att han skulle på middag hos Janne, inte ens att Janne visste om hans existens.

»Jag visste inte ens att pappa kände till Markus.»

»Varför skulle han inte veta det?»

»Du sa ju att han inget visste.»

»Men nu vet han.»

»Varför har ingen sagt det till mig? Varför sa ni inget?»

Malin hör själv hur löjliga hennes ord låter.

»Du kunde ju ha frågat», säger Tove.

Malin skakar på huvudet.

»Mamma», säger Tove. »Ibland är du otroligt barnslig.»

42.

»Det finns en bror till.»

Johan Jakobsson vinkar med ett papper från sitt skrivbord när han får syn på Malin, som just kliver in i det öppna kontorslandskapet på polishuset. Mobilkonversationen med Janne surrar fortfarande i huvudet på henne.

»Du kunde ju ha sagt att han skulle sova över.»

Janne yrvaken, efter att just ha somnat efter sitt nattskift. Men ändå klar och tydlig.

»Vad som sker i mitt hem, Malin, är min ensak, och om du inte har bättre koll på Tove än att hon kan dölja sådana saker för dig, så kanske du ska ta dig en funderare på vad du prioriterar här i livet.»

»Moraliserar du?»

»Jag lägger på nu, hör du det.»

»Så du menar att det var Toves ansvar och inte ditt?»

»Nej, Malin. DITT ansvar, men du försöker lägga det här på Tove. Hej då. Ring när du lugnat ner dig.»

»Folkbokföringen», ropar Johan. »Jag fick utdraget från folkbokföringen och där står det att Rakel Murvall har fyra söner, en förstfödd som heter Karl Murvall. Måste vara en halvbror, det står fader okänd i registren. Han finns med i telefonkatalogen, bor nere på Tanneforsvägen.»

»Jag känner till honom», säger Malin. »Vi får höra honom så fort det går.»

»Möte om tre minuter», säger Johan och pekar mot dörren till mötesrummet.

Malin undrar om barnen kommer att vara ute idag. Får hoppas det, var det ändå inte någon liten grad mildare?

Inga barn i lekparken utanför dagiset, istället öde gungor, klätterställningar, sandlådor och rutschkanor.

Karim Akbar är med på mötet, sitter i en strikt grå kostym på kortändan bredvid Sven Sjöman.

»Hittills inget annat än älgblod och rådjursblod», säger Sven. »Men labbet arbetar för fullt. Tills vi är klara får vi ha alla dörrar öppna vad det gäller bröderna Murvall. Om inte annat så har vi ju grävt upp lite skit.»

»K-pistarna och handgranaten är inte lite skit», säger Börje Svärd.

»Apropå vapnen», säger Sven. »Enligt vapenfolket på SKL kan inget av de vapen vi hittade hos Murvalls ha varit det som användes för att skjuta gummikulor på Bengt Anderssons lägenhet.»

»K-pistar och handgranater är inte skit. Men inte heller vårt fokus», säger Karim. »Krim jobbar på det.»

»Frågan är vem det var ni såg ute i skogen?» säger Sven.

»Vi vet inte», säger Malin.

»Vem det än var, så har det med det här att göra», säger Zeke.

»Johan, berätta om den fjärde brodern», säger Sven.

När Johan berättat vad de vet lägger sig tystnaden kring bordet. Frågor blir hängande i luften, tills Zeke säger:

»Ingen av Murvallarna har någonsin, inte ens en endaste gång, nämnt en halvbror. Växte han upp med dem?»

»Det verkar så», säger Malin. »Helen trodde det.»

»Han kanske bröt sig loss», säger Johan.

»Man kan vilja leva ett annat liv än deras», fyller Börje i.

»Vet vi något mer om den här Karl Murvall?» undrar Karim. »Vet vi var han jobbar, till exempel?»

»Inte än», svarar Malin. »Men det reder vi ut under dagen.»

»Och så kan vi ju fråga bröderna Murvall, och deras väna moder», grinar Zeke.

»Jag kan försöka», säger Sven och skrattar.

»Och asaspåret?» Karim ser uppfordrande ut över spaningsgruppen. »Med tanke på brottsplatsen kan vi inte släppa det.»

»Vi har», säger Johan, »i ärlighetens namn, varit upptagna med annat. Men vi vill absolut driva det spåret vidare.»

»Fortsätt så mycket ni kan nu», säger Sven. »Malin och Zeke, hur förlöpte samtalen med Joakim Svenssons och Jimmy Kalmviks föräldrar?»

»Med deras mammor», säger Malin. »Joakim Svenssons pappa är död, och Göran Kalmvik jobbar på oljeplattform. Vi fick inte fram något nytt egentligen. Fortfarande aningen oklart om pojkarna har alibi för onsdagskvällen. Vissa oklarheter om var Kalmviks far håller hus också.»

»Oklarheter?» frågar Sven. »Du vet vad jag tycker om sådana.»

Så förklarar Malin varför pojkarnas alibi är tveksamt, att de varit ensamma i marklägenheten, och att Göran Kalmvik är borta, men att hans fru tror han är kvar ute på en oljeplattform i Nordsjön.

»Men han kommer hem i morgon. Tidigt. Vi tänkte höra honom då.»

»Och Margaretha Svenssons älskare? Kan han ha något att säga om sonens förehavanden? Han försökte ju bygga upp en kontakt.»

»Vi ska höra Niklas Nyrén under dagen. Vi prioriterade Murvalls stuga igår kväll.»

»Bra. Men prioritera fjärde brodern Murvall nu. Jag hör med familjen», säger Sven.

»Jaså Karl? Han har ju flyttat till stan, han.»

Rakel Murvalls röst i telefon.

Flyttat till stan? Det är bara dryga milen, men hon får det att låta som andra sidan jordklotet, tänker Sven Sjöman.

»Inget att prata om», säger Rakel Murvall och lägger på.

»Här är det», säger Zeke när han parkerar bilen utanför det vitteglade trevåningshuset på Tanneforsvägen, nära Saabs fabriker. Huset byggdes med all sannolikhet på fyrtiotalet när Saab expanderade som bäst och det byggdes stridsflygplan i hundratal i stan. En pizzeria i bottenvåningen utlovar capricciosa för trettionio kronor och Ica-hallen mittemot har extrapris på Classic-kaffe. Pizzerians gula skylt flagnar, och Malin kan knappt läsa namnet: Conya.

De sprintar i kylan över den breda trottoaren. Rycker upp den olåsta dörren till trapphuset. Läser på tavlan: tre trappor, Andersson, Rydgren, Murvall.

Ingen hiss.

På andra trappavsatsen känner Malin hur hjärtat börjar bulta kraftigare och hur hon börjar flämta, när de kommer till tredje våningen har hon nästan svårt att andas. Zeke stånkar bredvid henne.

»Man blir lika förvånad varje gång», säger han och pustar. »Över hur jävla segt det är med trappor.»

»Ja, snön igår var ingenting mot det här.»

Murvall.

De ringer på klockan, hör signalen bakom dörren. Tystnaden från vad som verkar vara en tom lägenhet. De ringer på igen, men ingen öppnar.

»Han jobbar väl», säger Zeke.

»Ska vi ringa på hos grannen?»

Rydgren.

Efter två signaler öppnar en äldre man med förvuxen näsa och lågt sittande ögon, han tittar misstänksamt på dem.

»Jag är inte intresserad», säger han.

Malin visar sin polislegitimation.

»Vi söker Karl Murvall. Han är inte hemma. Vet du möjligtvis var han jobbar?»

»Jag vet inget om det.»

Mannen avvaktar.

»Du vet ...»

»Nej.»

Mannen slår igen dörren.

Den enda övriga personen i trappuppgången som är hemma, en äldre dam, tror att de är från hemtjänsten och kommer med hennes middag.

En efter en får bröderna komma ut ur sina häktesceller, ta plats i förhörsrummet och svara på Sven Sjömans frågor:

»Jag har ingen bror som heter Karl», säger Adam Murvall samtidigt som han stryker sig över pannan. »Ni kan påstå att vi är släkt, och med erat sätt att se på saken är det så, men inte med mitt. Han har valt sin väg, vi vår.»

»Vet du var han jobbar?»

»Det behöver jag inte svara på, eller hur?»

»Vad tror du Malin? Vi kan vänta på pizzerian över lunch, se om han kommer hem för att äta.»

De står utanför bilen, Zeke fumlar med nycklarna samtidigt som han pratar.

»Och det var jävligt länge sedan jag åt en pizza.»

»Inte mig emot. Och de kanske vet var han jobbar?»

Inne på pizzerian Conya doftar det torkad oregano och jäst. Inte de vanliga vävtapeterna, utan istället en rosa- och grönspräcklig tygtapet och bauhausstolar vid lackerade ekbord. En mörklagd man med overkligt rena händer tar emot deras beställning.

Undrar om han äger stället? tänker Malin. Det är ingen myt att invandrare måste starta eget för att kunna försörja sig. Vad skulle Karim säga om dig? Han skulle nog kalla dig för ett gott exempel. En människa som inte överlåter sin försörjning till andra, utan litar till sig själv.

Cirkelrörelsen vi måste hoppas på. Dina söner, tänker Malin, om du har några, kommer säkert att vara bland de bästa i sina kurser ute på universitetet. Hoppas det.

»Vad vill ni dricka? Det ingår i lunchen.»

»En cola», säger Malin.

»Samma», säger Zeke och när han tar upp plånboken för att betala, drar han upp sin polislegitimation.

»Känner du till en Karl Murvall som bor i huset.»

»Nej», svarar pizzabagaren. »Ingen jag känner till. Har han gjort något dumt?»

»Det har vi ingen anledning att tro», säger Zeke. »Vi vill bara prata med honom.»

»Tyvärr.»

»Är det ditt ställe?» frågar Malin.

»Ja, hur så?»

»Jag bara undrade.»

De tar plats vid ett bord med utsikt mot husets port. Efter fem minuter sätter bagaren två pizzor framför dem, gräddosten har smält och fettet flyter i pölar över tomatsåsen, skinkan och champinjonerna.

»Smaklig måltid», säger pizzabagaren.

»Smaskens», säger Zeke.

De äter, ser mot Tanneforsvägen, på bilarna som passerar, på de ilskna gråvita avgaserna som faller tungt mot marken.

Vad skapar en ravin mellan människor som delar blod? undrar Sven Sjöman.

Han har just avslutat förhöret med Jakob Murvall. Orden fastnaglade i huvudet.

»Han lever sitt liv. Vi vårt.»

»Men ni är ju bröder.»

»Bröder är inte alltid bröder, eller hur?»

Vad får människor som borde kunnat ha glädje av varandra, hjälp av varandra, att vända varandra ryggen? Att bli ett slags fiender istället. Det går att bli oense om pengar, om kärlek, om tro, ja om det mesta. Men familjen? Inom familjen? Om vi inte ens kan hålla ihop i det lilla, hur ska vi då någonsin få ordning på det stora?

Klockan är halv två.

Pizzan ligger som trögflytande betong i magen och de lutar sig tillbaka mot de flexibla rottingklädda ryggstöden.

»Han kommer inte», säger Malin. »Vi får komma tillbaka ikväll.»

Zeke nickar.

»Jag tänkte ta mig in till stationen. Skriva färdigt rapporten från igår», säger han. »Kan du åka ut till Ljungsbro själv och prata med Niklas Nyrén?»

»Okej, jag har några andra saker jag vill kolla upp», säger Malin.

»Behöver du hjälp?»

»Jag gör det gärna själv.»

Zeke nickar.

»Som du gjorde med Gottfrid Karlsson på hemmet?»

»Mm.»

De vinkar åt pizzabagaren som tack när de går.

»Ingen dum pizza», säger Zeke.

Karl Murvall är en människa, men i bästa fall ointressant i sin familjs ögon, så mycket är säkert.

»Karl?»

Elias Murvall ser uppgivet på Sven Sjöman.

»Prata inte om den fisförnäma lipsillen.»

»Har han gjort något dumt?»

Elias Murvall verkar tänka efter, mjukna en aning. Sedan säger han: »Han har alltid varit annorlunda, inte som vi.»

43.

Synen klarnar för Malin när hon kommer närmare trädet på fältet.

Vill inte tro det ögat ser.

Det ensamma trädet på fältet är inte längre så ensamt. En grön herrgårdsvagn med takbox står parkerad på vägen och på snön, just där Bengt Anderssons kropp måste ha fallit ner, står en kvinna klädd i vitt lakan, nej, hon är inte klädd i någonting och hon håller armarna ut från kroppen och blundar.

Öppnar inte ögonen när Malins bil närmar sig.

Inte en muskel rör sig i kvinnans ansikte och hennes hud är vitare än snön, könshåret overkligt svart och Malin stannar bilen och fortfarande ingen reaktion från kvinnan.

Frusen till is?

Död?

Ståendes upprätt, men så ser Malin hur kvinnans bröstkorg rör sig aningen upp och ner och hur hon vinglar lite i vinden.

Malin känner midvintern öppna sin dörr på vid gavel när hon kliver ur bilen, hur årstiden tar kommando över sinnena, liksom nollställer kroppen och förkortar avståndet mellan intryck, tanke och handling. En naken kvinna på ett fält. Det här blir bara galnare och galnare.

Bildörren går igen med en smäll, men det är som om det inte är hennes egen kraft som givit upphov till ljudet.

Kvinnan måste frysa och Malin närmar sig under tystnad.

Närmare, närmare och snart är hon bara några meter från kvinnan som bara blundar och andas och håller armarna utåt. Hennes ansikte är helt stilla och håret, korpsvart, hänger ner över ryggen i en fläta.

Slätten runt henne.

Det är bara lite mer än en vecka sedan de hittade Bollbengan, men polistejpen är nedriven och snön som fallit sedan dess lyckas inte dölja skräpet de nyfikna lämnat efter sig: fimpar, flaskor, godispapper, hamburgerkartonger.

»Hallå!» ropar Malin.

Ingen reaktion.

»Hallå!»

Stillhet.

Och Malin tröttnar på leken, vet vem det är hon har framför sig, minns vad Börje Svärd berättade efter hans och Johan Jakobssons besök hos Rickard Skoglöf.

Men vad gör hon här?

Malin tar av sig sin tjocka handske och knäpper kvinnan på näsan. Hårt två gånger och kvinnan rycker till, hoppar bakåt innan hon skriker.

»Vad i helvete håller du på med?»

»Valkyria? Malin Fors från Linköpingspolisen. Vad håller du på med härute?»

»Mediterar. Och nu störde du mig innan jag blev klar. Fattar du hur jävla irriterande det är?»

Det är som om Valkyria Karlsson plötsligt blir medveten om kylan. Hon rundar Malin, börjar gå mot sin bil och Malin följer efter.

»Varför just här, Valkyria?»

»För att det var här han hittades mördad. För att den här platsen har en alldeles egen energi. Du måste också känna den.»

»Lite märkligt ändå, eller hur Valkyria, det måste du hålla med om?»

»Nej. Inget märkligt alls», säger Valkyria Karlsson samtidigt som hon sätter sig i sin gröna herrgårdsvagn, en Peugeot, och sveper en lång fårskinnspäls om sin nakna kropp.

»Hade du och din kille något med det här att göra?»

Dum fråga, tänker Malin. Men dumma frågor kan provocera fram bra svar.

»Hade vi det skulle jag ju inte berätta det för dig, eller hur?»

Valkyria Karlsson slår igen bildörren, och snart ser Malin röken från avgasröret stiga långsamt upp mot himlen samtidigt som bilen försvinner bort mot horisonten.

Malin vänder sig mot trädet.

Trettiofem meter bort.

Tvingar undan bilden av den nakna Valkyria, får ta tag i henne sedan, nu ska hon göra det hon kom för.

Är du där, Bengt?

Och hon kan se kroppen, blåsvullen, sönderslagen, ensam vaggande i vinden.

Vad har alla de nyfikna som varit här förväntat sig att få se?

En svävande ande?

Ett lik? Känna stanken av våld, av döden så som den ser ut i deras värsta mardrömmar.

Turister i ett skräckkabinett.

Malin närmar sig försiktigt trädet igen, låter pulsen sjunka, stänger ute alla ljud, låter dagen försvinna för det som hänt här en gång, försöker fästa scenen i sitt inre; en ansiktslös människa som kämpar med en släde, kedjor runt kroppen, fötterna, traverser som svarta månar mot stjärnhimlen.

Malin står just där grenen brutits, där Valkyria Karlsson nyss mediterade.

Någon har lagt en blombukett på marken, fäst ett kort innanför en plastficka och häftat fast det vid buketten.

Malin lyfter upp blommorna, gråa av frost, och så läser hon:

»Vad ska vi göra nu, när ingen längre hämtar våra bollar?»

Ljungsbro IF:s A-lag.

Nu saknar ni honom.

I döden kommer tacket, och efter tacket, elden?

Malin sluter ögonen.

Vad hände Bengt, var dog du? Varför dog du? Vem hatade så mycket? Om det nu var hat?

Hur jag än ropar hör du mig inte, så jag tänker inte ens försöka, Malin Fors. Men jag står här bredvid dig, lyssnar på dina ord, och är tacksam över alla dina ansträngningar, allt ditt besvär. Men är det så viktigt, egentligen?

Är det här det bästa du kan ägna dig åt?

Hennes nakna vita kropp.

Hon kan göra sig immun mot kylan. Det kunde aldrig jag.

Jag vet vem som hatade så mycket.

Men var det hat?

Din fråga är berättigad.

Det var kanske förtvivlan? Ensamhet? Eller ilska? Eller nyfikenhet? Ett offer? Ett misstag?

Eller kanske något annat, mycket värre.

Kan jag få mina ord att nå fram? Ett endaste litet ord? I så fall skulle jag vilja att det var detta ord:

Mörker.

Det mörker som uppstår när själen aldrig får se ljuset i en annan människa, när den förtvinar och till slut försöker rädda sig själv.

Malin gungar med vinden, sträcker sig mot den avbrutna grenen, den del som klänger sig kvar vid trädet, men hon når inte upp och i glipan, i mellanrummet mellan det hon vill och förmår, blir det tydligt för henne.

Det är inte slut för dig, eller er, eller hur?

Du vill något, vill ha något, och du visar det på det här viset.

Vad är det du vill ha? Ni?

Vad kan du eller ni få ut av en naken kropp i ett träd på ett vinterpinat fält?

Vad är det man kan begära så starkt?

Mitt emot chokladparadiset Cloettas gulteglade fabriks mäktiga front, på andra sidan en liten park, ligger en rad med hus byggda på trettiotalet, villor blandade med låga vita hyreshus, där varje lägenhet har ingång via en egen trappa.

Niklas Nyrén bor i huset längst ner på gatan, i en lägenhet i mitten av tre.

Malin ringer på en gång, två gånger, tre gånger, men ingen öppnar.

I bilen på väg från trädet ringde hon honom både på mobilen och hem, fick inget svar, men ville ändå chansa.

Men det är lönlöst.

Inte hemma.

Margaretha Svensson berättade att han arbetade som resande försäljare av småkakor, representant för Cloettabolaget Kakmästaren.

Är väl ute på kundbesök, tänker Malin. Och har mobilen avslagen.

Hon lämnade ett meddelande på hans telefonsvarare:

»Hej, det här var Malin Fors på Linköpingspolisen. Jag skulle behöva fråga dig om ett par saker, ring mig på 070-3142022 så fort du hör det här.»

På väg tillbaka in till stan lyssnar Malin på P3.

Tv-personligheten Agneta Sjödin har skrivit ännu en bok om en guru i Indien som betytt mycket för henne.

»I hans sällskap», säger Agneta Sjödin, »blev jag en hel människa. Att möta honom var som att öppna en dörr och få komma in till mig själv.»

Reportern, en aggressiv alfahanne att döma av rösten, driver med Agneta utan att hon förstår det.

»Och vem hittade du i det rökelsefyllda rummet, Agneta? Indiens svar på Runar kanske?»

Sedan musik.

Linköping framför henne verkar jämra sig i det tidiga mörkret, glimmande varma ljus längs horisonten, löften om trygghet, om en säker plats att låta sina barn växa upp på.

Och det finns sämre platser, städer, tänker Malin. Här är tillräckligt litet för att det ska vara så tryggt det går att begära, samtidigt som det är tillräckligt stort och utvecklat för att ge en doft av den vidare världen.

Jag kände den doften. Tänkte stanna i Stockholm. Hade nog varit lagom stort för mig i längden. Men en ensamstående polismamma i Stockholm? Utan föräldrar, med dotterns pappa och farföräldrar tjugo mil bort, utan riktiga vänner.

Köpladorna vid Ikea. Babyland, Biltema, BR Leksaker. Skäggetorps skylt. Ljus som fäster sig inom mig, ljus som motvilligt formas till en känsla av hemma.

Malin och Zeke ringer på hos Karl Murvall strax efter klockan sju. Uppe på stationen berättade hon för Johan Jakobsson och Börje Svärd om sitt besök på brottsplatsen, hur Valkyria Karlsson varit där och mediterat i kylan.

Sedan ringde hon Tove: »Jag blir sen idag också.»

»Får Markus komma över?»

»Visst, om han vill.»

Jag vill inte stå vid den här dörren, tänker Malin. Jag vill hem och träffa min dotters pojkvän. Törs han ens komma till oss? Det enda han sett av mig var i mammas och pappas lägenhet och hur trevlig var jag då? Och så har han kanske hört Jannes version av min personlighet. Men hur lyder den?

Det är alltjämt tyst inifrån lägenheten. Inget mobilnummer på nätet att ringa till, inte ens en telefonsvarare på hemnumret.

Sven Sjöman om sina förhör: »De förnekar liksom hela hans existens. Vad det nu än kan vara som ligger till grund för det, så har det väckt det allra sämsta i Murvallarna. Jag menar, vad krävs för att en mor ska förneka sin son. Det är ju mot naturen.»

»Han kan vara var som helst», säger Zeke där de står i trapphuset utanför dörren.

»På semester?»

Zeke slår ut med armarna.

De vänder sig om och ska just gå nerför trapporna när de hör en bil sakta in utanför porten och parkera.

Malin böjer sig fram, tittar ut genom ett av trapphusets fönster ner på bilen, en mörkgrön Volvo kombi, med en skidbox som blir overkligt rosa i ljuset från gatlyktan. En tunnhårig man klädd i svart jacka öppnar dörren, kliver ut och skyndar sig in i huset.

Dörren går igen och mannen går med snabba steg uppför trapporna, en, två och så ser de honom, han tittar upp på dem, stannar, gör en ansats till att vända om, innan han fortsätter upp mot dem.

»Karl Murvall», säger Zeke och visar sin legitimation. »Vi är från polisen och skulle vilja prata med dig om det går bra.»

Mannen stannar vid dem. Ler.

»Det är jag som är Karl Murvall», upprepar han. »Visst, kom in ni bara.»

Karl Murvall har samma kraftiga näsa som sina halvbröder, men hans är vassare.

Han är kortvuxen, med begynnande kulmage, och hela hans gestalt verkar på något vis vilja sjunka genom stenen i trapphuset, samtidigt som han utstrålar en märklig, primitiv kraft.

Karl Murvall för in sin nyckel i nyckelhålet, öppnar dörren. »Jag har läst i tidningen om brorsorna», säger han. »Förstått att ni förr eller senare skulle vilja prata med mig.»

»Du kunde inte ha hört av dig själv?» säger Zeke, men Karl Murvall verkar inte bry sig om hans ord.

»Vänta, så ska jag släppa in er, kom in nu bara», säger han istället och ler.

44.

Karl Murvalls lägenhet.

Två rum.

Overkligt prydliga. Sparsamt möblerade.

Det liknar Bengt Anderssons hem, tänker Malin. Lika funktionellt, med bokhylla, soffa och ett skrivbord vid fönstret.

Inga prydnadssaker, inga blommor, inga dekorationer, inget som stör enkelheten eller kanske tomheten, förutom en skål med doftande, gulröda vinteräpplen på skrivbordet.

Böcker om dataprogrammering, matematik, Stephen King. En ingenjörs bokhylla.

»Kaffe?» frågar Karl Murvall och Malin tänker att han har en ljusare röst än sina bröder, att han ger ett mildare men ändå, på något vis, hårdare intryck. Som någon som härdats, som sett och hört det mesta. Lite som Janne, som hans blick när någon skryter om sina umbäranden på fjällsemestern, den där blandningen av förakt och medlidande, och känslan av var-glada-att-ni-inte-vet-vad-ni-snackar-om.

»För sent på dagen för mig», säger Zeke. »Men kriminalinspektör Fors tar nog gärna en kopp.»

»Gärna.»

»Slå er ner så länge.»

Karl Murvall pekar på soffan och de sätter sig, hör honom böka ute i köket, och efter kanske fem minuter är han tillbaka med en bricka med rykande koppar.

»Jag tog med en tredje kopp utifall att», säger Karl Murvall och ställer brickan på soffbordet, innan han sätter sig på kontorsstolen vid skrivbordet.

»Fin lägenhet», säger Malin.

»Och vad kan jag hjälpa er med?»

»Har du jobbat hela dagen?»

Karl Murvall nickar.

»Har ni sökt mig tidigare?»

»Ja», svarar Malin.

»Jag jobbar mycket. Jag är ansvarig för all IT ute på Collins verkstäder i Vikingstad. Trehundrafemtio anställda och en alltmer datoriserad verksamhet.»

»Ett bra jobb.»

»Ja. Jag läste till dataingenjör på universitetet och det gav utdelning.»

»Du skulle ha råd med större», säger Malin.

»Jag är inte intresserad av det materiella. Egendom förpliktigar. Jag behöver inte ha större.»

Karl Murvall tar en klunk kaffe innan han fortsätter:

»Men ni kom inte hit för det.»

»Bengt Andersson», säger Zeke.

»Han i trädet», svarar Karl Murvall stilla. »Gräsligt.»

»Kände du honom?»

»Jag visste vem han var sedan min uppväxt i Ljungsbro. Där kände man till honom, den familjen.»

»Men inte mer än så?»

»Nej.»

»Att han figurerade i utredningen om våldtäkten på din syster?»

Utan att hans tonläge ändras svarar Karl Murvall:

»Ja, men det var väl naturligt. Han var ju hennes klient och hon brydde sig om alla sina klienter. Hon fick honom att bry sig om den personliga hygienen.»

»Står du och din syster varandra nära?»

»Det är svårt att stå henne nära.»

»Men innan?»

Karl Murvall ser bort.

»Besöker du henne?»

Återigen tystnad.

»Du och dina bröder verkar ha ett ansträngt förhållande», säger Zeke.

»Mina halvbröder», säger Karl Murvall. »Vi har ingen kontakt. Det stämmer.»

»Varför då?» undrar Malin.

»Jag har utbildat mig. Jag har ett bra jobb och jag betalar skatt. Det är sådant som inte rimmar väl med mina halvbröder. Jag antar att de är arga för det. Att de tror att jag tycker att jag är bättre än de.»

»Din mamma också?» fortsätter Zeke.

»Kanske mest av allt min mor.»

»Ni är halvbröder. På födelseattesten står det att din far är okänd.»

»Jag är Rakel Murvalls första barn. Min far var en sjöman som försvann i en förlisning när hon var havande. Det är allt jag vet. Sedan träffade hon honom, deras far, Svarten.»

»Hur var han?»

»Först en suput. Sedan en invalidiserad suput. Sedan en död suput.»

»Men han tog sig an dig?»

»Jag förstår inte vad min barndom har med det här att göra, kriminalinspektör Fors, jag förstår inte alls.»

Så ser Malin skiftningen i Karl Murvalls ögon, hur sakligheten förbyts i sorg och sedan i ilska.

»Kanske borde ni bli terapeuter istället. De där personerna på slätten lever sitt liv, jag mitt, så är det bara, förstår ni det?»

Zeke lutar sig framåt.

»För sakens skull: Vad gjorde du natten mellan onsdag och torsdag förra veckan?»

»Jag arbetade. Jag hade en större uppdatering av systemen som jag var tvungen att göra nattetid. Vakten på Collins kan bekräfta det. Men ska det verkligen behövas?»

»Det vet vi inte än, men nej, inte egentligen.»

»Jobbade du ensam?»

»Ja, det gör jag alltid med svåra projekt. Ingen annan begriper ärligt talat och då stör de bara. Men vakten kan bekräfta att jag var på plats hela natten.»

»Vad vet du om dina bröders affärer?»

»Ingenting. Och om jag visste skulle jag inte berätta det för er. De är trots allt mina bröder. Och om man inte värnar varandra inom familjen, vem ska då göra det?»

När de drar på sig jackorna och gör sig redo att lämna lägenheten vänder sig Malin mot Karl Murvall.

»Jag såg boxen på taket. Åker du skidor?»

»Jag har den för att frakta grejor», svarar Karl Murvall innan han fortsätter: »Skidor åker jag inte. Sport är inte min grej.»

»Tack för kaffet då», säger Malin.

»Tack», säger Zeke.

»Du drack ju inte din kopp», konstaterar Karl Murvall.

»Tack för omtanken», säger Zeke.

Malin och Zeke står bredvid varandra vid Karl Murvalls kombi. Filtar täcker bagageutrymmet, ovanpå filtarna har han placerat en stor verktygslåda.

»Han kan inte ha haft det så jävla kul där ute när han växte upp», säger Malin.

»Nej, jag får mardrömmar bara jag tänker på skiten.

»Ska vi åka ut till Niklas Nyrén?»

»Malin, vi har ringt honom tio gånger minst. Han får vänta till imorgon. Åk hem och vila nu. Åk hem till Tove.»

45.

Lördag den elfte februari

Tåget rör sig framåt.

Göran Kalmvik ligger utsträckt i bädden i sin kupé. Låter tankarna komma och gå.

När finns det inte längre något att komma hem till? tänker han. Man kan vara borta så mycket att borta blir hemma. Och jag, i alla fall, plockar upp saker på vägen.

Det är fortfarande mörkt utanför tågvagnens fönster, men han kan inte sova, trots farkostens envetna dunkande mot rälsens skarvar, trots att han är ensam i en första klass-kupé och trots att lakanen är krispiga, varma och mjuka och doftar sövande nytvättat.

Statoil betalar biljetten.

Han undrar hur länge till han ska orka.

Det är dags att välja liv. Han är fyrtioåtta och har levt dubbelliv i tio år snart, ljuger Henrietta rakt upp i ansiktet varje gång han kommer hem.

Men hon verkar inte ana något.

Hon verkar nöja sig med pengarna, tycka att det är skönt att slippa jobba, och bara köpa.

Värre är det med grabben.

Mer distanserad för varje gång han är borta.

Och historierna från skolan. Kan det verkligen vara han som beter sig så?

Ungjävel, tänker Göran Kalmvik samtidigt som han vänder sig om. Ska det vara så svårt att bete sig som folk? Han är ju femton nu och han har alltid fått allt han vill.

Bättre att kanske packa och dra? Flytta till Oslo ändå. Prova.

Jobbet är vedervärdigt så här års. Kallt så att något fryser för gott inom en när man driver fram och tillbaka i isvinden över borrplattan högst upp på plattformen och kroppen som aldrig hinner bli varm mellan skiften och hur de inte ens orkar prata med varandra i arbetslaget.

Men de betalar bra.

Lönar sig att ha erfaret folk på plattformarna med tanke på vilka värden som går förlorade vid produktionsstopp. Slangarna är som kalla ormar fyllda av svarta drömmar.

Norrköping strax. Sedan Linköping.

Sedan hemma.

Kvart i sex.

Henrietta möter honom inte vid tåget. Länge sedan hon slutade med det.

Hemma.

Om det nu inte blivit borta.

46.

Sovvagnar från Oslo vidarebefordrade från Stockholm ner mot Köpenhamn, ett sävligt tåg på väg med människor som drömmer eller håller på att vakna.

Klockan är 06.15. Sexton över ska tåget komma och morgonen har bara börjat göra sig påmind. Det är nästan ännu kallare än tidigare. Men hon orkade sig upp, ville se om Göran Kalmvik verkligen kom med tåget som sagt, och i så fall, utröna vilka som är hans hemligheter.

Hon har ringt till vakten på Collins. De kontrollerade sina loggar och Karl Murvall hade varit på fabriksområdet från 19.15 på onsdagskvällen till 07.30 morgonen därpå. Hade jobbat över med en större uppdatering som hade förflutit enligt planerna. Hon hade frågat om det fanns någon annan väg ut, eller om han kunde ha smitit ut på något sätt, men vakten hade låtit tvärsäker: »Han var på plats hela natten. Det finns ingen annan väg ut än stora grinden. Och stängslet har sensorer som vi styr från vår kur. Vi hade sett om någon gjort åverkan direkt. Och var. Han var där uppe i serverrummet när vi gick våra rundor.»

Middag med Tove igår. De pratade om Markus. Sedan såg de tio minuter på en Rosa Pantern-film innan Malin somnade i soffan.

Nu anar hon tåget borta vid bron över Stångån.

Cloetta Center som ett rymdskepp till vänster på andra sidan och Tekniska verkens skorsten envetet kämpandes med röken, bokstäverna i logotypen lyser röda som ögon på ett misslyckat fotografi.

Tåget växer när det närmar sig, loket nu vid perrongens början, en storslagen ingenjörsskapad projektil.

Malin är ensam på stationen. Hon slår med armarna om täckjackan, rättar till mössan.

»Ingen Henrietta Kalmvik», tänker Malin. »Jag är den enda som är här för att möta någon. Och jag jagar en mördare.»

Endast en dörr i tåget öppnas, två vagnar ner, och Malin skyndar dit, känner hur den kalla luften sliter i lungorna. Endast en man kliver ner på perrongen, med två stora, röda resväskor, en i vardera handen.

Ett väderbitet ansikte och en kropp som är tung men ändå muskulös och hela gestalten utstrålar vana vid kyla och umbäranden, den blåa rocken inte ens knäppt.

»Göran Kalmvik?»

Mannen blir förvånad.

»Ja, och vem är du?»

Dörren till vagnen går igen, en konduktörsvissla ljuder och dränker nästan Malins röst när hon säger sitt namn och sin titel. När ljudet från visslan klingat ut och tåget lämnat perrongen berättar hon hastigt sitt ärende.

»Så du har försökt få tag på mig?»

»Ja», säger Malin. »För några klargöranden.»

»Då vet du att jag inte har varit på plattformen.»

Malin nickar.

»Vi kan prata i min bil», säger hon. »Det är varmt där. Jag lät den gå på tomgång.»

Göran Kalmvik nickar. Hans min lättad men också skyldig.

Minuten senare sitter han bredvid henne i bilen på passagerarsätet och hans andedräkt luktar starkt av kaffe och tandkräm, och han pratar på utan att hon behöver fråga.

»Jag har haft en kvinna i Oslo i ett drygt decennium. Har ljugit för Henrietta i tio år, hon tror fortfarande att jag jobbar tre veckor och är ledig två, men det är tvärtom. Den där andra veckan är jag i Oslo, med Nora och hennes grabb. Jag gillar hennes pojke, mycket enklare än Jimmy. Jag har aldrig begripit mig på den grabben.»

För du har aldrig varit hemma, tänker Malin.

»Och vapen? Har du någon aning om Jimmy kan ha fått tag i ett vapen?»

»Nej. Jag har aldrig varit intresserad av sådant.»
»Och du vet inget om vad han gjort mot Bengt Andersson?»
»Tyvärr.»
För du har aldrig varit hemma, tänker Malin igen.
»Jag behöver numret till din kvinna i Oslo.»
»Behöver Henrietta få reda på något? Jag vet inte hur jag vill ha det. Jag har försökt berätta men du vet hur det kan vara. Så måste hon få reda på ...»
Malin skakar på huvudet. Som svar, som försök att få tyst på Göran Kalmvik och som reflektion över det andra könets ibland till synes obotliga svaghet.

Malin sitter kvar i bilen och ser Göran Kalmviks taxi försvinna i riktning mot Ljungsbro, förbi livsmedelsaffärens sorgliga tegellada.
Hon tänker.
Låter möjligheterna vandra fritt i skallen och så tar hon upp mobilen, ringer Niklas Nyréns olika nummer. Men han svarar inte, har inte ringt tillbaka och hon tänker att kanske är han hos Margaretha Svensson, knappar fram numret i adressboken med hejdar sig när hon ser vad klockan är.
05.59.
Lördag morgon.
Det får vänta.
Någon anständighet måste det få finnas även i en mordutredning. Låt den sönderarbetade, ensamstående mamman sova.
Så kör Malin hem. Lägger sig i sin säng efter att ha tittat till Tove. Och innan hon somnar kommer bilden av Valkyria Karlsson till henne, naken på fältet, änglalik, kanske en djävulens ängel.

47.

När blir ett fall till en svart vakendröm?

När börjar sökandet efter sanning gå i cirklar? När infinner sig det första tvivlet bland de poliser som arbetar med utredningen, känslan av att det här, det kanske vi aldrig löser, denna gång kommer sanningen att undfly oss.

Malin vet.

Det kan hända tidigt eller sent i en utredning, finnas som en aning från ett första telefonsamtal. Det kan hända plötsligt eller komma undan för undan. Det kan ske en trött, tidig morgon i ett mötesrum där fem utarbetade lördagsjobbande poliser, som borde sova istället för att dricka svart finkelsmakande kaffe, får börja dagen med ett dåligt besked.

»Vi fick just den slutgiltiga rapporten från tekniska om tillslaget hos Murvalls. De har jobbat dygnet runt men vad hjälper det?»

Sven Sjöman ser uppgiven ut där han står vid bordets kortända.

»Ingenting», säger han. »Bara djurblod, älg, rådjur, vildsvin och hare. Hår från djur i verkstaden. Inget annat.»

Satan, tänker Malin, även om hon innerst inne vetat hela tiden.

»Då sitter vi fast där», säger Johan Jakobsson.

Zeke nickar.

»Fast som i stelnad betong skulle jag säga.»

»Vi har andra linjer. Asaspåret. Börje?» frågar Sven. »Något nytt? Hörde ni Valkyria Karlsson igen efter att Malin stötte på henne ute vid eken?»

»Vi har försökt nå henne telefonledes och ska försöka få fatt i henne idag», svarar Börje Svärd. »Nu har vi också hört tjugo personer med anknytning till Rickard Skoglöf, ingen av dem verkar ha minsta koppling till Bengt Andersson. Men vi måste ju ställa oss frågan: Vad gjorde hon egentligen på brottsplatsen? På det sättet? Och varför?»

»Förargelseväckande beteende», säger Johan. »Är det inte det att meditera naken offentligt?»

»Hon störde ingen», säger Malin. »Jag ringde Göran Kalmviks kvinna i Oslo och hon bekräftade. Och jag tänker försöka prata med Niklas Nyrén idag. Han känns som den sista stenen att vända på i den utredningslinjen.»

»Vi får helt enkelt kämpa på», säger Börje och just som han yttrat de orden knackar det på dörren och utan att någon ropat »Kom in», öppnar polisassistent Marika Gruvberg dörren och sticker in huvudet.

»Ursäkta att jag stör. Men en bonde har hittat döda djurkroppar hängandes i ett träd på en åker. Samtalet kom alldeles nyss.»

Cirklar, tänker Malin.

Sju kretsar.

Alla bär neråt.

De gråvita skiftningarna går i varandra, blir otydliga för ögat och det är svårt att skilja på mark och himmel.

Djuren hänger i en av de tre tallarna i en liten dunge mitt ute på ett fält mellan Göta Kanal och Ljungs kyrka. Borta vid kanalen står de lövlösa träden uppställda i svart givakt, och kanske åttahundra meter åt öster försvinner den vita, kistlika kyrkobyggnaden liksom ut i atmosfären, bara kvarhållen av de omgivande husens tveksamma färger, skolhuset ockrafärgat, lärarbostaden smörblomsgul.

Kropparna verkar tömda på blod där de hänger i sina halsar på den minsta tallens lägsta gren. Snön är fläckvis färgad röd av stelnat blod som måste ha forsat ur snitten i djurens kroppar och halsar. En dobermannhund, en griskulting och ett knappt årsgammalt lamm. Hundens mun är tejpad med svartgul varningstejp.

Under trädet, i blodet och snön, ligger fimpar och skräp och i snön kan Malin se märkena efter en stege.

Bonden, en Mats Knutsson, står bredvid henne i fodrad grön overall.

»Jag tog en sväng runt ägorna med bilen, brukar göra det så här års, bara för att hålla koll, och då såg jag det här i trädet, det såg liksom konstigt ut på håll.»

»Du har väl inte rört något?»

»Jag har inte varit i närheten av djuren.»

Zeke, allt mer misstrogen mot allt levande på slättlandet.

»De är som inavlade hela bunten», väste han i bilen ut till brottsplatsen. »Vad fan betyder det här?»

»Ja, det kan inte vara bröderna Murvall.»

»Nej, de sitter i häkte.»

»Kan det vara Jimmy Kalmvik och Joakim Svensson?»

»Möjligt. Enligt Fredrik Unning hade de ju plågat katter.»

»Vi får kolla upp dem igen.»

»Likadant med Skoglöf och Valkyria Karlsson.»

Några meter bortanför grenen där djuren hänger har någon skrivit MIDVINTERBLOT i snön med darriga bokstäver. Den som gjorde det har inte använt blodet från djuren utan röd sprayfärg, så mycket kan Malin se med blotta ögat. Karin Johannison, som nyss anlänt, finkammar marken på huk med hjälp av en kollega Malin inte sett tidigare, en ung tjej med stora fräknar och rött hår i tovor under en turkos mössa.

Bortanför det röda ordet har någon urinerat, format ordet VAL men sedan måste blåsan blivit tom.

Zeke, vid sidan av träden, pekar mot djuren.

»De har skurit halsarna av dem. Tappat dem på blod.»

»Tror du de levde innan?»

»Knappast hunden. De kan ställa till ett jävla liv när instinkterna slår till.»

»Stegmärken», säger Malin. »Mellan kropparna. De små avskavda märkena måste vara efter en metallstege, och de här hålen i snöskorpan efter ändarna.»

Börje Svärd vankar av och an samtidigt som han pratar i sin mobiltelefon.

Han avslutar samtalet.

»Ser ni hunden där i trädet. Helt jävla hjälplös måste han ha varit till slut. Inte ens munnen kunde de jävlarna låta vara ifred. Han är så vitt jag kan se en prydnad för sin ras, och då är han köpt på kennel, och säkert märkt. Då kan vi spåra ägaren via skatteregistret. Så ta ner honom nu. Nu!»

»Måste bara göra färdigt här», ropar Karin samtidigt som hon ser upp mot dem, leende.

»Låt det gå fort», säger Börje. »Han ska inte behöva hänga där.»

»Behöver vi använda aggregat den här gången?» frågar Karin sedan.

»Inget jävla aggregat», skriker Börje.

»Inte för djuren», säger Zeke. »Eller vad tycker du, Malin?»

Malin skakar på huvudet.

»Vi verkar ju få det vi behöver här ändå.»

Så hör de en bil närma sig. De känner alla igen ljudet av en piket och vänder sig om. Bilen kör så nära den kan komma och borta vid vägen ser de Karim Akbar kliva ur, ropa åt deras håll.

»Jag visste det, jag visste det. Att det fanns något i asaspåret. I den där professorns berättelser. I asakretsarna.»

Någon knackar Malin i ryggen och hon vänder sig om.

Bonden Knutsson står bakom henne tillsynes oberörd av uppståndelsen.

»Behöver ni mig mer nu, eller kan jag åka? Kossorna … »

»Åk du», säger Malin. »Vi ringer om det är något mer.»

»Och djuren?»

Bonden gör en gest mot trädet.

»Dem tar vi ner.»

Just som hon avslutar meningen, ser hon Correspondentens reportagebil närma sig på avstånd.

»Daniel», tänker hon. »Var har du hållit hus?»

Men det är inte Daniel som kliver ur bilen. Istället den näsringade fotografen och en nikotininfärad gråhårig journalist som Malin vet heter Bengtsson, en garvad typ, komplett med pipa och ett genuint förakt för datorer och ordbehandlingsprogram.

Honom, tänker Malin, får Karim ta hand om, nu när han letat sig hit ut.

Ska jag fråga efter Daniel, tänker Malin sedan. Men återigen slår hon tanken ur hågen. Hur skulle det se ut? Och hur mycket bryr jag mig?

»Ta ner hunden nu», säger Börje.

Malin kan se frustrationen och ilskan i hans kropp, all den känsla han riktar mot hundkadavret i trädet.

Hon vill säga: Ta det lugnt, Börje, han känner inget där han hänger, men hon förblir tyst, tänker: Det han kände är sedan länge förbi.

»Vi är klara här nu», säger Karin och bakom sig hör Malin ljudet av fotografens kamera och hur Bengtsson, med sin hesa röst, intervjuar Karim.

»Vad drar ni för ...»

»Grupper av ... samband ... tonårspojkar ...»

Så rusar Börje mot djuren i trädet, tar sats och hoppar upp mot hunden, men når inte dess slaka ben, fläckade av små klumpar med levrat blod.

»Börje, för fan», ropar Malin, men han hoppar igen och igen och igen, försöker upphäva tyngdlagen i sina försök att rädda hunden från sitt hjälplösa hängande.

»Börje», skriker Zeke. »Är du tokig? De kommer med en stege snart, så kan vi ta ner hunden.»

»Håll käften.»

Och så får Börje grepp om hundens bakben, hans händer liksom limmas vid dem och han sliter till och motvilligt följer hunden med tyngden från Börjes kropp och grenen böjs till en svankande båge och snöret som hållit hunden fast vid grenen ger vika. Börje skriker, stönar när han faller ner på den röda snön.

Hunden landar bredvid honom, med öppna livlösa ögon.

»Den här vintern gör alla galna», viskar Zeke. »Komplett jävla bindgalna.»

48.

Från fältet kan Malin se skogarna där Maria Murvall blev överfallen och våldtagen, skogsranden är som en svart strimma mot den vita himlen. Hon kan inte se vattnet, men vet att Motala ström rinner där borta, porlar som en förvuxen bäck under det tjocka istäcket.

På en karta ser inte skogen särskilt mäktig ut, ett tre, fyra mil brett bälte som sträcker sig upp från Roxen och bort mot Tjällmo och Finspång och åt andra hållet Motala. Men inne i skogen går det att försvinna, gå vilse, stöta på sådant som är ogripbart för oss människor. Det går att utplånas bland slyn och de multnande löven, de oplockade svamparna på väg att bli en del av skogens underström. Förr trodde folket här i trakten på troll, på älvor, oknytt och bockfotade väsen, att de strök runt mellan stammarna och försökte locka till sig människor att förgöra.

Vad tror folk här på idag? tänker Malin, och ser bort mot kyrktornet istället för skogen. Hockey och Melodifestivalen?

Sedan en blick på djurkropparna i snön.

Börje Svärd med öronsnäcka. Han rafsar ner ett nummer på en lapp och ringer sedan på sin mobiltelefon.

Zeke i en annan telefon.

En bonde, en Dennis Hamberg utanför Klockrike, har anmält inbrott i sin ladugård, förtvivlad: »Två ekologiska djur stulna, en kulting och ett årsgammalt lamm. Jag flyttade hit från Stockholm för att bedriva ansvarsfullt jordbruk och så blir jag bestulen.»

Skogen.

Svart och full av hemligheter, en John Bauer-flicka som stirrar ner i sjön, på bilden av sig själv. Kommer det någon bakom henne?

Så sitter de alla i piketen, det dova ljudet av en motor på tomgång i bakgrunden, en förrädisk värme som får dem att knäppa upp sina fodrade jackor, tina, bli öppna igen. Ett snabbt sammankallat möte på fältet; Malin, Zeke, Johan, Börje och Karim; Sven Sjöman på stationen, upptagen med pappersarbete.

»Nå?» säger Karim. »Hur går vi vidare?»

»Jag tar hand om att spåra hunden», säger Börje. »Det kommer inte att ta lång tid.»

»Uniformerna får knacka dörr», säger Zeke. »Och jag och Malin tittar in hos eko-bonden och så kollar vi Kalmviks och Svenssons förehavanden igår kväll. Vi kan inte släppa något än.»

»Sambandet är väl kanske uppenbart», säger Karim på sin plats i förarsätet. »Ritualen, den ökade tydligheten och vårdslösheten.»

»I sådana här fall brukar våldet eskalera», säger Malin. »Det visar all erfarenhet. Och från människa till djur är knappast en eskalering.»

»Kan vara», säger Börje. »Vem vet vad som försiggår i huvudet på vissa?»

»Följ upp Rickard Skoglöf och Valkyria Karlsson också», säger Karim. »Asastämpeln på det här är tydlig.»

När mötet är avslutat ser Malin upp mot skogen igen. Sluter ögonen, ser en naken värnlös människokropp på vass mossa.

Hon öppnar ögonen, vill tvinga bort bilden.

Karin Johannison går förbi bärandes på en stor, gul sportväska.

Malin hejdar henne.

»Karin. Möjligheterna att analysera fram DNA ur blodspår har väl blivit bättre de senaste åren. Har de inte det?»

»Det vet du, Malin. Du behöver inte smickra mig med din okunskap. I Birmingham, på det brittiska huvudlabbet, har de kommit otroligt långt. Du anar inte vad de kan få fram ur ingenting.»

»Vi då?»

»Vi har inte de resurserna än. Men det händer att vi skickar material dit för analys.»

»Om jag hade ett prov, kan du ombesörja det då?»

»Visst. Jag har en kontakt där. En intendent John Stuart, som jag träffade på en konferens i Köln.»

»Jag återkommer», säger Malin.

»Gör det», säger Karin och kånkar vidare på väskan i den skrovliga snön, tyngden till trots rör hon sig lika elegant som en modell på catwalken i Paris.

Malin går bort en bit på vägen från de andra, tar upp telefonen, ringer in till växeln.

»Kan du koppla mig till en Sven Nordström på Motalapolisen.»

»Visst», svarar en kvinnlig telefonist.

Tre signaler, sedan Nordströms röst: »Nordström.»

»Fors i Linköping här.»

»Hej, Malin. Det var ett tag sedan sist.»

»Ja, men nu behöver jag din hjälp. Du vet ert våldtäktsfall, Maria Murvall, syster till bröderna som dykt upp i vår pågående utredning. Hade hon rester av kläder på sig när ni hittade henne?»

»Det hade hon. Men blodfläckarna på dem var så smutsiga att tekniska inte kunde få fram någonting.»

»Enligt Johannison hos oss har det kommit nya tekniker. Och hon har någon kontakt i Birmingham som kan trolla med sådant här.»

»Så du vill skicka klädresterna till England?»

»Ja. Kan du se till att de kommer till Karin Johannison på SKL?»

»Egentligen borde det gå den officiella vägen.»

»Säg det till Maria Murvall.»

»Vi har proverna i arkivet. Karin får över dem idag.»

»Tack, Sven.»

Just som Malin lägger på passerar Karin i sin bil. Malin hejdar henne.

Karin vevar ner rutan.

»Du får över material idag, från Nordström i Motala. Skicka det till Birmingham, så fort som du kan. Bråttom.»

»Vad är det?»

»Maria Murvalls kläder. Resterna av dem.»

Margaretha Svensson är trött när hon öppnar dörren till sin marklägenhet. Det doftar kaffe inifrån köket och hon verkar inte förvånad över att se Malin och Zeke igen, gör bara en gest med handen åt dem att komma in, att slå sig ner vid köksbordet.

Är Niklas Nyrén här? tänker Malin, men vore han det skulle han nog suttit vid bordet eller i varje fall i vardagsrummet. Han skulle gjort sig synlig nu.

»Vill ni ha kaffe?«

Malin och Zeke stannar i hallen efter att ha stängt ytterdörren bakom sig.

»Nej tack«, säger Malin. »Vi har bara några korta frågor.«

»Fråga på.«

»Vet du vad din son gjorde igår kväll och i natt?«

»Ja, han var här hemma. Jag och Niklas och han åt tillsammans, sedan såg vi på tv till sent.«

»Och han var aldrig ute?«

»Nej, det vet jag helt säkert. Han sover där uppe nu. Ni kan väcka och fråga honom.«

»Ska inte behövas«, säger Zeke. »Finns Niklas här nu?«

»Han är hemma. Åkte sent igår.«

»Jag har bett honom ringa mig, lämnat meddelanden.«

»Han sa det. Men han har haft mycket på jobbet.«

Mordutredning, tänker Malin. En jävla mordutredning och folk orkar inte ens ringa tillbaka. Och så klagar de på att polisen är slö? Ibland har Malin önskat att folk kunde förstå att polisen egentligen bara är yttersta förgreningen i det samhällstäckande grenverk där alla, var och en, måste se till att hålla ordning och reda.

Men alla litar på att alla andra gör sitt. Och själva gör de inget.

NAP, som det heter i *Livet, universum och allting*. Någon Annans Problem.

»Vad tror du?« undrar Zeke när de går tillbaka mot bilen.

»Hon talar sanning. Han var hemma igår. Och Jimmy Kalmvik kan knappast ha gjort det själv. Bonden nästa.«

Gruppen av hus på en åker kilometern utanför Klockrike ligger inbäddad i snö och kyla och de omgivande dungarna med björkar och en vackert stensatt mur skänker bara en smula lä åt trädgården framför det nybyggda boningshuset.

Huset är byggt i sandsten, med gröna luckor för fönstren. Framför farstubron, målad i medelhavsblått, står en Range Rover parkerad.

Det borde dofta av lavendel, timjan och rosmarin, men istället doftar det av is och vid infarten till den allé som leder fram till huset finns en portal där någon satt upp en skylt: »Finca de Hambergo».

Den grönmålade dörren till huset öppnas och en blonderad man i fyrtioårsåldern sticker ut huvudet.

»Bra att ni kom så fort. Kliv på.»

Hela husets nedervåning är ett enda öppet rum med hall, kök och vardagsrum i ett. När Malin ser stenväggarna, det mönstrade kaklet, de öppna köksluckorna och terrakottagolvet och naturfärgerna känner hon sig transporterad till Toscana eller Mallorca. Eller är det kanske till Provence?

Hon har bara varit på Mallorca, och då såg inte husen ut så här, hennes och Toves lägenhetshotell såg mer ut som en förvuxen hyreslänga i Skäggetorp. Men ändå, från inredningstidningarna vet hon att det är så här drömmen om sydlandet ser ut för många.

Dennis Hamberg märker att de stirrar.

»Vi ville få det att se ut som en blandning av andalusisk finca och umbriskt byhus. Vi flyttade ner från Stockholm för att starta en ekologisk farm. Egentligen ville vi längre bort, men ungarna ska gå i svensk skola, de går på högstadiet inne i Ljungsbro. Och frun fick ett bra jobb som pr-ansvarig på Nygårds Anna inne i Linköping. Jag gjorde en jävla resa på nittiotalet och ville få lugn och trygghet.»

»Var är din familj nu?»

»I stan och shoppar.»

Och nu är du pratsjuk på en öde vinterslätt, tänker Malin.

»Och inbrottet i ladugården?»

»Just det. Kom med här.»

Dennis Hamberg drar på sig en svart Canadian Goose-parkas och tar med dem över gårdsplanen bort till en falumålad lada, pekar på ett kofotsmärke i dörrkarmen.

»Här gick de in.»

»Flera?»

»Ja, det är fullt av fotspår där inne också.»

»Då får vi försöka undvika att trampa i dem», säger Zeke.

Avtryck efter gymnastikskor och kraftiga kängor. Militärskor? tänker Malin.

I ladugården står några burar med kaniner. I en spilta står ett ensamt lamm, och i en fyrkant av betong ligger en svart sugga och diar tiotalet grisar.

»Iberico. Pata Negra från Salamanca. Jag ska tillverka skinka.»

»Det var här de tog en gris?»

»Ja. De tog en kulting. Ett lamm också.»

»Och ni hörde ingenting?»

»Inte ett ljud.»

Malin och Zeke ser sig omkring, sedan går de ut på gårdsplanen med Dennis Hamberg efter sig.

»Tror ni jag kan få tillbaka djuren?» säger han.

»Nej», säger Zeke. »De hittades hängda i ett träd utanför Ljung i morse.»

Dennis Hambergs ansiktsmuskler verkar förtvina på ett ögonblick, han skakar till i hela kroppen, innan han samlar sig och söker grepp om något som verkar helt oförståeligt.

»Vad sa ni?»

Zeke upprepar det han sa.

»Men sådant händer väl inte här?»

»Verkar inte bättre», säger Malin.

»Vi skickar hit våra tekniker, så får de göra en genomgång.»

Dennis Hamberg ser ut över fälten, drar på sig sin kapuschong.

»Innan vi flyttade hit», säger han, »visste jag inte hur mycket det kan blåsa. Visst blåser det i Egypten, och på Kanarieöarna och i Tarifa, men inte som här.»

»Har ni hund?» frågar Malin.

»Nej, men vi ska skaffa katter till sommaren.» Och så tänker Dennis Hamberg ett slag innan han frågar: »Och djuren, måste jag identifiera dem?»

Malin tittar bort, ut över fälten, hör på Zekes röst hur han kväver ett skratt.

»Det är lugnt, Dennis», säger han. »Vi utgår från att djuren är dina. Men vill du går det säkert att ordna.»

49.

Börje Svärd knyter händerna i fickorna, känner hur något närmar sig, något som inte går att ta på. Det finns i luften han andas och han känner igen det. Egentligen är det en känsla, av att något snart kommer att hända, att ett skeende har en betydelse för honom själv som sträcker sig bortom det han förmår omfatta.

Imman på bilrutan tilltar för varje andetag.

Ägaren till dobermannen, enligt skatteverkets register, heter Sivert Norling och bor på Olstorpsvägen 39 i Ljungsbro, på den sidan av strömmen där vägarna leder upp i skogarna mot Hultsjön. Det tog bara några minuter att få fram namnet på hundägaren, tjänstvilligt folk på myndigheten i Stockholm.

Börja med det här.

Hela hans polisinstinkt känner det. Närmast, möjligast. Skoglöf och Valkyria Karlsson får vänta.

Och nu är han och Johan Jakobsson där. Han vill se hur den jäveln ser ut, om det nu är ägaren som gjort det. I vilket fall som helst måste man ha bättre koll på sin hund än att några galningar får tag på den.

Den vitmålade trävillan ligger inklämd bland andra liknande sjuttiotalskåkar. Äppel- och päronträden är fullvuxna och om sommaren är säkert häckarna höga och skyddande för insyn.

»Inget att spara på», säger Börje. »Man vet aldrig. Vi kan vara nära.»

»Hur gör vi?» undrar Johan.

»Vi ringer på.»

»Okej. Bäst så antar jag.»

De går ur bilen, öppnar grinden i staketet och går uppför trappan. Ringer på.

De ringer tre och fyra gånger innan de hör trötta steg innanför dörren.

En kille i övre tonåren öppnar. Han är klädd i svarta skinnbyxor med långt svart hår hängande över piercade bröstvårtor. Hans hud är lika vit som snön i trädgården och kylan verkar inte bekomma honom.

»Och?»

Säger han och tittar slött på Börje och Johan.

»Och?» säger Börje. »Är du Sivert Norling?» frågar han samtidigt som han håller upp sin polislegitimation.

»Nej. Det är farsan.»

»Och du heter?»

»Andreas.»

»Får vi komma in? Det är kallt här ute.»

»Nej.»

»Nej?»

»Vad vill ni?»

»Er hund. En dobermann. Är den bortsprungen?»

»Jag har ingen hund.»

»Enligt skatteverkets register har ni det.»

»Det är farsans hund.»

»Men nyss sa du ju att ni inte hade någon hund.»

Johan ser på pojkens händer. Små röda stänk.

»Jag tror du får ta och komma med oss», säger han sedan.

»Får jag sätta på mig en tröja?»

»Ja ...»

Utan förvarning tar pojken ett steg bakåt och slår igen dörren med full kraft.

»Jävlar», skriker Börje, samtidigt som han sliter i dörren.

»Du kollar baksidan så kollar jag framsidan.»

De drar sina vapen, delar på sig, stryker tätt utmed hussidorna, jackorna raspar mot de ojämna plankorna.

Johan hukar, smyger under fönstren på altanen, de impregnerade gröna plankorna knarrar under hans fötter, han sträcker armen uppåt, känner på altandörrens vred.

Låst.

Det går fem minuter, tio. Tystnad inifrån huset, ingen som verkar röra sig där inne.

Börje sticker upp huvudet, försöker se in genom rutan till vad som måste vara ett sovrum. Mörkt därinne.

Så hör Börje ett rassel från dörren bredvid garageporten och den flyger upp och pojken störtar ut med något svart i handen, ska jag sänka honom? hinner Börje tänka, men han skjuter inte, börjar istället jaga efter pojken som skenar gatan fram mellan villorna.

Börje jagar pojken neråt samhället och Motala ström och sedan in på en gata åt vänster. Några barn i overaller leker i en trädgård. Hjärtat vill flyga ur bröstkorgen men för varje steg kommer han lite närmare.

Pojken växer framför honom. Villaträdgårdarna verkar växa och sjunka ihop om vartannat vid hans sidor. Skorna trummar mot de sandade gatorna vänster, höger, vänster. Pojken måste kunna kvarteren som sin egen jackficka.

Trött nu.

De springer båda långsammare.

Så stannar pojken.

Vänder sig om.

Siktar med det svarta på Börje, som kastar sig snett ner på marken, mot en snödriva.

Vad i helvete gör han, dåren, vet han vad han tvingar mig att göra?

Snön i drivan är vass och kall.

Inom sig ser Börje Svärd sin fru, orörlig i sängen, sina hundar, ivriga inför hans ankomst till hundgården, han ser huset och barnen långt bort i fjärran länder.

Han ser en pojke framför sig, med ett vapen riktat mot honom.

Hundplågare. Barn. Dobermannens tejpade mun.

Fingrar som sluter sig om avtryckare. Pojkens, hans egna.

Sikta på benet. Smalbenet. Då faller han, där går ingen åder som kan slitas av och göra så han förblöder.

Börje trycker till och ljudet är kort och kraftigt och framför honom på vägen faller pojken ihop, ungefär som om någon slagit undan hans ben.

Johan hörde tumultet på framsidan och rusade ditåt.

Vart tog de vägen?

Två håll.

Johan springer uppåt och sedan till vänster. Är de bortom den kröken?

Tung andhämtning.

Kyla i lungorna när han hör skottet.

Helvete.

Så springer han mot platsen varifrån ljudet kom.

Och nu ser han Börje smyga fram mot en kropp som ligger mitt på den grusade gatan. Blod rinner ur ett ben, en hand river i snön, letar sig mot såret. Pojkens svarta hår som en solfjäder av skugga mot den vita snön.

Börje reser sig, sparkar bort något svart från kroppen.

Så börjar kroppen låta; ett skrik av smärta, förtvivlan och rädsla, kanske också av förvirring, skär genom villaområdets alla väggar.

Johan springer fram till Börje.

»Han stannade och siktade på mig», flämtar Börje genom skriken. Sedan pekar han på vapnet i snön. »En jävla plastattrapp. En sådan som man kan hitta på tusen olika sajter. Men hur i helvete skulle jag se det?»

Börje sjunker ner bredvid pojken, säger:

»Ta det lugnt nu. Det här ordnar sig.»

Men pojken fortsätter skrika, håller sig för benet.

»Vi får fixa hit en ambulans», säger Johan.

Malin ser ut över den tomma lekparken.

Tänker: Vad är det som stiger upp ur de där markerna? Varför sker allt det här nu, och hon vet inte varför, men kanske är det så att en brytpunkt har nåtts och något brister just nu, briserar i våld och förvirring.

Ungdomar.

Drivor av förvirrade ungdomar.

Och det verkar inte ens höra ihop.

»Han har opererats. Vi får höra honom senare.»

Sven Sjömans trötta röst.

»Hans pappa bekräftar att det var deras hund, att han köpt den till pojken.»

»Vad sa pappan mer?» frågar Zeke.

»Att pojken inte var hemma igår natt, att han de senaste åren levt i sin egen värld av dataspel, internet, dödsmetall och som fadern uttryckte det: 'ett allmänt intresse för det ockulta'.»

»Stackars far», säger Zeke och sedan ser Malin att han verkar tänka efter, kanske får han lite sunda perspektiv och tänker att hans egen vånda inför Martins matcher bara är löjlig, att han vet att våndan är riktigt fånig och att han kanske borde försöka komma över den en gång för alla. Det finns tiotusen farsor i Linköping som skulle vilja ha en son som Martin. Och när är nästa hemmamatch?

Zeke har antagligen ingen aning.

Får väl ont i baken bara han tänker på Cloetta Center.

»Pappan är säljare på Saab», lägger Sven till. »Tydligen trehundra resdagar om året. Till ställen som Pakistan och Sydafrika.»

»Några kompisar?» frågar Malin.

»Inte som pappan kan namnet på.»

»Börje?»

Johan Jakobsson med oro i rösten.

»Ni vet hur det är. Tagen ur aktiv tjänst tills skjutningen är utredd.»

»Det är ju solklart», säger Malin. »Han sköt i självförsvar. De där attrapperna är helt naturtrogna.»

»Jag vet», svarar Sven. »Men när blev något någonsin så enkelt, Fors?»

Sal tio på Linköpings universitetssjukhus avdelning fem är mörk, så när som på ljuset från läslampan över sjuksängen.

Sivert Norling sitter i en grön fåtölj i halvdunklet vid fönstret. Han är en reslig, gänglig man och till och med i det svaga ljuset ser Malin att hans blåa ögon är hårda. Hans hår är snaggat och benen skjuter ut över golvet. Bredvid honom sitter frun, Birgitta. Hon är blond, klädd i jeans och en röd blus som får hennes rödgråtna ansikte att se ännu svullnare ut.

I sängen ligger pojken, Andreas Norling.

Vagt bekant för Malin, men hon kan inte placera honom.

Pojkens ben är satt i sträck, och hans ögon är dimmiga av smärtstillande och narkos, men enligt läkarna klarar han ett kortare förhör.

Zeke och Malin står bredvid hans säng, en uniformerad polis håller vakt på en stol utanför salen.

Pojken vägrade att hälsa när de kom in och nu vänder han trotsigt sitt huvud ifrån dem, det svarta hårsvallet är som ilskna tuschdrag över den vita kudden.

»Du har något att berätta för oss», säger Malin.

Pojken ligger tyst.

»Vi utreder ett mord. Vi säger inte att du har gjort det, men vi måste veta vad som hände vid trädet i natt.»

»Jag har inte varit vid något träd.»

Pojkens far reser sig, skriker:

»Nu är du så jävla god och berättar vad du vet. Det här är allvar. Inte något jävla spel.»

»Han har rätt», säger Malin med lugn röst. »Du är i en massa trubbel, men om du berättar kanske det kan bli lite enklare för dig.»

Så ser pojken på Malin. Hon försöker lugna honom med blicken, intala honom att allt ordnar sig, och kanske tror han på henne, kanske bestämmer han sig för att hela skiten inte spelar någon roll.

Han börjar berätta.

Om hur de läst i tidningen om liket i trädet och midvinterblotet och att det verkade häftigt, att han varit hemma med mamma den kvällen mordet måste begåtts, hur de inte hade ett skit med det att göra, det var ju för fan mord, hur han varit trött på sin fisande hund och hur hans tjejkompis Sara Hamberg sagt att de kunde sno grisar hos dem, och att kompisen Henkan Andersson hade en epatraktor med flak som de kunde använda och hur han hittat en sajt på nätet om sejd där det stod om blot och att Rickard Skoglöf, som de läst om i tidningen, stod bakom sajten. Och att han var något slags asatroll-karl och hade hetsat på dem i flera konstiga mejl och att det ena lett till det andra, att det liksom inte hade gått att hejda, att det var som om någon konstig kraft drev dem till det.

»Vi drack bärs och hade knivar. Jag trodde inte blodet skulle rinna så jävla mycket. Det var bara wow-liksom så mycket blod. Det var jävligt häftigt. Men fy fan vad kallt.»

Hans mamma börjar gråta igen.

Pappan ser ut som om han skulle vilja bruka våld på sin son.

Natten är svart bortom sjuksalens fönster.

»Var Rickard Skoglöf med er?»

Pojken skakar på huvudet.

»Nej. Bara de knasiga mejlen.»

»Och Valkyria Karlsson?»

»Vem är det?»

»Varför flydde du?» frågar Malin sedan. »Och varför siktade du på kriminalinspektör Svärd?»

»Jag vet inte», svarar pojken. »Jag ville inte bli fångad. Det är väl så man gör?»

»De borde bomba Hollywood», muttrar Zeke.

»Vad sa du?»

Pojken plötsligt intresserad.

»Ingenting. Jag bara tänkte högt.»

»Jag har en fråga till», säger Malin. »Jimmy Kalmvik och Joakim kim Svensson, känner du dem?»

»Känner? Jocke och Jimmy? Nej, men jag vet så klart vilka de är. Stora svin båda två.»

»Hade de något med det här att göra?»

»Inte ett skit. Jag skulle aldrig ha något att göra med dem frivilligt.»

På väg ner i hissen från avdelningen frågar Malin Zeke:

»Ska vi plocka in Skoglöf?»

»För vadå? Anstiftan till djurplågeri?»

»Du har rätt. Vi låter honom vara för ögonblicket. Men nog borde vi ta ytterligare ett snack med både honom och Valkyria Karlsson? Vem vet vad de kan ha fått andra att göra.»

»Ja, och så får Johan höra de andra kidsen som var med ute på fältet.»

»Jo. Men idag har vi bara en sak kvar», säger Malin.

»Vad då?»

»Vi ska hem till Börje.»

De vitlackerade köksluckorna blänker nyputsade och på matbordet ligger en orange- och svartfärgad Marimekko-duk. Ovanför hänger en PH-lampa.

Hela köket i Börje Svärds hus andas lugn och rummet har en estetisk kvalitet långt bortom något Malin tror sig själv kunna skapa. Hela hemmet är sådant. Genomfört, vilsamt och vackert.

Börje sitter vid bordets kortända. Hans fru Anna bredvid verkar nästan hänga fast i en fåtöljliknande blå rullstol, hennes ansiktsdrag som stelnade i sig själva. Hennes tunga andhämtning fyller rummet, plågad, enveten.

»Vad fan skulle jag göra?» säger Börje.

»Du gjorde rätt», säger Zeke.

»Absolut», fyller Malin i.

»Så ni säger att han klarar sig utan men?»

»Absolut Börje, kulan satt precis där den skulle.»

»För jävligt ändå», säger Börje. »Ge sig på djur sådär.»

Malin skakar på huvudet.

»Vansinne.»

»Jag blir väl borta i ett par veckor», säger Börje. »Det brukar ta tid.»

Ett gurglande läte, följt av några ljusa toner bortifrån rullstolen.

Språk?

Nya toner, ljud som mödosamt verkar forma sig till ord.

»Hon säger», säger Börje, »att det är dags att vi får ett slut på de här hemskheterna.»

»Ja, det är verkligen dags för det», säger Malin.

»Vad hände på jobbet idag, mamma?» frågar Tove. »Du verkar trött?»

Tove sträcker sig efter kastrullen med potatismos på köksbordet.

»Ja, vad hände? Några ungdomar, bara lite äldre än du, som gjort en massa dumma saker.»

»Vadå?»

»Dumma, dumma saker, Tove.»

Sedan tar Malin en stor tugga potatismos innan hon fortsätter: »Lova mig att du inte gör något dumt, Tove.»

Tove nickar.

»Vad händer med dem nu?»

»De kommer att bli kallade till förhör omgående, sedan tar nog socialtjänsten hand om dem på något vis.»

»Hur då?»

»Jag vet inte, Tove. Tar hand om dem bara, antar jag.»

50.

Söndag den tolfte februari

Nu slår kapellklockan elva, elva slag och sedan börjar den ringa, och det är för mig den ringer, förkunnar för nejden att nu, nu ska Bollbengan Andersson till att jordfästas, och i klangen hörs berättelsen om mitt liv, den till synes bortkastade uppsättning av andetag som var mina. Men ack, ack vad ni bedrar er, jag kände kärlek, åtminstone någon gång, även om jag stod tveksam inför den.

Fast det är sant: Jag var en ensam människa, men inte den ensammaste.

Och nu ska det talas om mig. Sedan ska jag brinna. På en söndag och allt! De gjorde undantag för mig, våldsamt som mitt frånfälle var.

Men det spelar ingen roll, den delen av mig är överspelad, bara gåtan återstår och för dess skull finns delar av mig bevarade, jag är en blodgrupp, en fullständig kod, jag är den som ligger i den vitmålade furukistan i uppståndelsens kapells orangemålade rum strax bortanför Lambohov, åt Slakahållet till.

Hundratalet meter bort, längs en underjordisk gång, väntar ugnarna, men jag är inte rädd för elden, den är inte evig eller varm, bara ett mode för dagen.

Jag är inte arg på någon längre, men jag önskar Maria lite frid. Hon var vänlig mot mig, och det måste betyda någonting.

Ni ser så allvarliga ut där ni sitter i era bänkar. Ni är bara två, Malin Fors och en representant för Fonus begravningsbyrå, denne Skoglund som gjorde mig fin för fotot i Correspondenten. Vid kistan står en kvinna, prästkragen skaver om hennes hals och hon vill helst få det här överstökat, döden och ensamheten i min form skrämmer

281

henne. Så mycket litar hon alltså på sin gud, på hans eller hennes godhet.

Så börja ni, bli klara.

Jag svävar vidare.

Smärtan har inte klingat ut, och den är lika nyckfull som någonsin, men jag har lärt mig en sak:

I döden äger jag språket.

Jag kan viska hundra ord, skrika tusen och åter tusen. Jag kan välja att vara tyst, jag äger äntligen min egen berättelse. Ert mummel betyder ingenting.

Och hör sedan bara.

Malin hälsade på begravningsbyråns representant Conny Skoglund innan hon gick in i kapellet. De sa goddag under de sandfärgade arkaderna och efter artighetsfraserna stod de bredvid varandra i tyst samförstånd innan klockorna började ringa och de gick in i den vidlyftiga salen. Ljuset flödade in i rummet på ett nästan oanständigt vis genom fönstren som självsäkert, och liksom måna om sin utsikt över parken, sträckte sig från golv till tak. Det måste vara vackert den gröna årstiden, tänkte Malin. Nu blir det overkligt ljust.

De satte sig på var sin sida, som för att på något vis fylla upp det öde rummet.

Ensam i livet.

Ännu ensammare i döden.

Drygt en vecka sedan Bengt Andersson hittades, nu ska han jordfästas. En söndag. En ensam blomsterkrans på kistan, från Ljungsbro Församling. Fotbollsklubben tyckte väl det fick räcka med den på mordplatsen. Malin har en vit nejlika i handen och klockorna ringer och ringer och hon tänker att om de ringer lite till blir både hon och begravningsentreprenör Skoglund döva. Och prästen också. Hon är runt trettiofem, rödhårig och knubbigt fräknig och nu slutar klockorna ringa och en psalm ljuder och när den är slut börjar prästen prata.

Hon säger det hon ska säga och när hon kommer till stycket där hon ska vara personlig säger hon: »Bengt Andersson var en ovanlig vanlig människa ...« och Malin vill resa sig, hålla för hennes mun tills plattityderna slutar komma ur den, men istället stänger hon av och utan att hon vet hur det händer sänker hon den vita nejlikan på Boll-bengans kista samtidigt som hon tänker: Vi ska ta dem, vi ska ta honom, du ska få ro, jag lovar.

Malin Fors, om du tror att jag behöver »sanningen« för att få ro misstar du dig, men du söker den för din egen skull, eller hur?

Det är du som behöver lugnet och ron, inte jag.

Men det är okej, vi kan vara ärliga mot varandra, vi behöver inte smussla med avsikter och andra tröttsamheter.

Nu kör han mig genom gången, kistan är mörk och varm och snart blir den ännu varmare.

Han heter David Sandström, är fyrtiosju år gammal, och alla und-rar hur han kan ha ett sådant jobb. Likbrännare står inte högt i kurs, inte mycket högre än tjockisar som slår sin egen far i huvudet med en yxa. Men han trivs med jobbet, det är ensamt, han slipper de levan-de, och det har flera fördelar, som inte ska nämnas nu.

Vi är inne i ugnsrummet, det är stort och rymligt med himmelsblå väggar, beläget under jord med bara små fönster uppe vid taket. Själv-va ugnen är helautomatisk, likbrännaren bara för kistan över till ett band, så öppnas luckan till en härd som tänds med ett knapptryck.

Sedan brinner jag.

Men inte än.

Först ska David Sandström baxa över kistan på bandet, något han gör med stort besvär.

Fy fan, vad tungt. Den sista biten från vagn till bälte måste man skju-ta och det brukar gå lätt, men jävlar vad tung den här var.

Bengt Andersson.

David vet hur han dog, låter honom ligga i kistan, under locket, vill inte ens se på honom. De ska helst vara yngre, dem tycker han bäst om, de skänker mest lugn.

Så ja.

Kistan är på bandet.

Han trycker på knappen på manöverbordet, luckan till härden går upp, han trycker på nästa knapp och flammorna slickar hungrigt efter trä att bita sig fast i.

Lite, lite till.

Så hugger elden tag i träet, och på tiotalet sekunder har flammorna omslutit kistan helt och luckan till härden sjunker sakta tillbaka till sitt utgångsläge.

David Sandström tar fram sin anteckningsbok ur jackans innerficka. Han plockar fram sin särskilda penna, skriver sedan noggrant på en av de sista sidorna:

Bengt Andersson, 61 10 15-1923. Nr 12.349.

Jag känner elden.

Den är alla känslor som finns. Jag övergår nu. Jag förångas, blir till röken som stiger ur krematoriets skorsten, till de brända doftpartiklar som sveper in över Linköping och till luften Malin Fors hungrigt andas när hon går över parkeringen vid polishuset.

Kvar blir askan som man kommer att vända ner i minneslunden vid kapellet på gamla kyrkogården.

Allas vår aska där är navigationspunkter för minnen och min aska ska finnas där så att de som mot förmodan vill minnas mig ska ha en plats att gå till.

Vi går till våra minnen, besöker våra liv.

Tröstlöst, eller hur?

Men sådana är ju nu de levandes vanor.

Del 3.

De levandes vanor

51.

Blommor som ska vattnas, post som ska sorteras, kranar som ska få rinna. Damm som ska torkas, frysar som ska avfrostas, ett överkast som ska sträckas ut och så minnen som ska förträngas, händelser som ska glömmas, aningar som ska förnekas, svikna löften som ska förlåtas och kärlek som ska bli för evigt ihågkommen.

Går det?

13.45, några timmar efter Bengt Anderssons begravning.

Malin rör sig genom sina föräldrars lägenhet. Minns när hon sist kom hit. Tove precis som hon själv på föräldrarnas säng, samma aningslösa målmedvetenhet, samma naiva öppenhet för den egna kroppen.

Men ändå.

Malin skrattar för sig själv. Hon får ge Tove driftigheten i hennes och Markus jakt på kärleksnästen i kylan. De två på eftermiddagsbio nu, något nytt action-drama skapat efter en sedan länge glömd seriehjältes äventyr på femtiotalet, uppdaterat till våra tiders smak; mer våld, mer, fast lika kyskt, sex och så tydligare och lyckligare slut. Tvetydigheten är trygghetens fiende, tryggheten nödvändig för succé vid biljettkassorna.

Var tid, tänker Malin, har de berättelser den förtjänar.

Doften i föräldrarnas lägenhet.

Det doftar hemligheter.

På samma vis som i jaktstugan i skogen, fast klarare och kyligare där i skogsnatten, inte lika svåråtkomligt och personligt som här. Man vrids, tänker Malin, runt sin egen axel om man vilar för mycket i det som har varit. Samtidigt förgås man om man inte vågar röra vid det. Psykoterapeuter vet allt om det där.

Malin sjunker ner i soffan i salongen.

Känner sig utarbetad och törstig: Pappa har sin sprit i skåpet ovanför kylen i köket.

Tvinna själen.

Fina möbler som inte är så fina.

»Du vattnar väl blommorna?»

Jag har redan vattnat dem.

Blommor. Dofter. Doften av kålpudding.

Av lögner. Även här? Precis som i Rakel Murvalls hus i Blåsvädret. Fast vagare, svagare här. Måste dit igen, tänker Malin, måste dit och driva hemligheterna ur golvplankorna och väggarna.

Mobilen ringer ute i hallen.

Den ligger i jackfickan och hon reser sig ur soffan, sprintar, fumlar.

Utlandsnummer.

»Ja, det är Malin.»

»Malin, pappa här.»

»Hej, jag är i lägenheten, har precis vattnat blommorna.»

»Det tror jag säkert. Men det är inte därför jag ringer.»

Han vill något, men vågar inte framföra det, samma känsla som förra samtalet. Sedan tar pappa ett djupt andetag i luren, flämtar ut luften innan han börjar prata.

»Du vet», säger han. »Vi har ju pratat om att Tove ska komma hit ner, och hon har väl februarilov snart? Det kanske skulle passa då?»

Malin tar luren från örat, håller telefonen framför sig, skakar på huvudet.

Sedan finner hon sig. Sätter telefonen till örat.

»Om två veckor.»

»Två veckor?»

»Ja, lovet börjar om två veckor. Det är bara ett problem.»

»Vadå?»

»Vi har inte pengar till hennes flygbiljett. Jag har inte en krona över och Janne bytte oljepanna precis innan jul.»

»Ja, vi har pratat om det här, mamma och jag. Vi kan betala

hennes biljett. Vi var inne på resebyrån idag och det går lågprisflyg via London. Kanske kan du också få ledigt?»

»Omöjligt», svarar Malin. »Med så kort varsel. Och vi har besvärligheter just nu.»

»Vad tror du då?»

»Det låter väl som en toppenidé. Men du måste ju höra med Tove först.»

»Hon kan ju bada, och rida häst.»

»Hon vet vad hon vill och inte vill. Var så säker.»

»Pratar du med henne?»

»Ring själv. Hon är på bio nu, men borde vara hemma vid tio.»

»Malin, kan inte du prata ...»

»Okej, okej. Jag pratar med henne så ringer jag. Imorgon.»

»Vänta inte för länge. Flygbiljetterna går åt.»

52.

Rösterna.

Låt dem flyga.

Lyssna på dem alla i utredningen.

Låt dem komma till tals. Så leder de dig mot målet.

I hallen i Niklas Nyréns lägenhet står genomskinliga burkar med kakor, runda, beiga hallondrömmar bakom plast, chokladtoppar, negerbollar som heter chokladbollar, och den gröna mattan är täckt med kaksmulor. Utanför på infarten stod en mörkblå Volvo kombi parkerad alltför tätt intill en brevlåda.

Var försiktig, Malin, tänkte hon när hon ringde på. Om pojkarna gjort det, kan han ha hjälpt dem med kroppen.

Niklas Nyrén går före henne in i lägenheten, till det välordnade vardagsrummet som helt domineras av en röd tygsoffa framför en väggmonterad platt-tv.

Inget i lägenheten tyder på annat än att Niklas Nyrén är en högst ordinär medelålders man.

Han är klädd i jeans och grön polo, ansiktet är runt och magen skjuter ut över bältet. För mycket stillasittande. För mycket bilåkning och för mycket smak på de egna kakproverna.

»Jag hade tänkt ringa dig», säger Niklas Nyrén och hans röst är märkligt mörk för att tillhöra en person med tydlig fetma, rösten borde vara ljusare, hesare.

Malin svarar inte, slår sig ner på en Myran-kopia vid det lilla matbordet vid fönstret ut mot Cloettafabriken.

»Du hade lite frågor?» säger Niklas Nyrén och tar plats i soffan.

»Som du vet har Joakim Svenssons namn dykt upp i utredningen om mordet på Bengt Andersson.»

Niklas Nyrén nickar.

»Jag har svårt att tänka mig att grabben skulle vara inblandad i det där. Han behöver bara lära sig lite hyfs, få lite manliga förebilder också.»

»Du har bra kontakt med honom?»

»Försöker», säger Niklas Nyrén. »Försöker. Jag hade själv en jävligt pissig barndom och vill väl hjälpa grabben. Han har nycklar hit. Jag vill visa att jag har förtroende för honom.»

»Pissig hur då?»

»Inget jag vill gå in på. Men farsan söp hårt kan jag säga. Och mamma var väl inte så kärleksfull.»

Malin nickar.

»Och natten mellan onsdagen och torsdagen förra veckan, vad gjorde du då?»

»Margaretha var här och jag är säker på att Jocke såg den där filmen med Jimmy som det är sagt.»

»Jimmy? Du känner Jimmy Kalmvik?»

Niklas Nyrén reser sig, går bort mot fönstret och ser ut över fabriken.

»De sitter ihop de där två. Ska man bygga en vettig relation med en av dem, så får man bygga på flera håll. Jag brukar försöka hitta på saker med dem som de kan gilla.»

»Och vad gillar de?»

»Vad gillar grabbar? Jag tog dem på skateuppvisning i Norrköping. Vi var på Mantorp Park. Jag lät dem köra min bil ute på grusplanen vid gamla I4. Fan, jag tog dem till och med till skjutbanan en gång i somras.»

Du behöver nog inte vara försiktig, Malin. Aningslösheten strålar från hela Niklas Nyrén, eller han kanske spelar naiv?

»Jagar du?»

»Nej, men jag ägnade mig åt sportskytte en gång. Salongsgevär. Hur så?»

»Jag råkar väl inte illa ut nu?»

Niklas Nyrén gräver i en garderob i sitt vitmålade sovrum.

»Man måste väl inte ha vapenskåp för salongsgevär?»

»Det tror jag nog», svarar Malin.

»Här är det.»

Niklas Nyrén håller upp ett smalt, nästan spensligt, svart gevär mot Malin som kommer på sig själv när hon får se vapnet. Inga händer ska röra det före SKL.

»Lägg det på sängen», säger hon och Niklas Nyrén ser förbryllad ut och placerar vapnet på sängen.

»Har du fryspåsar?» säger Malin.

»Ja, i köket. Där har jag ammunition också.»

»Bra», säger Malin. »Hämta både och. Jag väntar här.»

Malin sätter sig på sängen, bredvid vapnet. Andas in den unkna, ovädrade luften och ser på tavlorna på väggarna: Ikea-tryck av olika fiskar, i billiga ramar.

Malin sluter ögonen, suckar.

Joakim Svensson har nyckel till lägenheten.

Han och Jimmy Kalmvik måste ha tagit geväret någon gång när Niklas Nyrén var ute på säljturné och så gått upp till Bengt Anderssons lägenhet och skjutit för att skrämma honom, jävlas med honom. De små svinen, tänker Malin, men hejdar sig. Testosteronet och omständigheterna kan ställa till det rejält för tonårsgrabbar och den som upplever sig övergiven och trampad på, trampar själv.

Malin öppnar ögonen och ser Niklas Nyrén komma tillbaka från köket.

I ena handen har han ett paket fryspåsar, i den andra en ammunitionslåda.

»Jag brukar använda gummikulor», säger han. »Fan. Jag var helt säker på att den här lådan var oöppnad. Men någon måste ha öppnat den. Det fattas tre kulor.»

Besvikelsen förvandlar Niklas Nyréns ansikte till en grimaserande mask.

Pressa Ljungsbros bullies och få dem att erkänna att det var de som sköt mot Bengt Anderssons lägenhet? Pressa dem lite till och få dem att berätta ännu mer?

Om det nu finns mer att berätta?

292

Hur mycket jag än vill driva åt ett håll, är det för tidigt än, tänker Malin.

Hon pressar gaspedalen i bilen neråt, på väg rakt ut över den snöklädda slätten mot Maspelösa, har redan bestämt sig för att vänta, se vad Karin hittar för fingeravtryck på geväret som ligger invirat i en filt i bagageutrymmet. Men Malin leker ändå med tanken. Ska jag inte vända och åka till Jimmy Kalmviks hem och trycka till honom? Det kan jag göra själv, en barnlek jämfört med Murvalls. Nej, bättre att låta Karin göra sitt, avgöra om gummikulorna i Bengt Anderssons lägenhet verkligen kommer från Niklas Nyréns gevär och i så fall ställa pojkarna inför faktum. Några uniformer får ta deras fingeravtryck, så Karin kan matcha mot dem som hon eventuellt hittar.

Rickard Skoglöfs adress i mobilen, inte lätt att hitta huset och Malin får irra runt på fälten innan hon hittar den lilla gården.

Hon stannar.

De grå stenhusen kurar i kylan, snö på halmtaken och det lyser från det största husets fönstergluggar.

Asadårar, tänker Malin, innan hon knackar på. Dem klarar jag också själv.

Det dröjer bara några sekunder innan mannen som måste vara Rickard Skoglöf öppnar, klädd i kaftan och med håret och sitt långa skägg i en enda röra. Bakom honom rör sig en vitklädd kvinnokropp som måste tillhöra Valkyria Karlsson.

»Malin Fors, Linköpingspolisen.»

»Han är väl avstängd nu, den andre, efter skjutningen», säger Rickard Skoglöf och ler samtidigt som han släpper in henne i huset. En fuktig värme slår emot Malin, trots att hon hör spraket från en öppen eld någonstans i huset.

»Du kan gå in där.»

Rickard Skoglöf pekar åt vänster, in i vardagsrummet där en gigantisk dataskärm blinkar på ett blänkande skrivbord.

Valkyria Karlsson sitter i soffan, med fötterna uppdragna under ett vitt nattlinne.

»Du», säger hon när Malin kommer in i rummet. »Som störde mig.»

Rickard Skoglöf kommer in till dem, med tre rykande koppar på ett fat.

»Örtte», säger han. »Bra för nerverna. Om man har problem med dem.»

Malin svarar inte, tar en kopp och sjunker ner på den svarta kontorsstolen framför datorn. Rickard Skoglöf förblir stående efter att han gett en kopp till Valkyria.

»Känns det bra», frågar Malin. »Att driva unga människor till att göra idiotiska saker.»

»Vad menar du?» skrattar Rickard Skoglöf.

Malin får en ingivelse att kasta det heta teet i hans flinande ansikte men lyckas hejda sig.

»Spela inte dum. Vi vet att du skickat mejl till Andreas Norling, och vem vet vad mer du kan ha fått någon till.»

»Jaså det, jag läste om det i Corren. Trodde aldrig de skulle göra det.»

»Har du haft kontakt med Jimmy Kalmvik? En Joakim …»

»Jag känner ingen Jimmy Kalmvik. Jag antar att det är en av de där tonåringarna som Corren skrivit om och som förföljt Bengt Andersson. Jag vill säga en gång för alla att jag, vi två, inte har något med det att göra.»

»Ingenting», säger Valkyria och sträcker ut benen i soffan och Malin lägger märke till att hennes tånaglar är målade i en självlysande orange färg.

»Jag tänker beslagta din hårddisk här och nu», säger Malin. »Protesterar du ordnar jag husrannsakan omgående.»

Rickard Skoglöf flinar inte mer, ser rädd ut.

Valkyria tittar på Malin, spärrar upp ögonen, säger:

»Shooo, shoooo. Du kommer aldrig åt oss, snutfitta.»

Tove kommer hem strax efter klockan sex. Drämmer igen dörren, omöjligt att säga om det är av upprymdhet eller av ilska.

En hyfsad söndag, tänker Malin medan hon väntar på att Tove ska komma in i vardagsrummet.

Geväret är inlämnat hos SKL, Karin och hennes kollegor kollar vapnet det första de gör i morgon bitti. Rickard Skoglöfs hårddisk i tryggt förvar på stationen, Johan Jakobsson och datateknikerna får kolla den omgående, kolla om den satans asaprofeten tubbat några andra att göra något riktigt, riktigt dumt som att mörda Bengt Andersson. I så fall borde det finnas spår i hans dator av mejl och annat. Vem vet hur mycket mer skit den här vintern och landskapet kan frambringa?

Så står Tove framför Malin i vardagsrummet och ler och hennes ansikte och ögon är lugna, fria från uppror och rastlöshet.

»Var filmen bra?« frågar Malin från sin plats i soffan.

»Värdelös«, säger Tove.

»Men du verkar glad.«

»Ja, Markus kommer hit på middag i morgon. Funkar det?«

Tove sätter sig i soffan och tar ett chips ur skålen på bordet.

»Han är välkommen.«

»Vad ser du?«

»Någon dokumentär om Israel och Palestina och dubbelagenter.«

»Finns det inget annat?«

»Säkert. Kolla du.«

Malin sträcker fjärrkontrollen mot Tove som zappar och fastnar vid lokal-tv. LHC har slagit Modo borta och Martin Martinsson har gjort tre mål, och det ryktas att scouter från NHL var på plats.

»Jag var hemma hos morfar och mormor förut idag.«

Tove nickar.

»Morfar ringde. Han undrade om du vill hälsa på dem på februarilovet.«

Malin väntar på en reaktion, vill att ett leende ska sprida sig över Toves läppar, istället ser hon bekymrad ut.

»Men vi har väl inte råd med flygbiljetten?«

»De betalar.«

Tove ser ännu mer bekymrad ut.

»Jag vet inte om jag vill, mamma. Blir de ledsna om jag tackar nej?«

»Du får göra som du vill, Tove. Precis som du vill.«

»Men jag vet inte.«

»Sov på saken, gumman. Du behöver inte bestämma dig förrän i morgon, eller på tisdag.«

»Det är varmt där, eller hur?«

»Minst tjugo«, svarar Malin. »Som på sommaren.«

Det hänger äpplen i träden och en pojke, två pojkar, tre, fyra pojkar springer runt i en grönskande trädgård. De faller och gräset färgar deras knän gröna, och så är det bara en ensam pojke kvar och han faller men han reser sig igen och springer. Han springer tills han kommer till ett skogsbryn, där tvekar han en stund innan modet kommer till honom och han ger sig in i mörkret.

Han springer mellan trädstammarna och de vassa grenarna på marken skär sönder hans fötter men han tillåter inte sig själv att känna smärta, stannar inte upp för att bekämpa monstren som vrålar nere i rotvältorna.

Så står pojken vid Malins säng. Han pressar hennes bröstkorg upp och ner med jämna tag, hjälper henne att andas in morgonens gula luft.

Han viskar i hennes sovande, drömmande öra:

Vilket är mitt namn, var kommer jag ifrån?

53.

Måndag den trettonde februari

Vresigt morgontöcken över staden, fälten.
    Nästan cirkelstiltje i utredningen.
    Vapen som ska undersökas.
    Hårddiskars information som ska kontrolleras tidig morgon.
    Ingen vind på ett öde snötäckt fält, inget som händer, endast utmattade poliser som sover eller är vakna. Börje Svärd i sin säng, ensam under urtvättade blåblommiga lakan, hans två schäfrar insläppta från hundgården på varsin sida om bädden, i rummet längst ner i hallen vänder de två i hemtjänstens nattpersonal hans fru och han anstränger sig för att hålla ljuden från de rörelserna borta.
    Johan Jakobsson i radhuset i Linghem, sittande, slumrande i en soffa med sin tre år gamla dotter i famnen, Loranga & Mazarin på tv:ns skärm, hörlurar om dotterns öron. När ska du lära dig hur skönt det är att sova? Dagen igår gick åt till att prata med de andra ungdomarna som varit med ute på fältet vid djurblotet. De hade alibin för natten då Bengt Andersson mördades, de var bara förvirrade som ungdomar så ofta är. Det blev till ännu en dag med arbete, en dag då han lämnade familjen vind för våg.
    Zacharias Martinsson sover tätt intill sin frysande fru, fönstret i sovrummet öppnat på glänt, ett drag som lovar förkylning. Sven Sjöman på rygg i sängen i sin villa, snarkandes högt och ljudligt, hans fru i köket med en kopp kaffe framför sig på bordet, intresserat läsandes Svenska Dagbladet, brukar smyga upp före Sven ibland, även om det inte sker ofta.
    Även Karim Akbar sover i sin säng, liggandes på sidan andas han ut och in, och hostar och sträcker armen efter sin fru men hon är inte

där, hon sitter på toaletten, med ansiktet i händerna och undrar hur hon ska få ordning på allting, vad som skulle hända om Karim visste.

Kriminaltekniker Karin Johannison är vaken, sitter på sin man och slänger med håret av och an, tar för sig av sin egen kropp och äter honom under sig, köttet som är hennes mer än hans, vad annars behöver hon honom till egentligen?

Också Malin Fors är vaken.

Hon sitter bakom ratten på sin bil.

Målmedveten.

Den tredje linjen i utredningen om mordet på Bengt Andersson ska drivas på, piskas på, få sin rygg skinnflådd.

Malin fryser.

Bilen orkar inte riktigt värma upp sitt inre en sådan här morgon. Genom rutan ser hon Vreta klosters rangliga stentorn och bortom det ligger Blåsvädret, och där, ensam i sitt kök, sätter Rakel Murvall på en kopp kokkaffe och tittar ut genom sitt fönster samtidigt som hon ler och tänker att det är bäst pojkarna kommer hem snart, verkstäder ska inte stå oanvända.

Malin parkerar utanför Rakel Murvalls hus. Den vita träkåken verkar tröttare än förra gången hon var här, som om den börjat ge vika, både för kylan och för människan i dess inre. Gången till huset är skottad, noggrant, som om det snart ska till att rullas ut en röd matta.

Hon är säkert uppe, tänker Malin. Överraska henne. Kom när hon minst anar.

Precis som Tove slår hon igen bildörren efter sig, men hon vet varför: det gäller att jaga upp en bestämdhet, en aggressivitet, en överhetskänsla som gör modern tvär, som får henne att öppna sig, berätta sina berättelser, de Malin vet att hon har att berätta.

Hon knackar på.

Låtsas att Zeke står bredvid henne.

Lätta men ändå tunga steg bakom dörren och så öppnar modern, hennes smala gråa kinder omgärdar de kanske skarpaste ögon Malin sett på en människa, blicken liksom förbrukar henne, gör henne matt, viljelös och rädd.

Hon är över sjuttio, vad kan hon göra mig? tänker Malin, men vet att hon har fel: hon kan göra vad som helst.

»Inspektör Fors», säger Rakel Murvall med ett välkomnande tonfall. »Vad kan jag göra för henne?»

»Släpp gärna in mig, det är kallt här ute. Jag hade några fler frågor.»

»Men tror hon jag har fler svar?»

Malin nickar.

»Jag tror du har alla svar i världen.»

Rakel Murvall stiger åt sidan och Malin går in.

Kaffet är hett och alldeles lagom starkt.

»Dina pojkar är inga duvungar precis», säger Malin och sätter sig tillrätta på pinnstolen.

Hon ser först fåfängan, sedan ilskan skymma ögonen på Rakel Murvall.

»Vad vet du om mina pojkar?»

»Jag har egentligen kommit för att prata om din fjärde pojke.»

Malin ställer ifrån sig kaffekoppen, tittar på Rakel Murvall, fixerar henne med blicken.

»Karl», säger hon.

»Du sa vem?»

»Karl.»

»Jag hör inte mycket av pojken.»

»Vem var hans far? Det är inte samma som pojkarnas. Så mycket vet jag.»

»Du har talat med honom, hör jag.»

»Jag har pratat med honom. Han sa att hans far var sjöman och att han förliste när du var havande.»

»Du har rätt», säger Rakel Murvall. »Utanför Kap Verde den artonde augusti 1961. M/S Dorian, med man och allt gick hon under.»

»Jag tror du ljuger», säger Malin, men Rakel Murvall bara ler, innan hon fortsätter:

»Peder Palmkvist, hette han, sjömannen.»

Malin ställer sig upp.

»Det var allt jag ville veta nu», säger Malin och gumman reser sig och Malin kan se hennes blick ta kommandot över rummet.

»Om du visar dig här en gång till anmäler jag dig för trakasserier.»
»Jag försöker bara göra mitt jobb, fru Murvall, det är allt.»
»Båtar sjunker», säger Rakel Murvall. »Som gråstenar sjunker de.»

Malin kör förbi familjen Murvalls mack. Preem-skylten är släckt, butikens rutor gapar svarta mot henne och det nedlagda gjuteriet på tomten bakom verkar be om att få rivas.

Hon passerar Brunnby och Härna, vill inte se huset där Bollbengan hade sin lägenhet. Från vägen syns bara taket men hon vet vilket hus det är.

Säkert har hyresvärden städat ur lägenheten nu, dina saker, de få som gick att sälja, har nog gått till auktion och så ska pengarna därifrån skickas vidare till Allmänna arvsfonden. Rebecka Stenlundh, din syster till blodet, men inte juridiskt, får inte ärva det lilla du ändå hade.

Har någon annan övertagit din lägenhet, Bollbengan? Eller ligger rummen öde och väntar på att du ska komma hem? Kanske är du hemma nu, äntligen? Damm samlas på fönsterbrädor, kranar rostar igen, sakta, sakta.

Hon kör under akvedukten, förbi skolan och tar upp telefonen, tänker: Jag får skita i morgonmötet.

»Johan? Det är Malin.»
»Malin?»

Johan Jakobssons röst i mobilen, sömndrucken, säkert nyss inkommen för mötet.

»Kan du checka upp en sak åt mig, innan du tar dig an Rickard Skoglöfs hårddisk?»

Malin ber Johan kolla båtens förlisning, namnet på sjömannen.

»För gammalt för att vara inlagt i Sjöfartsverkets dataregister», säger Johan.

»De har väl sådant på några internetsajter. Några intresserade typer?»

»Helt säkert. Handelsflottans hjältar har nog sina beundrare som ser till att ingen blir bortglömd. Eller så finns informationen kanske hos Sjöfartsförbundet.»

»Tack, Johan. Jag är skyldig dig en tjänst.»

»Vänta med löftena tills du vet om jag hittar något. Sedan är det hårddiskdags.»

Malin lägger på samtidigt som hon svänger in vid Vretalidens äldreboende.

Malin anmäler sig inte i receptionen, men trots att hon går snabbt genom entrén känner hon doften av oparfymerat rengöringsmedel igen, hur dess kemiska onaturlighet får hela stället att bli deprimerande. I ett hem, tänker Malin, används rengöringsmedel som doftar citron eller blommor, men inte här. Och det här är människors hem. De som verkligen förtjänat en annan doft än den de har nu.

Hon tar hissen upp till avdelning tre och går korridoren bort till Gottfrid Karlssons rum.

Hon knackar på.

Rösten svag, men ändå kraftfull.

»Ja, kom in.»

Malin öppnar dörren, går försiktigt in, ser den tunna kroppen under en gul filt i sängen. Innan hon hinner säga något öppnar den gamle mannen munnen:

»Fröken Fors. Jag har hoppats på att du skulle komma tillbaka.»

Malin tänker att alla väntar på att sanningen ska uppsöka dem själva, att ingen kommer med sanningen, eller självmant hjälper den på traven. Men sådan är kanske sanningens natur: att den är en räcka undflyende, skygga skeenden snarare än ett kraftfullt påstående? Att det i grunden bara finns ett *kanske*.

Malin närmar sig sängen, Gottfrid Karlsson klappar vid sin sida.

»Sätt dig här, fröken Fors, nära en gammal man.»

»Tack», säger Malin och slår sig ner.

»Jag har fått läst för mig om ert fall», säger Gottfrid Karlsson och ser mot Malin med sina närapå blinda ögon. »Vilka gräsligheter. Och bröderna Murvall verkar vara en härlig sort. Jag måste ha missat dem precis innan jag drog mig undan. Naturligtvis känner jag till deras mor och deras far.»

»Hur är deras mor?»

»Hon gjorde inte mycket väsen av sig. Men jag minns hennes

ögon, att jag tänkte att där går Rakel Karlsson och den kvinnan är inte att leka med.»

»Karlsson?»

»Samma efternamn som jag själv. Karlsson är nog det vanligaste namnet på slätten. Ja, hon hette så innan hon gifte sig med Svarten Murvall.»

»Och Svarten?»

»En drinkare och skrävlare, men nog var han rädd innerst inne. Inte som Kalle i Kröken. Ett annat virke.»

»Och sonen, hade hon någon son innan äktenskapet med Svarten?»

»Det tror jag att jag minns, även om hans namn är borta. Jag tror att han hette ... Nåja. Vissa namn försvinner ur minnet. Som om tiden raderar ut saker inne i skallen. Men en sak minns jag: pojkens far förliste visst när hon ännu var havande.»

»Hur var hon med pojken? Det måste varit svårt.»

»Man såg aldrig det barnet.»

»Såg honom inte?»

»Alla visste att han fanns men man såg honom inte. Han var aldrig med henne ute på samhället.»

»Och sedan?»

»Han måste varit två när hon gifte sig med Svarten Murvall. Men förstår fröken Fors, det gick rykten.»

»Vilka rykten?»

»Det ska hon inte prata med mig om. Hon ska prata med Weine Andersson.»

Gottfrid Karlsson lägger sin ena ådriga hand på Malins.

»Han bor på Stjärnorps sjukhem. Han var med på Dorian när hon förliste. Han vet nog säkra besked om ett och annat.»

Dörren till rummet öppnas och Malin vänder sig om.

Sjuksyster Hermansson.

Det korta krulliga håret verkar resa sig mot taket, och idag, när hon måste bytt ut de tjockbottnade glasögonen mot linser, ser hon säkert tio år yngre ut.

»Kriminalinspektör Fors», säger hon. »Hur understår ni er?»

54.

»Ingen, inte ens polisen, går in oanmäld till någon av mina boende.»

»Men ...»

»Ingen, inspektör Fors, ingen. Inte ni heller.»

Syster Hermansson slet med sig Malin till den lilla sköterskeexpeditionen ute i korridoren, och där gick hon på.

»De boende här kan verka starkare än de är, men de flesta är svaga, och så här års, när kylan är som värst, avlider ofta flera i stöten, och då blir det oroligt bland mina ...»

Först blev Malin arg, boende? Betydde inte det att det var deras hem? Att de fick göra som de ville? Men sedan insåg hon att Hermansson hade rätt, om inte hon brydde sig om och skyddade de gamla, vem skulle då göra det?

Malin ursäktade sig innan hon gick.

»Ursäkten accepterad», sa Hermansson och såg uppenbart nöjd ut.

»Och byt rengöringsmedel», la Malin till.

Hermansson såg på henne, tvekande.

»Ja, ni använder oparfymerat. Det finns parfymerade allergifria som doftar mycket trevligare och nog inte kostar många ören mer.»

Hermansson tänkte efter.

»En bra idé», sa hon sedan och började bläddra i några papper som för att markera att deras samtal var slut.

Och nu går Malin över infarten, mot bilen borta på parkeringen, samtidigt som telefonen ringer.

Hon springer tillbaka till entrén, åter inne i den kemikaliedoftande värmen tar hon upp mobilen.

»Det stämmer. Sjöfartsförbundet hade det i sitt dataregister.»

Johan Jakobsson låter nöjd även han.

»Så en M/S Dorian förliste och det fanns en Palmkvist ombord som drunknade?»

»Exakt. Han tillhörde inte de som räddade sig i livbåtarna.»

»Så det fanns de som klarade sig.»

»Ja, det verkar så.»

»Tack, Johan. Nu är jag skyldig dig en tjänst.»

Ruiner.

Och en sjö där isen verkar ha lagt sig permanent. Malin tar för några sekunder ögonen från vägen och ser ut över Roxen. Bilarna som åker på en plogad bana på den metertjocka isen sladdar i den relativa tryggheten och på andra sidan sjön, långt borta, strömmar rök ur frimärkessmå stugors skorstenar.

Stjärnorps slott.

Det brann på 1700-talet, återuppbyggdes, och än i dag är det familjen Douglas residens, än idag stinker det av pengar.

Slottet kunde inte vara dystrare. En grå putsad tvåvånings stenbyggnad med förkrympta fönster framför en närapå osmyckad plan flankerad av anspråkslösa magasin. Ruinen av det gamla slottet slumrar bredvid, som en ständig påminnelse om hur illa saker kan gå.

Äldreboendet ligger i utkanten av egendomen, strax efter den krök där vägen slutgiltigt frigör sig från skogen och öppnar upp sig för vyn ut över sjön.

Trevåningsbyggnaden är vitputsad och Malin tänker att det inte kan bo mer än trettio gamlingar här, och hur tyst det måste vara, bara enstaka bilar som åker förbi.

Hon parkerar utanför entrén.

Vilken Hermansson-typ ska jag stöta på den här gången?

Sedan tänker hon på kvällen, hur Tove har bjudit över Markus på middag, hon hoppas att det inte kör ihop sig. Hon ser mot byggnaden, tänker: Weine Andersson, det finns risk att det blir problem med middagen.

Weine Andersson sitter i en rullstol vid ett fönster med utsikt rakt ut över Roxen.

När Malin anmälde sig i receptionen verkade den äldre sköterskan bli glad över hennes besök. Sköterskan verkade inte bry sig om, eller bli besvärad av att Malin var polis med ett ärende. Istället sa hon: »Nu blir Weine glad. Han får sällan besök.» Sedan en paus: »Och han gillar unga personer.»

Ung person? tänkte Malin. Kvalificerar jag mig fortfarande som en sådan? Tove är en ung person. Inte jag.

»Han är förlamad i högersidan. En stroke, den har inte påverkat talförmågan, men han kan bli ledsen lätt.»

Malin nickade och gick in.

Den skallige mannen framför henne har sjömanstatueringar på båda händerna. På den lama handen som ligger i en skena har någon ristat ett ankare och fyllt i de grova linjerna med bläck.

Hans ansikte är fårat och huden täckt av leverfläckar, ett öga är blint, men det friska verkar se desto klarare.

»Jo», berättar han med ögat fäst på Malin. »Jag var ombord på den båten. Delade hytt med Palmkvist. Att säga att vi var vänner är att ta i, men vi var från samma trakter så det föll sig naturligt att vi höll oss lite till varandra.»

»Han drunknade?»

»Utanför Kap Verde råkade vi på en storm. Inte värre än andra, men båten träffades av en gigantisk våg. Vi fick slagsida och på bara en halvtimme sjönk vi. Jag simmade och kom upp i en livbåt. Det tog fyra dagar av storm innan vi blev undsatta av M/S Franscisca. Vi klarade oss på regnvattnet.»

»Frös ni inte?»

»Det var aldrig kallt. Bara mörkt. Inte ens vattnet var kallt.»

»Och Palmkvist?»

»Jag såg aldrig till honom. Jag tror han blev kvar i kabyssen redan vid första vågen. Den vattenfylldes nog redan då. Jag hade vakten och var uppe på bryggan.»

Malin kan se det framför sig.

Fartyget kränger till.

En ung man som vaknar av rörelsen, hur sedan allt blir svart och hur vattnet stiger, närmar sig i mörkret som en massa av bläckfisktentakler, hur hyttdörren sitter fast av trycket utifrån, hur munnen, näsan, huvudet omsluts och hur han till slut ger upp. Andas in vattnet och låter sig svepas med in i ett mjukt töcken där det bara finns vänlighet och sömn och ett varmare mörker än det han just lämnat.

»Visste Palmkvist om att han skulle bli far?»

Weine Andersson kan inte dölja en fnysning.

»Jag hörde de där ryktena när jag kom hem. Men jag kan säga dig så mycket att Palmkvist inte var far till Rakel Karlssons pojke. Han var inte intresserad av kvinnor på det viset.»

»Ville han inte ha barn?»

»Sjömän, inspektör Fors. Vilka blev sjömän förr?»

Malin nickar, väntar innan hon fortsätter.

»Och vem var far till pojken om inte Palmkvist var det?»

»Jag gick iland efter det. Tredje natten i stormen, just som vi trodde det skulle börja mojna, drog det igång igen. Jag försökte hålla tag i Juan men han gled ifrån mig. Det var natt och det var mörkt och blåste som i den värsta vinternatt. Havet gapade efter oss, det vrålade i sin hunger efter oss, det höll oss fast, det ville sluka oss, och trots ...»

Rösten brister för Weine Andersson. Han för sin friska arm mot ansiktet, sänker huvudet och gråter.

»... trots att jag höll så hårt jag kunde i honom så gled han ur min famn, jag såg hur skräcken fyllde hans ögon, hur han försvann ner i det svarta ... det fanns inget jag kunde göra ...»

Malin väntar.

Låter Weine Andersson samla sig, men just som hon tror att han är redo för nästa fråga börjar den gamle mannen framför henne gråta igen.

»... jag levde», säger han, »... ensam efter det, det fanns ingen annan möjlighet för mig ... tror jag.»

Malin väntar.

Hon ser hur sorgsenheten försvinner från Weine Andersson.

Sedan, utan att hon frågat, säger han:

»Palmkvist var besvärad över ryktet med Rakel Karlsson. Det började redan innan vi gav oss iväg. Men jag visste, och många andra visste vem som var far till barnet hon väntade.»

»Vem? Berätta vem?»

»Har du hört talas om en man som kallades för Kalle i Kröken? Han var far till hennes pojke, och det sägs att det var han som slog Svarten så han hamnade i rullstolen.»

Malin känner en värme strömma genom kroppen. En värme som är isande kall.

55.

Ljungsbro folkets park, försommaren 1958

Se så han rör sig.

Spända muskler, mörka ögon.

Hur de andra viker undan, hur de för sina kroppar liksom instinktivt åt sidan när han kommer med henne, henne och henne eller henne.

Hur oändlig han är, Kalle.

Hur sommarkvällens söta dofter blandar sig med svetten på de dansandes kroppar, veckoslit som drivs ut, köttets förväntan, blodet som strömmar genom kroppsdelar, får dem att ömma av längtan.

Han har sett mig.

Men han väntar.

Dansar upp sig för att bli redo. Sträck på dig Rakel, sträck på dig.

Orkestern på scenen, doften av korv och brännvin och lust. Ett, två, tre ... de flesta andra feta av chokladen de stoppar i sig från bandet, men inte du Rakel, inte du. Du är hullig på alla de rätta ställena, så sträck på dig, för fram bysten bara för honom när han dansar förbi med henne eller henne.

Han är djuret.

Den råa lusten.

Han är våldet. Det riktningslösa, ursprungliga slaget, det som inte känner flykten, det som står kvar och trotsar, det som inte har någon röst eller plats i chokladlandet.

Och ikväll ska Kalle dansa med dig, Rakel. Tänk att få dansa med Kalle ... Ikväll är det Rakel som dansar sista dansen med Kalle, den som får dofta svetten från hans skjorta.

Så blir det paus. Människomössen strömmar ut i kvällen, kulörta lyktor och kö till korven, kvartingar som töms, motorcyklarna borta vid ingången, de nästan tuffa och deras spättor och Kalle som går förbi kön, slickar senapen från korven och sväljer, den chokladfeta vid hans sida guppar och nu ser han på mig, lösgör sig från henne och går mot mig men inte än, inte än. Jag vänder sig om, går mot toaletterna, tränger mig in på damernas och hela tiden känner jag hans steg, hans travande och mörka andedräkt bakom mig.

Inte än, Kalle.

Jag svassar inte för någon.

Demokratisk dans lyser på skylten.

Och kvinnorna är framme vid honom, mannen. Den enda i rummet som förtjänar titeln.

Men han nekar dem.

Ser mot mig.

Ska jag? Aldrig. Jag svassar inte för någon. Så dansar han igen, det är någon annans kropp i hans famn men det är mig han för över parketten.

Herrarnas.

Jag nekar han, han, han och han.

Så kommer Kalle.

Jag står tryckt mot träpanelen.

Han tar min hand. Han frågar inte, tar den och jag skakar på huvudet.

Han drar mig utåt.

Men inte.

»Dansa, Kalle», säger jag, »får du göra med de vanliga chokladjäntorna.»

Och han släpper min hand, fångar henne bredvid och så runt, runt tills musiken tystnar och jag står vid ingången till parken och ser honom komma gående, ser honom passera arm i arm med henne, henne eller henne.

Kalle, viskar jag, tyst så inte någon hör.

Jag dröjer mig kvar, ljudet av försvinnande motorcykelmotorer, av fylla som försvinner ut i drömmar och huvudvärk. Lyktorna släcks, orkestern packar in sina saker i bussen.

Jag vet att du kommer tillbaka, Kalle.

Kanalen porlar tyst, det är svart nu, natt, och den är inte stjärn-
klar, högt upp har molnslöjor dragit in över himlen och dämpar stjär-
nornas, månens ljus.

Hur lång tid har gått?

En timme?

Du kommer.

Är du färdig med henne, Kalle?

För där kommer du, rundar kröken och du ser så liten ut där du
lämnar brovaktarbostadens gula träfasad bakom dig.

Men du är ingen pojke.

Det är inte därför jag väntar här i juninattens fuktiga, vaga kyla,
det är inte därför jag känner mig så varm, så varm när du växer fram-
för mig.

Din skjorta är uppknäppt.

Håret på ditt bröst, dina svarta ögon, all den kraft som finns i din
kropp riktad mot mig.

»Så hon dröjer sig kvar.»

»Hon står här.»

Och du tar min hand, leder mig längs vägen, förbi de små nybygg-
da villorna och så tar vi till vänster in på skogsvägen.

Vad tror jag ska hända?

Vad förväntar jag mig?

Din hand.

Plötsligt är den främmande. Din doft, din skugga är främmande.
Jag vill inte vara här. I skogen. Med dig. Jag vill att du ska släppa min
hand.

Släpp.

Men du kramar ännu hårdare och jag följer dig in i mörkret Kalle,
trots att jag inte längre vet om jag vill.

Du grymtar.

Pratar om brännvin, muttrar orden och dina dofter blandas med
skogens, den är full av nytt liv men också av det ruttnande, det som
försvinner.

Släpp, släpp.

Jag säger ordet nu. Men du drar mig vidare, du sliter och drar men
du är stark, du är precis så rå som jag förväntat mig.

Är du lejonet? Leoparden? Krokodilen? Björnen?

Jag vill undan.

Jag är Rakel.

Den övermodiga.

Grymtandet.

Så stannar du, svarta band omkring oss, och du vänder dig om och jag försöker dra mig undan men du fångar min andra arm, lyfter mig uppåt, och det finns ingen mänsklighet i den du är. Borta är ljuset, borta är drömmen.

Tyst, slyna. Tyst.

Och jag är nere på marken nu, nej, nej, nej inte nu inte så här och du slår mig över munnen och jag skriker men det enda jag känner är järnsmaken och något som är hårt och kraftigt och långt söker sig uppåt.

Såja, ligg still nu, nu kommer Kalle.

Marken skär i mig, bränner.

Var det här vad jag ville ha så starkt? Begärde?

Jag är ändå Rakel, och jag svassar inte för någon.

Kalle.

Jag skå bli som du, fast listig.

Du spränger mig, men jag protesterar inte längre, ligger stilla och det är märkligt vad jag kan förminska de här ögonblicken till att bli ingenting.

Jag går sönder, jag sprängs och din tyngd gör att jag inte kan andas, men ändå, du finns inte.

Så är du färdig.

Du reser dig. Jag ser dig knäppa byxorna, hör dig muttra slyna, slyna, slynor är de allihop.

Grenar bryts, du snubblar, mumlar, så berättar tystnaden att du är borta.

Men natten har just börjat.

Mörkret drar sig samman i mitt mellangärde, två händer sträcks upp i luften, bryter igenom den klara skimrande hinnan och beslutar sig för att här, här ska det bli liv.

Jag känner det redan då.

Att i mig växer all den smärta och plåga som det innebär att vara människa.

Jag krälar på den våta marken.

Grenarna slingrar sig, trädstammarna hånflinar, barren, löven, mossan äter mig.

Jag kryper ihop. Men sedan reser jag mig.

Står upp.

Och ryggen är rak.

56.

»Vi skakar väl hand?»

Markus sträcker fram handen och Malin tar den. Hans handslag är fast och bestämt, har en riktning men är ändå inte plågsamt hårt.

Väldrillat, tänker Malin och ser hur en man i vit läkarrock står och övar handslag med vad som ska bli den perfekta sonen.

»Välkommen.»

»Trevligt att få komma hit.»

»Vi bor ju inte så stort som kanske din familj gör», säger Malin och slår ut med armen i den lilla hallen och undrar varför hon närmast instinktivt ursäktar sig i Toves pojkväns sällskap.

»Det är fint här», säger han. »Jag skulle också vilja bo så här centralt.»

»Du får ursäkta ...»

Malin vill bita sig i läppen, och sedan tystnar hon, men inser att hon måste fortsätta meningen.

»Att jag blev lite arg sist vi sågs.»

»Det hade jag också blivit», säger Markus och ler.

Tove kommer ut ur köket.

»Mamma har lagat spagetti med hemgjord pesto. Gillar du vitlök?»

»Förra sommaren hyrde vi hus i Provence. Då fanns det färsk vitlök i trädgården.»

»Vi brukar mest göra dagsutflykter på sommaren», säger Malin, sedan snabbt: »Ska vi sätta oss till bords med en gång? Eller vill du ha något att dricka först? En cola, kanske?»

»Jag är hungrig», säger Markus. »Gärna käk direkt.»

Malin ser på honom när han slevar i sig.

Han försöker hålla emot, uppföra sig som hans föräldrar säkert försökt pränta i honom att man ska, men Malin kan se hur han hela tiden förlorar slaget mot tonårshungern.

»Det är möjligt att det är för mycket parmesan ...»

»Det här var gott», avbryter Markus. »Hur gott som helst.»

Tove harklar sig.

»Mamma. Jag har tänkt på det där med vad morfar sagt. Det låter kul. Hur kul som helst. Men skulle inte Markus kunna komma med? Vi har pratat med hans föräldrar och de kan köpa en biljett till honom.»

Vänta nu.

Vad är det här?

Sedan ser hon sig själv och Janne framför sig. Hon är fjorton, han sexton. De ligger på en säng i ett obestämt rum, fingrar runt knapparna på varandras kläder. Hur ska vi någonsin kunna vara ifrån varandra längre än ett par timmar? Samma känsla i Toves ögon nu.

Förväntansfull, men med en första aning om att tiden är begränsad.

»Bra idé», säger Malin. »De har ju två extra sovrum.»

Sedan ler hon.

Ett förälskat tonårspar. Med mamma och pappa. På Teneriffa.

»För mig går det bra», säger hon sedan. »Men vi måste fråga morfar.»

Sedan säger Markus:

»Mamma och pappa vill bjuda er på middag någon gång snart.»

Hjälp.

Nej. Nej.

Läkarrockar och en högfärdig dam vid ett bord. Handslagsövningar. Ursäkter.

»Vad trevligt», svarar Malin. »Hälsa dina föräldrar att jag gärna kommer.»

När Markus gått sitter Malin och Tove vid köksbordet. Deras kroppar blir till svarta konturer när de återspeglas i fönstret ut mot kyrkan.

»Visst är han söt?»

»Han är väluppfostrad.»

»Fast inte för mycket.»

»Nej Tove, inte för mycket. Men mycket nog för att du ska passa dig för honom. Det är alltid de väluppfostrade som är värst när det gäller.»

»Vad menar du, mamma?»

»Jag bara snackar, Tove. Han är okej.»

»Jag ringer morfar i morgon.»

En inre väckarklocka ringer, och Malin är vaken, klarvaken trots att klockan på nattduksbordet visar 02.34 och hela kroppen skriker efter vila.

Malin vrider sig av och an i sängen, försöker somna om, och hon lyckas stänga av tankarna på utredningen, på Tove, Janne och alla andra, men ändå kommer inte sömnen till henne.

Måste sova, måste sova.

Mantrat gör henne mer vaken för varje gång och till slut stiger hon upp, går ut i köket och dricker mjölk direkt ur paketet och tänker på hur arg hon brukade bli på Janne när han gjorde så, hur hon fann det motbjudande och opolerat över gränsen och i ett annat hus, utanför staden, ligger Janne vaken och undrar om han någonsin ska sluta drömma och sedan, för att slå bort minnena från djungeln och bergsvägarna, frammanar han Malins och Toves ansikten för sitt inre och han blir lugn och glad och ledsen, och tänker att bara människor man verkligen älskar kan väcka så motstridiga känslor inom en och sedan kliver han upp, går till Toves rum, tittar på den tomma sängen och låtsas att hans dotter ligger där, tänker på hur hon håller på att växa ifrån dem, och att han aldrig vill släppa henne och i lägenheten i stan står Malin vid Toves säng i samma stund och undrar om saker någonsin kunde blivit annorlunda eller om allt på något vis redan var, är bestämt.

Hon vill stryka Tove över håret.

Men kanske skulle hon vakna då? Vill inte väcka dig Tove, men jag vill hålla dig kvar.

Uppstartsmötet på veckan inställt igår, »Ingen idé om du inte är på plats, Fors», som Sven Sjöman sa i telefon.

De andras andedräkter ligger tunga i mötesrummet och alla verkar piggare än hon själv.

Kanske för att det har kommit svar från SKL?

Gummikulorna i Bengt Anderssons lägenhet hade avlossats från salongsgeväret som påträffades hemma hos Niklas Nyrén, Joakim Svenssons och Jimmy Kalmviks fingeravtryck fanns på vapnet.

»Det var det», säger Sven. »Då vet vi vilka som skjutit in i Bengt Anderssons lägenhet. Nu kan Malin och Zeke pressa de unga tuffingarna på riktigt och se om de döljer något mer. Ta tag i det så fort ni hinner. De borde väl vara i skolan så här dags.»

Så berättar Malin vad hon fått fram i Murvallsspåret.

Hon kan känna Karim Akbars skepsis när hon berättar om kopplingen mellan Kalle i Kröken och familjen. Om han nu var far till Karl Murvall, så vad spelar det för roll? Vad ger det oss att gå på som vi inte redan har? Som vi inte redan vet?

»Murvall är en dead end. Nu är det nya vägar som gäller. Hitta nya trådar i asaspåret, det måste finnas något på hårddisken. Johan, hur går det med den? Jaså, ni har kommit förbi lösenordet, jaha, en massa stängda mappar.»

Men Malin framhärdar: »Det gör Karl Murvall till bror till Bengt Andersson. Något han troligtvis inte ens vet om.»

»Om nu gubben i Stjärnorp talar sanning», säger Karim.

»Det kan vi lätt ta reda på. Bengts DNA finns bevarat och vi kan bara ta ett prov på Karl Murvall, så vet vi.»

»Sakta i backarna», säger Karim. »Vi kan inte springa runt och ta en massa integritetskränkande prover bara utifrån vad någon åldring påstår. Särskilt inte som betydelsen för utredningen minst sagt är grumlig.»

Efter middagen igår ringde hon Sven och berättade vad Weine Andersson avslöjat.

Sven hade lyssnat avvaktande, och hon visste inte om han var nöjd med eller irriterad över att hon arbetade på egen hand en söndag. Men sedan sa han: »Bra, Fors, vi är inte färdiga med den linjen i utredningen än. Och bröderna Murvall är anhållna och sitter kvar i häktet för de andra brotten.»

Och kanske är det därför han nu säger:

»Malin, du och Zeke får förhöra Karl Murvall igen upplysningsvis. Han har alibi för mordkvällen, men försök ta reda på om han vet något om den här historien. Han kan ha ljugit om vad han visste förra gången när ni pratade med honom. Börja med det, och pressa Kalmvik och Svensson sedan.»

»Och DNA-provet?»

»En sak i taget, Malin. Åk och träffa honom. Se vad det ger. Och ni andra, vänd på varenda sten, försök hitta de vinklar och vrår i det här fallet som vi ännu inte rotat runt i. Tiden går och ni vet alla att ju längre tiden går, desto mindre är chansen att vi får fatt i gärningsmannen.»

Zeke kommer fram till hennes skrivbord.

Han är arg, pupillerna små och skarpa i hans ögon.

Nu är han förbannad för att jag drog iväg utan honom igår. Ska han aldrig vänja sig?

»Du kunde ringt mig, Malin. Tror du han vet om det här, Karl Murvall? Om Kalle i Kröken?»

»Jag har tänkt på det. Han kanske vet, men inte på riktigt, om du förstår vad jag menar.»

»Du är för djup för mig, Fors. Nu åker vi till Collins och tar ett snack med honom. Det är tisdag, han är säkert på plats.»

57.

Collins Mekaniska AB utanför Vikingstad.

Den asfalterade parkeringen sträcker sig dryga hundratalet meter från ett tätt skogsbryn fram till en vaktkur och en bom som är den enda öppningen i ett tio meter högt stängsel krönt av taggtråd i perfekta skruvar.

Företaget är underleverantör åt Saab General Motors. Ett av de få framgångsrika företagen på slätten, trehundra personer arbetar med automatiserad montering av bildelar, för bara några år sedan var de sjuhundra, men det är omöjligt att konkurrera med Kina.

Ericsson, NAF, Saab, BT-Trucks, Printcom; alla har de dragit ner eller försvunnit helt. Malin har märkt förändringen som sker i trakten när ännu en tillverkningsindustri läggs ner; våldsbrotten ökar, misshandeln i hemmen likaså. Förtvivlan är, vad vissa politiker än må säga, granne med knytnäven.

Men efter ett tag återgår allt på något märkligt vis till hur det var innan. Vissa får nya arbeten. Andra människor sätts i åtgärder, placeras i utbildningar eller tvingas eller övertalas att gå i förtidspension. De blir de artificiellt behövda, eller färdiga, de hamnar i en brytpunkt, på gränsen till det samhälle som familjen Murvall till intet pris vill delta i. Annat än på sina villkor.

Att förstå att man är förbrukad, tänker Malin. Jag kan inte ens föreställa mig hur det skulle vara att drabbas av en sådan insikt. Att vara oönskad, inte behövas.

Bortom taggtrådsstängslets ogenomtränglighet ligger fönsterlösa, hangarliknande vita fabriksbyggnader.

Det ser ut som ett fängelse, tänker Malin.

Vakten i kuren är klädd i Falks blå uniform och hans ansikte saknar tydlig övergång mellan kinder, haka och hals. Mitt i all hud har skapelsen infogat ett par gråvattniga ögon som stirrar skeptiskt på Malin när hon håller upp sin polislegitimation.

»Vi söker en Karl Murvall. Han ska vara datachef här.»

»I vilket ärende?»

»Det spelar ingen roll i vilket ärende», säger Zeke.

»Ni måste uppge ett ...»

»Polisärende», säger Malin och sedan tar den vattenögde blicken från henne, ringer ett samtal, nickar ett par gånger innan han lägger på luren.

»Ni kan gå in till huvudreceptionen», säger han.

Malin och Zeke vandrar längs den väg som leder till entrén. De går förbi de slutna monteringshallarna, en promenad på flera hundra meter och halvvägs står ett par av dörrarna öppna, slitna traverser hänger i hundratal från balkar i taket, som om de vilat länge och nu väntar på att få användas. En snurrdörr av etsat glas under ett tak som bärs upp av stålbalkar leder in till receptionen. Två kvinnor sitter bakom en disk i mahogny, ingen av dem verkar notera deras ankomst, till vänster en bred marmortrappa. Hela rummet doftar av citronrengöringsmedel och polerat läder.

De går fram till receptionen. Den ena receptionisten tittar upp.

»Karl Murvall är på väg ner. Ni kan vänta i stolarna borta vid fönstret.»

Malin vänder sig om. Tre röda Ägget-fåtöljer på en brun matta.

»Kommer han snart?»

»Om någon minut bara.»

Karl Murvall kommer nerför trappan tjugofem minuter senare, klädd i en grå kavaj, gul skjorta och ett par för korta mörkblå jeans. Malin och Zeke reser sig när de får syn på honom, går honom till mötes.

Karl Murvall sträcker fram sin hand, hans ansikte uttryckslöst.

»Kriminalinspektörerna. Vad förskaffar mig den äran?»

»Vi behöver prata ostört», säger Malin.

Karl gör en gest mot stolarna.

»Här kanske?»

»Kanske ett konferensrum», säger Malin.

Karl Murvall vänder sig om och börjar gå uppför trappan, ser sig över axeln för att försäkra sig om att Zeke och Malin är honom i spåren.

Han knappar in en kod på låset till en glasdörr och den åker åt sidan och blottar en lång korridor.

Inifrån ett av de rum de passerar hörs ett starkt, surrande fläktljud bakom en frostad glasdörr. En svart skugga bakom dörren.

»Serverrummet. Hela produktionens hjärta.»

»Är det du som är ansvarig för det?»

»Det är mitt rum», säger Karl Murvall. »Där är det jag som har kontrollen.»

»Det var här du jobbade när Bengt Andersson blev mördad?»

»Precis här.»

Karl stannar sedan vid en ny glasdörr, slår in ännu en kod. Dörren åker åt sidan, och runt ett kanske tio meter långt ekbord står tolv svarta Myran-stolar, mitt på bordet ett fat med brandröda vinteräpplen.

»Styrelserummet», säger Karl. »Borde duga.»

»Nå?»

Karl Murvall sitter mitt emot dem, hans rygg pressad mot stolen.

Zeke skruvar sig på sin.

Malin lutar sig framåt.

»Det var ingen sjöman som var din far.»

Karl Murvalls ansikte förblir orörligt, inte en muskel spänns, ingen oro far genom hans ögon.

»Det var», fortsätter Malin, »en legend i Ljungsbro vid namn Karl Andersson som var din far, en Kalle i Kröken. Känner du till det?»

Karl Murvall lutar sig bakåt. Ler mot Malin, inte hånfullt utan ett tomt och ensamt leende.

»Befängt», säger han sedan.

»Och om det stämmer är, jag menar var, du och Bengt Andersson halvbröder.»

»Jag och han?»

Zeke nickar.

»Du och han. Har inte din mamma berättat?»

Karl Murvall biter ihop.

»Befängt.»

»Du vet inget om det? Att din mamma hade ett förhållande med Kalle i ...»

»Jag struntar i vem som var min far eller inte. Jag har lämnat det bakom mig. Ni måste acceptera det. Ni måste förstå vad jag har fått kämpa för att komma dit där jag är idag.»

»Får vi ta ett DNA-prov på dig som vi kan jämföra med Bengt Anderssons? Då vet vi säkert.»

Karl Murvall skakar på huvudet.

»Det är ointressant.»

»Verkligen?»

»Ja, för jag vet. Ni behöver inte ta något prov. Mamma berättade. Men eftersom jag har försökt lägga mina andra halvbröder och deras liv bakom mig, så struntar jag fullkomligt i det där.»

»Så du är Bengt Anderssons halvbror?» frågar Zeke.

»Inte nu längre. Nu är han ju död. Eller hur? Var det något mer? Jag måste röra mig till ett annat möte.»

På väg tillbaka till bilen ser Malin bort mot det mörka skogsbrynet.

Karl Murvall ville inte berätta om sin styvfar, inte prata om hur det var att växa upp i Blåsvädret, inte säga någonting om sin relation till bröderna, till sin syster. »Inte ett ord till. Ni har fått vad ni behöver. Vad vet ni om hur det är att vara jag? Om det inte är något annat ni vill veta, så kallar plikten mig nu.»

»Men Maria?»

»Vad är det med Maria?»

»Var hon snäll mot dig som mot Bollbengan? Snällare än Elias, Adam och Jakob? Vi har förstått att hon var snäll mot Bengt. Visste hon att du var hans halvbror?»

Tystnad.

Karl Murvalls gråa kinder, små ryckningar i mungipan.

Bommen vid vaktkuren öppnar sig och de går ut.

Adjö, fängelse, tänker Malin.

Plikten.

Hur dyster kan den inte göra en plats?

Karl Murvall är även Rebecka Stenlundhs halvbror, hon hans halvsyster.

Men det är inte min plikt, tänker Malin. Det får de upptäcka själva, om de inte redan vet. Rebecka Stenlundh vill nog få vara ifred.

58.

»Tror du Maria Murvall visste att Bengt Andersson och hennes halvbror hade samme far? Att det var därför hon tog sig an honom?»

Zekes röst blir grumlig av maten de har i sina munnar.

Malin tar en tugga av sin chorizo.

Gatuköket i Vallarondellen. Godaste korven i stan.

Bilen går på tomgång med värmen på och bakom dem tiger de gulteglade hyreskasernerna och studentlängorna i Ryd, stilla, liksom medvetna om sin plats i bostadshierarkin; att i oss bor bara de som har ont om kosing, på kort sikt, eller för livet, om inte en tipsvinst kommer i deras väg.

Åt andra hållet motorvägen, och bortom de glesa skogsdungarna ligger universitetsbyggnaderna. Hur hånfulla måste de inte vara för många som bor i Ryd, tänker Malin. Varje dag finns de där som bilder av svåruppnåeliga drömmar, av missade chanser, felval och begränsningar. Bitterhetens arkitektur, kanske.

Men inte för alla. Långt ifrån för alla.

»Du svarade inte på min fråga.»

»Jag vet inte», svarar Malin. »Kanske kände hon att det fanns ett samband. Instinktivt. Eller så visste hon.»

»Kvinnlig intuition?»

Zeke skrockar.

»Nu kan vi i alla fall inte fråga henne», svarar Malin.

Lek med en skorpion och den sticker dig. Stick in handen i ett gryt och grävlingen hugger. Reta skallerormen och den hugger. Samma med mörkret: driv in mörkret i ett hörn och det hugger.

Men sanningen.

Vilken är den?

Hon viskar ordet för sig själv när hon och Zeke går över gårdsplanen till Rakel Murvalls hus. Bakom dem sjunker solen neråt horisonten, övergången mellan ljus och mörker är hastig och kall.

De knackar på.

Modern har säkert sett dem komma, tänker: Inte nu igen.

Men hon öppnar.

»Ni?»

»Vi vill komma in», säger Zeke.

»Ni har väl varit här tillräckligt.»

Rakel Murvall flyttar på sin magra kropp, backar och blir stående i hallen med armarna utmed sidorna, men ändå märkligt avvisande: Hit men inte längre.

»Jag ska gå rakt på sak», säger Malin. »Kalle i Kröken. Han var far till din son Karl.»

Hennes ögon svartnar, ljusnar.

»Var har du hört det?»

»Det finns tester», säger Malin. »Vi vet.»

»Det gör Karl till halvbror med den mördade», säger Zeke.

»Vad vill ni veta? Att jag hittade på hela historien med sodomiten till sjöman när båten förlist? Att jag gav mig till Kalle i Kröken i parken en kväll? Det var jag inte den enda som gjorde.»

Rakel Murvall ser på Zeke med stilla förakt i blicken, sedan vänder hon sig om. Går in i vardagsrummet och de följer efter och orden snärtas ur hennes mun som från änden av en piska.

»Han fick aldrig veta något, Kalle, att han var far till pojken. Men Karl, jag döpte ungen till det för att jag aldrig skulle glömma var han kom ifrån.»

Du, tänker Malin, du lät honom aldrig glömma. På ditt vis.

Ögonen fulla av kyla nu.

»Hur tror ni det var för mig att gå ensam med honom här? Sjömannens pojk, han är sjömannens pojk, det svalde de, chokladkärringarna ute på samhället.»

»Hur fick Karl veta?» frågar Zeke. »Betedde sig pojkarna och Svarten illa mot honom?»

»Han kom sättande med ett märkvärdigt halsband på min sjuttio-
årsdag. Han trodde han blivit något, men då sa jag till honom som
det var, att din far det var Kalle i Kröken, så sa jag till honom. Ingen-
jörn! Va? Han stod där ni står nu.»

Gumman drar sig bakåt. Rör med handen mot Malin och Zeke,
viftar, som för att säga: Schas, schas, schas.

»Och om ni säger något till pojkarna om det här ska jag hemsöka
er tills ni önskar att ni aldrig blivit födda.»

Hon drar sig inte för att hota polisen, tänker Malin. Vålnader, tän-
ker hon sedan, som ska motas bort till varje pris. Och det är fort-
farande du som styr utvecklingen, Rakel. Vad betyder det?

Genom sitt köksfönster ser Rakel Murvall de två poliserna gå tillbaka
till sin bil. Hur de går i sina egna fotspår. Hon känner ilskan lägga
sig, hur aggressionen blir till riktig eftertanke. Sedan går hon ut till
hallen, lyfter telefonen på det lilla bordet.

59.

Britta Svedlund har rest sig, spänner ögonen i Joakim Svensson och Jimmy Kalmvik, som just kommer in på hennes rektorskontor på Ljungsbroskolan. Rummet vibrerar av hennes ilska och doften av kaffe och nikotin ligger tät.

Hon måste röka här inne ibland, tänkte Malin när hon nyss klev in.

När pojkarna först fick se Malin och Zeke i rummet backade de, ville springa undan, men rektorns skarpa blick höll dem kvar, håller dem kvar.

Tidigare, när de väntade på att Joakim och Jimmy skulle komma till hennes kontor från sin engelsklektion, förklarade Britta Svedlund den filosofi som styrt hennes lärargärning.

»Ni måste förstå att man inte kan hjälpa alla. Jag har alltid fokuserat på de som verkligen vill, inte nödvändigtvis de mest begåvade, men de som vill lära sig. Man kan få elever att vilja mer än de anar, men vissa är hopplösa och dem har jag alltid slutat ödsla kraft på.»

Men Joakim och Jimmy har du inte givit upp än, tänker Malin när hon ser Britta Svedlund ta kommandot över pojkarna med blicken. Trots att de slutar i vår? Trots att de är gamla nog att ta ansvar för allt de gör?

»Sätt er ner», säger Britta och de två pojkarna sjunker ner på var sin stol, hukar under hennes stämma.

»Som jag hållit er bakom ryggen. Och vad har ni nu ställt till med.»

Malin flyttar sig så pojkarna kan se hennes ögon.

»Se på mig», säger hon med iskall röst. »Nu får det vara slut på era lögner. Vi vet att det var ni som sköt in i Bengt Anderssons lägenhet.»

»Vi har inte ...»

Britta Svedlunds röst från andra sidan skrivbordet: »VET HUT NU», och så börjar Jimmy Kalmvik prata, hans röst gäll, ängslig, som om den tagits ur målbrottet och förflyttats till en annan mer oskyldig ålder.

»Ja, vi sköt med det där geväret in i hans lägenhet. Men han var inte hemma. Vi tog geväret och cyklade dit och sedan sköt vi. Det var mörkt och han var inte hemma. Jag svär. Vi stack direkt. Det var jävligt läskigt.»

»Det stämmer», säger Joakim Svensson lugnt. »Och vi har inget att göra med det där jävla galna som hände Bollbengan sedan.»

»Och när sköt ni?» frågar Malin.

»Strax före jul, en torsdag.»

»Hamnar vi i fängelse nu? Vi är ju femton?»

Britta Svedlund skakar trött på huvudet.

»Det beror på om ni samarbetar», säger Zeke. »Berätta allt ni tror kan vara viktigt för oss, och då menar jag allt.»

»Men vi vet inget mer.»

»Inte ett skit.»

»Så ni trakasserade inte Bengt mer efter det? Saker och ting spårade inte ur en kväll? Va?»

»Säg som det är», säger Malin. »Vi måste få klarhet.»

»Men vi har inte gjort något mer.»

»Och natten mellan förra onsdagen och torsdagen. Innan Bollbengan hittades?»

»Vi har ju sagt att vi såg på *Lords of Dogtown*. Det är helt sant!» Desperation i Joakim Svenssons röst.

»Ni kan gå», säger Zeke och Malin hummar instämmande.

»Betyder det att vi är fria?»

Jimmy Kalmviks naiva röst.

»Det betyder», säger Zeke, »att ni kommer att höra från oss igen i sinom tid. Man skjuter inte igenom någons fönster utan att det får konsekvenser.»

Britta Svedlund ser trött ut, verkar längta efter en whisky och en cigarett, verkar njuta av att pojkarna lämnat hennes kontor.

»Gud ska veta att jag försökt med de där två.»

»Kanske kan de lära sig av det här», säger Malin.

»Vi får hoppas det. Är ni nära att gripa någon för mordet?»

Zeke skakar på huvudet.

»Vi följer flera utredningslinjer», säger Malin. »Vi måste jobba med varje möjlighet, varje liten sannolikhet, hur osannolik den än är.»

Britta Svedlund ser ut genom fönstret.

»Vad händer med pojkarna nu?»

»De blir kallade till förhör brevledes, om nu förundersöknings-ledaren finner det värt besväret.»

»Det får vi hoppas», säger Britta Svedlund. »De måste få känna av att de gjort fel.»

Tillbaka på polishuset möter Karim Akbar dem i receptionen.

Ilskan ett moln kring hans huvud.

»Vad har ni haft för er ni två?»

»Vi har ...»

»Jag vet. Varit hos Rakel Murvall och trakasserat henne med frå-gor om vem hon hade sex med för fyrtiofem år sedan.»

»Vi har inte trakasserat någon», säger Zeke.

»Enligt henne har ni det. Hon ringde och gjorde en formell an-mälan. Och nu ska hon ringa 'tidningen', som hon sa.»

»Hon är ingen ...»

»Fors, hur tror du det kommer att se ut? Hon kommer att framstå som den värnlösa gumman och vi som monstren.»

»Men ...»

»Inga men. Vi har inget reellt att gå på där. Vi måste låta Murvalls vara ifred. Om du, jag menar ni, inte backar, så får Jakobsson ta över.»

»Helvete», viskar Malin.

Karim ställer sig tätt intill henne.

»En dags lugn Fors, det är allt jag begär.»

»Helvete.»

»Aningar, Fors, räcker inte längre. Det har gått snart två veckor. Vi måste ha något konkret. Inte en massa skit om vem som är bror till vem och att vi trakasserar en gammal gumma i brist på annat.»

Dörren till kontorslandskapet går upp. Sven Sjöman. Uppgiven blick.

»Bevisen håller inte för att häkta bröderna Murvall för inbrottet i vapenlagret i Kvarn. De måste släppas.»

»Men de hade ju för fan handgranater därifrån hemma? Handgranater.»

»Visst, men vad säger att de inte köpt dem av någon i undre världen? Tjuvjakt och olaga vapeninnehav är inte tillräckligt för att domstolen ska gå vidare och häkta dem. De har ju erkänt.»

Så ett rop från bakom receptionen:

»Telefon till dig, Malin.»

Hon tar samtalet vid sitt skrivbord, telefonen kall och tung i handen.

»Ja, Fors.»

»Karin Johannison här.»

»Hej Karin.»

»Du, jag fick precis ett mejl från Birmingham. De har inte lyckats få fram något ur provet från Maria Murvalls kläder, det var visst för grumligt, men de ska köra ett test till. Något helt nytt.»

»Ingenting? Vi får hoppas på det nya testet.»

»Du låter trött. Hjälpte fynden med salongsgeväret er något?»

»Ja, i princip kunde vi stänga den utredningslinjen.»

»Och?»

»Ja, vad ska jag säga, Karin. Barn, eller tonåringar, som lämnas vind för våg. Det blir aldrig något bra.»

60.

»Mamma, mamma.»

Malin hör Tove ropa från köket, antar att hon är klar med sin matteläxa, tänker matematik, usch. Matematik må vara tingens språk, men det har aldrig varit mitt.

»Kom mamma.»

Tonåringen.

Barnet.

Den nästan vuxna.

Den vuxna.

De fyra i samma person, och så viljan att definiera sin plats i världen, en värld som inte väntar på en och bara mycket motvilligt släpper till ståplatsutrymme. Inte ens om du utbildar dig, Tove, är det säkert att du får något jobb. Bli läkare, lärare, något säkert. Men finns det något säkert? Följ ditt hjärta. Bli vad som helst bara det är vad du verkligen vill. Ditt svar än så länge: Jag vet inte. Kanske skriva böcker. Så otidsenligt. Skriv manus till dataspel istället, Tove. Gör vad som helst men ha inte för bråttom, se världen, vänta med att skaffa barn.

Men på något vis vet du allt det där. Du är förståndigare än vad jag någonsin var.

»Vad är det, Tove?»

Malin sätter sig tillrätta i soffan, sänker ljudet på tv:n och nyhetsankaret rör munnen utan att det hörs några ord.

»Ringde du morfar?»

Satan.

»Nej, kom vi inte överens om att du skulle ringa?»

»Skulle inte du ringa?»

»Jag vet inte, men hur som helst måste vi göra det nu.»

»Jag ringer», ekar Toves röst från köket och Malin hör hur hon lyfter luren, slår numret, väntar innan hon säger:

»Morfar, det är Tove ... ja, ja, det låter kul ... biljetter ... när då? ... den tjugosjätte? ... och så du, det är en sak, jag har en pojkvän ... Markus ... två år äldre ... och jag ... tänkte att han kan följa med ... ja, till er ... på Teneriffa, hans föräldrar är med på det ... oj, nähä ... det är bäst du pratar med mamma ... MAMMA, MAMMA, MORFAR VILL PRATA MED DIG.»

Malin reser sig och går ut till köket. Doften av kvällens middag ligger kvar.

Hon tar luren ur Toves hand, sätter den mot örat.

»Malin, är det du?»

Hans röst är upprörd och nu går den nästan upp i falsett.

»Vad menar du med det här? Att någon Markus ska med? Är det ditt påhitt? Du ska alltid missbruka det minsta förtroende man ger dig. Förstår du inte att du förstört allting nu, när vi ville ge Tove chansen att få se Teneriffa ...»

Malin håller luren ifrån sig. Väntar. Tove står bredvid, förväntansfull, men Malin skakar på huvudet, måste förbereda det oundvikliga. Hon ser besvikelsen belägra Toves kropp, axlarna sjunka neråt.

När hon åter för luren till örat är det tyst.

»Pappa? Är du där? Är du klar?»

»Malin, vad får dig att slå i Tove sådana saker?»

»Pappa. Hon är tretton. Trettonåriga flickor har pojkvänner som de vill umgås med när de är lediga.»

Sedan hör Malin ett klick.

Hon lägger på luren.

Lägger ena armen om Toves axel, viskar: »Var inte ledsen, gumman, men morfar tyckte inte det var någon bra idé med Markus.»

»Då stannar jag hemma», säger Tove och Malin känner igen trotset, lika starkt och definierande som hennes eget.

Vissa nätter är sängen oändligt bred, vissa nätter rymmer den all världens ensamhet. Vissa nätter är den mjuk och löftesrik, väntan på sömnen blir den bästa tiden på dagen som flytt. Vissa nätter, som den här, är sängen hård, madrassen en fiende som vill tvinga kvar ens tankar på fel ställen, som verkar vilja håna en för att man ligger där ensam, utan en annan kropp att vila i och emot.

Malin sträcker ut handen och tomrummet är kallt som natten utanför fönstret, det blir mångdubbelt större eftersom hon vet att tomrummet finns där redan när hon sträcker ut handen för att möta det.

Janne.

Hon tänker på Janne.

Hur han börjar bli äldre, hur de båda börjar bli äldre.

Hon vill sätta sig upp, ringa honom, men han sover, eller så är han på stationen, eller så är han ... Daniel Högfeldt. Nej, inte den sortens ensamhet i natt, en mycket värre sort. Den riktiga ensamheten.

Malin sparkar av sig täcket.

Reser sig ur sängen.

Sovrummet är mörkt, ett meningslöst och tomt mörker.

Hon fumlar med sin bärbara cd-spelare på skrivbordet. Vet vilken skiva som sitter i. Sätter på sig lurarna.

Sedan lägger hon sig på nytt och snart strömmar Margo Timmins mjuka röst genom hennes huvud.

Cowboy junkies. Innan de blev trista.

Den övergivna kvinnan ensam längtande men i sista versen triumfatorisk: »... kinda like the few extra feet in my bed ...»

Malin drar av sig hörlurarna, fumlar med telefonen, slår Jannes nummer och han svarar på fjärde signalen.

Tystnad.

»Jag vet att det är du, Malin.»

Tystnad.

»Malin, jag vet att det är du.»

Hans röst är den enda röst som behövs, mjuk och lugn och trygg. Hans röst är en famn.

»Väckte jag dig?»

»Ingen fara. Du vet att jag sover dåligt.»

»Samma här.»

»Kall natt i natt, eller hur? Kanske kallast hittills.»

»Ja.»

»Som tur är fungerar nya oljepannan.»

»Vad bra. Tove sover. Det blev inget vidare det där med Markus och Teneriffa.»

»Han blev arg?»

»Ja.»

»Att de aldrig lär sig.»

»Och vi då, lär vi oss?»

Men det är inte de orden som passerar över hennes läppar, istället:

»Det måste gå åt mycket olja den här vintern.»

Janne suckar i luren. Sedan säger han:

»Nu sover vi, Malin. Godnatt.»

61.

Onsdag den femtonde februari

På något vis verkar kyrkan ha vant sig vid kylan. Funnit sig i att ha sin grånande puts täckt av ett tunt lager frost. Men träden protesterar fortfarande, och bilderna borta i resebyråns fönster, de på stränder och klarblåa himlar, är alltjämt lika hånfulla.

Det doftar nybakat. Malin var uppe tidigt och hann sätta in de frysta bake-off-baguetterna i ugnen. Hon har ätit två stycken, med aprikosmarmelad och västerbottenost och nu står hon vid fönstret i lägenheten.

Bakom henne på köksbordet ligger Correspondenten. Hon har inte ens orkat öppna tidningen. Allt finns på första sidan.

Polisen anmäld för trakasserier i mordfall.

Rubriken är ett hån, tänker Malin samtidigt som hon läppjar på sitt kaffe och vänder blicken ner mot Åhléns där de skyltar med dunjackor och mössor.

Men om rubriken är ett hån är texten ett dåligt skämt, en lögn.

... trots att polisen inte har det minsta bevis på familjen Murvalls inblandning i mordet på Bengt Andersson har man vid inte mindre än sju tillfällen förhört 72-åriga Rakel Murvall i dennas hem. Rakel Murvall drabbades så sent som för ett år sedan av en mindre stroke ... det liknar rena förföljelsen från polisens sida ...

Signerad Daniel Högfeldt. Så han är tillbaka. I full form. Hårdvinklar. Var har han varit?

En kort artikel bredvid, om att skotten mot Bengt Anderssons lägenhet är klarlagda, men att polisen inte kopplar samman dem med själva mordet. Citat av Karim Akbar: *Det är i alla fall högst osanno-*

334

likt att det finns ett samband.

Så sätter sig Malin vid köksbordet.

Slår upp tidningen.

Rakel Murvall namnger henne själv och Zeke i ett citat.

De har varit här sju gånger och tvingat sig på. Polisen har ingen respekt ens för en gammal gumma ... Men nu är mina pojkar hemma igen ...

Pojkarna fru Murvall syftar på är sönerna Elias, Adam och Jakob, som igår släpptes ur förvar då anklagelserna mot dem inte längre ansågs utgöra tillräcklig grund för ett frihetsberövande ...

Karim på bild.

Hans ansikte fångat i en lätt förvriden pose. Ögonen stint in i kameran: *Naturligtvis tar vi anmälan på största allvar.*

Han kommer inte att gilla den bilden, tänker Malin.

I övrigt förefaller det som om polisen kört fast i utredningen av mordet. Polischef Karim Akbar vill inte kommentera spaningsläget, utan påstår att han inte kan uttala sig om utredningen just nu på grund av "det känsliga läget". Men enligt Correspondentens källa i polishuset befinner sig nu utredningen i ett dödläge där polisen helt saknar nya spår att undersöka.

Malin dricker ur sitt kaffe.

Källa i polishuset? Vem? Kan vara flera.

Hon kväver en instinkt att knyckla ihop tidningen, hon vet att Tove vill läsa. På diskbänken står plåten med baguetterna. Två till Tove. Hon kommer att bli glad när hon hittar dem.

Morgontidningen på orten.

Älskad av nästan alla i hela staden, det vet de av sina läsarundersökningar, av folkstormarna de få morgnar då tidningen uteblir på grund av problem i tryckeriet. Ibland är det som om folk kramar ihjäl Correspondenten, inte har distans till det som skrivs eller inte förstår att tidningen inte är deras eget husorgan.

Daniel Högfeldt sitter vid sin dator på redaktionen.

Kärleken, responsen från läsarna är ändå mest positiv. Skriver han något bra, får han direkt tio mejl som berömmer honom.

Han är nöjd med artiklarna i dagens tidning, belönar sig själv med en nybakad kanelbulle från Schelins borta på Trädgårdstorget. Gamla stöten Bengtsson har ingen energi kvar att stoppa in i sina texter, och energi behövs för att skildra ett brottsfall som mordet på Bengt Andersson. En välavvägd energi som förstärker den inneboende dramatiken. Staden kan verka nedpressad, gjord stum av kylan. Men av mejlen han får efter artiklarna om fallet kan han känna oron, att rädslan blivit klarvaken i Linköping och så den begynnande ilskan över att polisen verkar stå och stampa.

»Här betalar vi femtio procent i skatt och så gör polisen inte sitt ...»

Daniel var uppe i Stockholm i två dagar.

Bodde på nya Hotel Anglais vid Stureplan, med utsikt över alla svassiga typer vid den där fåniga Svampen.

Expressen.

Till och med chefredaktören, den lismande psykopaten, fick han träffa. Men hela grejen kändes fel: Visst, större tidning, fetare lön, men ändå?

Expressen.

Stockholm.

Inte nu. Inte än.

Först göra som hon på Motala Tidning som grävde upp skandalen i stadshuset där och fick Stora Journalistpriset.

Ska jag till Stockholm ska jag komma som kung, eller i varje fall prins. Precis som jag är här.

Undrar vad Malin Fors gör nu.

Kan tänka mig att träffa henne.

Säkert utarbetad och ilsken och kåt. Precis som jag själv blir när jag jobbar för mycket och sover för lite. Mänskligt.

Expressen.

Jag ska mejla den där redaktionschefen idag och tacka nej.

Treåringen spjärnar emot när Johan Jakobsson försöker öppna hennes mun. Badrummets blåa kakel verkar sjunka in över dem, men upp ska den munnen.

»Vi måste borsta tänderna», säger han. »Annars kommer tandtrollen.» Han försöker få rösten att låta både bestämd och glad, men märker att han mest låter tjatig och trött.

»Öppna munnen», men hon vill springa iväg och istället håller han fast henne, trycker med fingrarna om käkarna, men inte för hårt.

Så sliter hon sig. Springer ut från badrummet och Johan blir sittande ensam på toalettstolen. Åt helvete med tandtrollen.

Jobbet. När ska deras utredning öppna sig? När ska något dyka upp ur snåren? Snart är de igenom hela Rickard Skoglöfs hårddisk och de har inte hittat ett skit. Visst, mejlen till de som hängde djuren i trädet, andra knasiga, men inte brottsliga mejl, till andra personer i asakretsar. Men inget annat. Bara ett par låsta mappar kvar att kontrollera.

Hela hans liv är som en motsträvig mun just nu. Och Malin och Zeke som verkar bli allt mer frustrerade. Och Börje som är avstängd. Men han är väl med sin fru, eller hundarna eller på skjutbanan. Fast det är klart, skjuta kanske är det sista han vill nu.

Karim Akbar sträcker femhundrakronorssedeln över disken på kemtvätten. Han använder tvätten i Ryds Centrum av två skäl: de öppnar tidigt och de tvättar bättre.

Bakom honom centrumet. Slitet och litet. En Konsumaffär, en Pressbyrå, en kombinerad nyckel- och klackbar och en presentaffär som verkar ha fått stå orörd efter en konkurs.

Tre kostymer under plast på rangliga galgar. En Corneliani, två Hugo Boss, tio vita skjortor staplade i en hög.

Mannen bakom disken tar emot sedeln, tackar och ska just ge honom växeln.

»Det är bra så», säger Karim.

Han vet att mannen som driver tvätten är från Irak, flydde hit med sin familj under Saddams tid. Vem vet vad han kan ha varit med om? En gång när Karim lämnade kostymer ville mannen berätta om sig själv, om sin ingenjörsutbildning, om den han kunde ha varit, men Karim låtsades ha bråttom iväg. För hur mycket han än beundrar mannen som kämpar för sin familj, är han en del av problemet, det som gör att han själv och nästan alla andra av utländsk härkomst ses

337

som andra rangens medborgare, som sådana som ska sköta de serviceinrättningar inga svenskar befattar sig med. Det borde bli förbjudet för invandrare att driva pizzeria eller kemtvätt, tänker Karim. Så vi får bort den bilden. De politiskt korrekta skulle protestera, men sådan är verkligheten. Fast det vore ju naturligtvis omöjligt. Och jag själv? Jag är inte ett dugg bättre än han, även om jag utmålas som det.

Främlingskap föder utanförskap.

Utanförskap föder våld.

Våld föder ... Ja, vadå?

Det oändliga avståndet mellan människor. Familjen Murvall som inget hellre vill än att få vara utanför, vara ifred, och så alla de som drömmer om att få vara innanför och känna delaktighet. För alltför få går drömmar och verklighet ihop.

Min pappa, tänker Karim när han går från kemtvätten. Det var ett passivt våld som drev honom i döden.

Men jag pratar aldrig med någon om honom. Inte ens min fru.

Kylan slår emot Karim när han öppnar dörren.

Den svarta Mercedesen glänser även i det bistra vinterljuset.

Och så tänker han på mördarna, eller mördaren, de jagar. Vad är det de vill skapa? Åstadkomma?

Zeke drar upp dörren till polishuset.

Går in i receptionen och det luktar svett och överarbetade element och en av de uniformerade som står vid trappan ner till källaren ropar:

»Hur är det med Martin, spelar han nästa match? Var det inte något med knäet?»

Hockeyspelarens farsa.

Är det så de ser på mig?

»Han spelar så vitt jag vet.»

Martin har fått propåer från NHL-klubbar men inget har gått i lås. De verkar inte riktigt vilja släppa in honom än. Zeke vet att hockeyn kommer att göra grabben rik förr eller senare, rik på ett sätt som är svårt att föreställa sig.

Men inte ens en piratskatt skulle få honom att ha respekt för själva spelet. Skydden, tacklingarna, att det är på låtsas.

Bengt Andersson är inte på låtsas. Inte heller ondskan som rör sig där ute.

Man kan inte, tänker Zeke, ha en massa skydd på sig när man tacklar de värsta sidorna av människorna. Det vi sysslar med här är ingen lek.

»Har du sett som jag ser ut?«

Karim Akbar står vid köksbänken i fikarummet och håller upp bilden på sig själv i tidningen.

»Kunde de inte valt en annan bild?«

»Så illa är det väl inte«, säger Malin. »Det kunde varit ännu värre.«

»Hur då? Har du inte sett som jag ser ut? De väljer bilden bara för att vi ska framstå som desperata.«

»Glöm det, Karim. Du är säkert i tidningen i morgon igen. Och vi är ju inte desperata. Eller är vi det?«

»Aldrig desperata, Malin. Aldrig.«

Malin går in på sin mejl. Några av de vanliga administrativa utskicken, lite spam, men så ett mejl från Johan Jakobsson.

»Inget på hårddisken so far. Bara några mappar kvar att kolla.«

Och så ett mejl som är märkt med rött.

»RING MIG.«

Från Karin Johannison.

Varför kunde hon inte ringa själv?

Men Malin vet hur det är. Ibland är det på något vis lättare att slänga iväg ett mejl.

Skriver ett svar:

»Har du hört något?«

Hon trycker på sänd och det tar inte mer än någon minut innan det blinkar från hennes inkorg.

Hon öppnar det nya mejlet från Karin.

»Kan du komma hit?«

Svar:

»Jag är på labbet om tio minuter.«

Karin Johannisons tjänsterum på SKL saknar fönster, förutom ett glasparti ut mot en korridor, väggarna är från golv till tak täckta med enkla bokhyllor och på skrivbordet ligger högvis med mappar. På den gula linoleummattan tronar en tjock, rödspräcklig, äkta matta som Malin vet att Karin själv tagit dit. Mattan gör hela rummet nobelt och trivsamt mitt i all stökighet.

Karin sitter bakom skrivbordet, lika utomjordiskt fräsch som alltid.

Hon bjuder Malin att sätta sig ner och hon tar plats på den lilla pallen just invid dörren.

»Jag har fått svar från Birmingham», säger Karin. »Och jag har kört svaret mot Bengt Anderssons profil. De överensstämmer inte. Det var inte han som våldtog sin halvsyster i skogen.»

»Var det en man eller kvinna?»

»Det kan vi inte se. Men vi kan se att det inte var han. Hade du trott det?»

Malin skakar på huvudet.

»Nej, men nu vet vi.»

»Nu vet vi», säger Karin. »Och bröderna Murvall kan få veta. Tror du någon av dem mördade Bengt Andersson? Och kanske vill erkänna nu när de vet att de hade fel?»

Malin ler.

»Varför ler du?»

»Du är bra på kemi, Karin», säger Malin. »Men du är inte lika bra på människor.»

De två kvinnorna sitter tysta tillsammans.

»Varför kunde du inte säga det här på telefon?» undrar Malin.

»Jag ville säga det mellan fyra ögon bara», svarar Karin. »Det verkade bäst så.»

»Varför?»

»Du är så sluten ibland, Malin, spänd. Och vi stöter på varandra i jobbet ofta. Då kan det vara bra att ses så här, i en lugnare miljö någon gång. Eller hur?»

På väg ut från SKL ringer telefonen.

Malin pratar samtidigt som hon går över parkeringen, förbi ett garage vars portar är stängda, bort mot platserna framför buskagen där hennes Volvo står bredvid Karins privata gråblänkande Lexus.

Tove.

»Hej älskling.»

»Hej mamma.»

»Är du på skolan?»

»Rast mellan matten och engelskan. Mamma, minns du att Markus föräldrar ville bjuda dig på middag?»

»Det minns jag.»

»Kan du ikväll? De vill ikväll.»

Fina läkare.

De vill.

Samma kväll.

Vet de inte att andra också har fulla scheman?

»Visst Tove. Jag kan. Men inte före klockan sju. Hälsa Markus att det ska bli roligt.»

De lägger på.

Samtidigt som Malin öppnar bildörren tänker hon:

Vad händer när man ljuger för sina barn? När man gör sina barn något ont? Slocknar en stjärna på himlen då?

62.

»Finns det någon sten vi inte har vänt på?» frågar Zeke.

»Jag vet inte», svarar Malin. »Jag ser inte helheten tydligt nu. Alla bitarna, de går inte ihop.»

Klockan på den murade väggen tickar sakta mot tolv.

Kontorslandskapet på stationen är nästan öde. Zeke sitter bakom sitt skrivbord, Malin på en stol bredvid.

Desperata? Vi?

Inte desperata, men trevande.

När Malin kom tillbaka från SKL började ett ändlöst möte där de gick igenom läget i utredningen.

De dåliga nyheterna kom först.

Johan Jakobssons uppgivna röst från hans plats på bordets långsida:

»De näst sista mapparna på Rickard Skoglöfs dator innehöll helt vanliga jävla porrbilder, typ Hustler-stuket. Rätt hårda, men inget märkligt. Vi har en mapp kvar med något jävla knasigt kodsystem, men vi jobbar på den.»

»Vi får hoppas att den gömmer en hemlighet», sa Zeke och Malin kunde höra hur hans röst dolde en lågmäld förhoppning om att hela det här skulle få ett slut.

Sedan famlade de tillsammans. Försökte hitta rösten i utredningen, den samlande, gemensamma. Men hur de än försökte så kom de tillbaka till utgångsläget. Mannen i trädet och människorna runt om honom, Murvalls, Maria, Rakel, Rebecka. Ritualen, den hedniska tron. Valkyria Karlsson, Rickard Skoglöf och den lilla osannolikheten att Jimmy Kalmvik och Joakim Svensson gjort något riktigt dumt de få timmar när de bara hade alibi för varandra.

»Allt det vet vi», sa Sven Sjöman. »Frågan är om vi kan göra så mycket mer med något av det? Finns det inga andra vägar framåt? Ser vi inga andra spår?»

Tyst i rummet, en lång plågsam tystnad.

Sedan sa Malin:

»Kanske ska vi ändå berätta för bröderna att Bengt Andersson inte var den som våldtog deras syster? Kanske säger de något nytt i förhören då, när de vet det?»

»Tveksamt Malin. Tror du själv det?» sa Sven.

Malin ryckte på axlarna.

»Och de är släppta», sa Karim Akbar. »Vi kan inte ta in dem igen bara för det, och skulle vi åka ut och prata med dem nu utan att ha mer än så att komma med skulle de garanterat spä på anklagelserna om trakasserier mot familjen. Det sista vi behöver är mer dålig publicitet.»

»Inga nya tips från allmänheten?» försökte Johan.

»Inga», sa Sven. »Helt tyst.»

»Vi kan gå ut med en ny vädjan», sa Johan. »Någon måste veta något.»

»Media äter oss redan som det är», sa Karim. »Vi får klara oss utan ett vädjande just nu. Det skulle bara skapa mer dålig press.»

»Rikskrim?» föreslog Sven. »Kanske är det dags att kalla in dem nu. Vi måste medge att vi står och stampar.»

»Inte än, inte än», Karims röst självsäker trots allt.

De hade lämnat mötesrummet med en gemensam känsla av att de alla väntade på att något skulle hända, att de egentligen bara kunde följa utvecklingen, avvakta att den eller de som hängt Bengt Andersson i trädet på något vis gjorde sig synliga igen.

Men om han, hon eller de förblev osynliga? Om det hela var ett engångsverk?

Då satt de fast.

Då hade utredningens röster tystnat.

Men Malin mindes känslan ute vid trädet: Att något ännu inte var färdigt, att något var i rörelse i skogsmarkerna och ute på den köldslagna slätten.

Och nu tickar visaren på klockan på den murade väggen ljudlöst upp till tolv. I samma sekund säger Malin:

»Lunch?»

»Nej», svarar Zeke snabbt. »Jag ska öva med kören.»

»Ska du? På lunchen?»

»Ja, vi har konsert i Domkyrkan om några veckor så vi har lagt in ett par extra pass.»

»Konsert? Det har du inte sagt något om? Extra pass? Du låter som en hockeyspelare.»

»Gud förbjude», säger Zeke.

»Får jag haka på?»

»På körövning?»

»Ja.»

»Visst», säger Zeke förbryllad. »Sure, Malin.»

Stadsmuseets samlingssal luktar instängt, men körens medlemmar verkar trivas i det rymliga rummet. De är tjugotvå personer denna dag. Malin har räknat dem, tretton kvinnor, nio män. De flesta är över femtio och alla är välklädda och välstrukna på typiskt landsortsvis. Färgade skjortor och blusar, kavajer och kjolar.

Medlemmarna har samlat ihop sig, står uppställda i tre rader på scenen. Bakom dem hänger stora tyg med broderade fåglar, som verkar vilja lyfta och sväva ut i rummet, upp under det välvda taket.

Malin sitter på en stol i raden längst bak, invid ekpanelerna, och hör hur körens medlemmar sjunger upp, skrockar, småpratar och skrattar. Zeke pratar ivrigt med en kvinna, i samma ålder som han själv, lång, med blont hår och klädd i en blå klänning.

Tjusig, tänker Malin. Både hon och klänningen.

Så höjer en kvinna rösten, säger:

»Då kör vi igång, vi börjar med 'People get ready'.»

Som på kommando rätar sig medlemmarna i leden, harklar sig en sista gång och de får alla ett koncentrerat uttryck i ansiktet.

»Ett, två, tre.»

Och så fyller sången, ett samstämmigt hummande, salen och Malin blir förvånad över dess lugna kraft, och hur vackert det låter när de tjugotvå stämmorna samlar ihop sig till en enda röst. »...you don't need no ticket, you just get on board...»

Malin lutar sig bakåt på stolen. Sluter ögonen, låter sig omfamnas av musiken och när hon på nytt tittar har nästa sång börjat och hon ser att Zeke och de andra verkligen trivs där uppe på scenen, att de på något sätt förenas i sången, i enkelheten.

Och plötsligt känner Malin en tvingande ensamhet. Hon är inte en del av det här, och hon känner att den här ensamheten betyder något, att utanförskapet hon känner på något sätt har en mening bortom det här rummet.

Där borta finns en dörr.

En öppning i ett slutet rum.

Intuition, tänker Malin. Röster. Vad försöker de säga mig?

63.

Ogärningar.

När börjar de, Malin? När slutar de? Går de i cirklar? Blir de fler med tiden eller är den praktiserade ondskan konstant? Späds den ut eller anrikas den för varje ny människa som föds?

Allt det kan jag fundera på när jag rör mig över landskapet.

Jag tittar till eken där jag hängde.

En ensam plats. Kanske tyckte trädet om mitt sällskap? Bollarna. Jag fångade bollarna och kastade dem tillbaka och de kom tillbaka igen och igen och igen.

Maria?

Visste du?

Var det skälet till din vänlighet? Bandet oss emellan? Spelar det någon roll? Jag tror inte det.

Luft under och över mig, jag vilar i mitt eget tomrum. Alla döda omkring mig viskar: Fortsätt, Malin, fortsätt.

Det är inte över än.

Jag är rädd igen.

Finns det en väg ut?

Det måste det finnas.

Fråga bara kvinnan där nere. Den kvinna som den svartklädda personen närmar sig bakifrån, gömd bakom en rad med buskar.

Den tidiga kvällen är tyst och kall och mörk. Garageporten vägrar gå upp, gnisslar och hackar och ljudet verkar fastna i den stelnade luften. Hon trycker på knappen på väggen igen, nyckeln sitter i som den ska och strömmen går fram, så mycket är säkert.

Bakom henne husen, vegetationen nedfryst, tänt i de flesta fönstren. Nästan alla hemma från jobbet. Garageporten vägrar. Får öppna den för hand. Har gjort det en gång tidigare. Det är tungt men det går och hon har bråttom iväg.

Prassel i buskarna bakom henne. Kan vara en fågel. Så här års? Kanske en katt? Men de håller sig väl inne i kylan?

Hon vänder sig om och då ser hon den, den svarta skuggan som störtar emot henne, tar ett två tre fyra steg innan den är över henne och hon fäktar med armarna, skriker men inget hörs, något som smakar kemiskt trycks in i hennes mun och hon river och slår men vantarna på händerna gör hennes våld till smekningar.

Se ut från era fönster.

Se vad som händer.

Han, för det är väl en han?, har svart luva och hon ser de mörka bruna ögonen, ilskan och smärtan i blicken och den kemiska doften finns i hennes hjärna nu, den är mjuk och klar men ändå får den henne att försvinna, musklerna slappnar av och hon kan inte längre känna kroppen.

Hon kan se. Men hennes seende är dubbelt.

Hon ser människan, människorna som står över henne. Är ni flera?

Nej, sluta, inte så här.

Men det är lönlöst att kämpa emot. Som om allting redan hänt. Som om hon är besegrad.

Ögonen.

Hans, hennes, deras?

De är inte här, tänker hon. Ögonen är någon annanstans, långt borta.

Söt andedräkt och varm och den borde vara främmande, men det är den inte.

Sedan når det kemiska ögonen, sedan öronen. Och bilderna och ljuden är borta, världen är borta och hon vet inte om hon somnar eller dör.

Inte än, tänker hon. Jag är väl ändå behövd? Hans ansikte där hemma, mitt ansikte.

Inte än, än, än, än ...

Hon är vaken.

Det vet hon. För ögonlocken är öppna och huvudet värker även om det är alldeles mörkt. Eller sover hon? Förvirrade tankar.

Är jag död?

Är det här min grav?

Jag vill inte vara här. Jag vill hem till mitt och de mina. Men jag är inte rädd: Varför är jag inte rädd?

Det där ljudet måste vara en motor. En välhållen motor som gör sitt jobb med glädje trots kylan. Det svider om handlederna och fötterna. Omöjligt att röra dem, men hon kan sparka, spänna kroppen i en båge och dunka mot det trånga utrymmets fyra väggar.

Ska jag skrika?

Visst. Men någon, han, hon, de, har tejpat för hennes mun, en trasa i gommen. Vad smakar den? Kakor? Äpple? Olja? Torr, torrare, torrast.

Jag kan kämpa.

Som jag alltid gjort.

Jag är inte död. Jag ligger i bagageutrymmet på en bil och jag fryser och sparkar, protesterar.

Dunk, dunk, dunk.

Hör någon mig? Finns jag?

Jag hör dig.

Jag är din vän. Men jag kan ingenting göra. I alla fall inte något mycket.

Kanske kan vi ses efteråt, när allt det här är över. Vi kan sväva sida vid sida. Vi kan tycka om varandra. Springa runt, runt de doftande äppelträden i en årstid som kanske är en evigt lång sommar.

Men först:

En bil som letar sig framåt, din kropp i bagageutrymmet, hur bilen stannar på en öde rastplats och hur du drogas igen, hur dina sparkar blev för mycket, hur bilen kör över fälten och upp in i det tätaste mörkret.

64.

Ramshäll.

Linköpings ljusaste framsida.

Den kanske allra förnämsta delen av staden, dit dörren är stängd för de flesta, där de allra mest märkvärdiga människorna bor.

För kanske är det så, tänker Malin, att alla människor, medvetet eller omedvetet, tar på sig en viktighetskostym om tillfälle bjuds, om det så är i det stora eller i det lilla.

Titta, här bor vi!

Vi har råd, vi är kungar över 013-området.

Markus föräldrars hus ligger i Ramshäll, bland hus hållna av Saabs direktörer, framgångsrika entreprenörer, de från början välbeställda läkarna och de framgångsrika småföretagarna.

Villorna ligger nästan mitt i city, klättrar uppför en sluttning med utsikt över Folkungavallen och Tinnis, ett stort kommunalt utomhusbad vars mark fastighetsutvecklare från rikets alla hörn kastar lystna blickar efter. Där sluttningen slutar försvinner bebyggelsen in i skogen eller rullar i små gator ner mot Tinnerbäcken där de smutsgula, lådlika sjukhusbyggnaderna tar vid. Allra finast är det att bo i sluttningen, med utsikt och närmast stan, och det är där Markus föräldrars hus ligger.

Malin och Tove går bredvid varandra i gatlyktskenet, och deras kroppar kastar långa skuggor längs de välgrusade trottoarerna. Säkert skulle de boende vilja sätta upp ett staket runt hela området, eller elstängsel med taggtråd och ha en vakt vid en port. Tanken på gated communities är inte främmande för vissa moderater i kommunfullmäktige. Så stängslet runt Ramshäll är inte så otänkbart som det kanske låter.

Stopp. Hit men inte längre. Vi och dem. Vi mot dem. Vi.

Det tar inte mer än en kvart att gå från lägenheten till Ramshäll, så Malin bestämde sig för att trotsa kylan, trots Toves protester: »Jag följer med dig. Då får du också gå med mig.»

»Jag tyckte du sa att det skulle bli kul?»

»Det ska bli kul, Tove.»

På vägen gick de förbi Karin Johannisons villa. Ett gulmålat trettiotalshus med träfasad och veranda.

»Det är kallt, mamma», säger Tove.

»Det är friskt», säger Malin och för varje steg känner hon hur rastlösheten lägger sig, hur hon förbereder sig för att klara av middagen.

»Du är nervös, mamma», säger sedan Tove plötsligt.

»Nervös?»

»Ja, för det här.»

»Nej, varför skulle jag vara det?»

»Du brukar bli nervös av sådant här. Av att gå bort. Och så är de ju läkare.»

»Som om det spelar någon roll.»

»Därborta», säger Tove och pekar framåt gatan. »Tredje huset till vänster.»

Malin ser villan, ett tvåvåningshus i vitt tegel omgärdat av ett lågt staket och med nedklippta buskar i trädgården.

Inom henne växer huset. Blir till en befäst toscansk stad, omöjlig att inta för en ensam fotsoldat.

Inne i huset luktar det av värme och lagerblad och den renhet som bara en noggrann polsk städerska kan putsa fram.

Paret Stenvinkel står i hallen, de har skakat Malins hand och hon svajar, inte beredd på den hejdlösa vänligheten.

Mamma Birgitta, överläkaren på Öronkliniken vill bli kallad för Biggan och det är sååå trevligt att äääääntligen få träffa Malin, som de läst så mycket om i Correspondenten. Pappa Hans, kirurg, vill bli kallad Hasse, hoppas du gillar fasan, för jag fick tag på några fina rackare nere på Lucullus. Stockholmare, från övre medelklassort, som karriären fört hit till obygden, tänker Malin.

»Hör jag rätt», frågar hon. »Men kommer ni inte från Stockholm båda två?»

»Stockholm? Låter det så? Nej, jag är från Borås», säger Biggan. »Och Hasse från Enköping. Vi träffades när vi läste i Lund.»

Jag kan deras livs historia, tänker Malin, och vi är inte förbi hallen än.

Markus och Tove har försvunnit in i huset, och nu leder Hasse Malin mot köket. På en skinande bänk i rostfritt stål står en immig drinkblandare och Malin kapitulerar, tänker inte ens försöka hålla emot.

»En Martini?» frågar Hasse och Biggan lägger till: »Men se upp. Han gör dem *very dry*.»

»På Tanqueray», säger Hasse.

»Gärna», svarar Malin och minuterna senare står hon med en drink i handen och de skålar, och spriten är klar och ren och hon tänker att han kan sin sprit, Hasse, i alla fall.

»Vi brukar ta fördrinken i köket», säger Biggan. »Det blir så trevlig stämning då.»

Hasse står vid spisen. Med ena handen vinkar han till sig Malin samtidigt som hans andra hand öppnar locket till en svärtad, väl använd gjutjärnsgryta.

Dofterna slår emot Malin när hon närmar sig.

»Titta här», säger Hasse. »Har du sett såna läckerbitar.»

Två fasaner simmar i en puttrande gul sås och Malin känner hungern gripa tag om magen.

»Va?»

»Det ser fantastiskt ut.»

»Oops, den försvann fort», säger Biggan och Malin förstår först inte vad hon syftar på men sedan ser hon sitt tomma drinkglas i handen.

»Jag blandar en till», säger Hasse och när han skakar shakern i luften frågar Malin:

»Har Markus några syskon?»

Hasse sänker tvärt shakern. Biggan ler innan hon säger:

»Nej. Vi försökte länge. Men sedan fick vi ge upp.»

Så rasslar isen i shakern igen.

65.

Hennes huvud.

Det är tungt och smärtan är som en fruktkniv neddriven mellan hjärnloberna. Känner man en sådan smärta sover man inte. I drömmarna finns ingen fysisk smärta. Det är därför vi älskar dem, drömmarna.

Nej, nej, nej.

Hon minns nu.

Men var är motorn? Bilen? Hon är inte i bilen längre.

Sluta. Släpp mig. Jag har någon som behöver mig.

Ta bort bindeln för mina ögon. Ta bort den. Kanske kan vi prata om det här? Varför just jag?

Doftar det äpplen här? Är det jord under mina fingrar, kall men ändå varm jord, kaksmulor?

Det sprakar ur en kamin.

Hon sparkar åt det håll värmen kommer ifrån, men ingen metall tar emot, hon tar spjärn med ryggen men kommer ingen vart. Bara en dov duns, en vibration genom hennes kropp.

Jag är ... Var är jag?

Jag ligger på kall jord. Är det här en grav? Och är jag ändå död? Hjälp mig. Hjälp mig.

Men det är varmt omkring mig och vore jag i en kista skulle det finnas trä.

Ta bort repen för helvete.

Trasan i munnen.

Ta i så brister de kanske, repen. Kräng av och an.

Så slits tyget för hennes ögon bort.

Ett fladdrande sken. Ett källarvalv? Jordväggar? Var är jag? Är det spindlar och ormar som rör sig omkring mig?

Ett ansikte. Ansikten?

Klädda i skidmask.

Ögonen. Blicken finns men ändå inte.

Nu försvinner de igen, ansiktena.

Kroppen värker. Men det är nu smärtan börjar, eller hur?

Jag önskar jag kunde göra något.

Men jag är maktlös.

Jag kan bara se på, och det ska jag göra, för någon tröst kanske mina blickar kan ge dig.

Jag ska stanna även om jag helst vill vända bort blicken och försvinna till alla de platser dit jag kan försvinna.

Men jag stannar i rädslan och kärleken och alla de andra känslorna. Det är inte över än, men måste du göra så där? Tror du de blir imponerade?

Det gör ont, jag vet, jag fick känna detsamma. Sluta, sluta, säger jag, men jag vet, du kan inte höra min röst. Tror du hennes smärta ska förgöra en annan smärta? Ska hennes smärta öppna dörrarna? Min gjorde det ju inte.

Så jag vädjar:

Sluta, sluta, sluta.

Sa jag sluta?

Hur kan det komma ett enda ljud ur min mun förtejpad som den är, tyget hårt pressat in i gommen.

Hon är naken nu. Någon slet av henne kläderna, sprättade upp sömmarna med en kniv och nu för någon ett stearinljus mot hennes axlar och hon är rädd nu, rösten som mumlar: »Det här måste, måste, måste ske.»

Hon skriker.

Någon för ljuset nära nära och hettan är skarp och hon skriker som om hon inte vet hur man skriker, som om ljudet av hennes fräsande hud och smärtan är ett. Hon kränger av och an men hon kommer ingen vart.

»Ska jag bränna bort ditt ansikte?»

Säger den mumlande rösten så?

»Det kanske räcker. Då behöver jag kanske inte döda dig, eftersom du inte finns på riktigt utan ansikte, eller hur?»

Hon skriker, skriker. Ljudlöst.

Andra kinden. Kindbenet brinner. Cirkelrörelser, rött, svart, rött, smärtans färg, och det doftar bränd hud, hennes hud.

»Ska jag hämta kniven istället?

Vänta nu.

Svimma inte, håll dig vaken», mumlar rösten, men hon vill bort.

Bladet blänker i skenet, smärtan har försvunnit, adrenalinet pumpar i kroppen och det enda som finns är rädslan för att aldrig komma härifrån.

Jag vill hem till de mina.

Han måste undra var jag är? Hur länge har jag varit här? De måste sakna mig nu.

Kniven är kall och varm och vad är det varma som rinner längs mina lår? En hackspett med stålnäbb pickar på mina bröst, ner till revbenen äter den sig. Låt mig försvinna, det brinner i ansiktet när någon slår mig i fåfänga försök att hålla mig vaken.

Men det går inte.

Nu försvinner jag.

Vare sig ni vill eller inte.

Hur lång tid har gått? Jag vet inte.

Är det kedjor som rasslar?

Jag står vid en påle nu.

Skog omkring mig.

Jag är ensam.

Är du, ni försvunna? Lämna mig inte ensam här.

Jag kvider.

Det hör jag.

Men jag fryser inte och undrar när kylan slutar att vara kall, när upphör smärtan att göra ont?

Hur länge har jag hängt här ute nu?

Skogen är tät omkring mig, mörk men vit av snö, en liten uthuggen glänta, en dörr som leder ner till en håla.

Mina fötter finns inte. Inte mina armar, händer, fingrar eller kinder. Kinderna är brinnande hål, och allt omkring mig saknar doft.

Jag har inga minnen längre, inga andra människor finns, inget då eller sedan, bara ett tydligt nu där en enda uppgift är min.

Bort.

Bort härifrån.

Det är allt som finns kvar.

Bort, bort, bort.

Till varje pris. Men hur ska jag kunna springa om jag inte har några fötter?

Något närmar sig igen.

Är det en ängel?

Inte i det här mörkret.

Nej, det är något svart som närmar sig.

»Vad har jag gjort?»

Säger det svarta det?

»Jag måste göra det här.» Så säger det svarta.

Hon försöker lyfta på huvudet men inget händer. Hon tar i och så, så får hon långsamt upp huvudet och det svarta är nära nu och för en kittel med kokhett vatten bakåt och hon tänker bort, och så ljudet, hur någon vrålar när det kastar vattnet mot henne.

Men det når inte fram. Ingen hetta kommer, bara några droppar värme.

Nu kommer det svarta själv igen.

Med en gren i handen?

Vad ska ske med den?

Ska jag skrika?

Jag skriker.

Men inte för att någon ska höra mig.

66.

De levande ljusen brinner i matsalen och på väggen bakom Hasse och Tove hänger en stor olja av en konstnär som heter Jockum Nordström och som enligt Biggan ska ha blivit något slags big shot i New York. Tavlan föreställer en färgad man klädd i pojkkläder på ett blått fält och Malin tycker målningen ser både naiv och mogen ut på samma gång, mannen är ensam men ändå förankrad i ett slags sammanhang ute på det blå fältet, och i himlen svävar gitarrer och biljardköer.

Fasanerna smakar bra, men vinet är ännu godare, ett rött från ett område i Spanien som Malin inte känner till, och hon får uppbåda all sin viljekraft för att inte börja klunka i sig, så gott är det.

»Mer fasan, Malin?» Hasse gör en gest mot grytan.

»Ta mer», säger Markus. »Då blir farsan glad.»

Samtalet under kvällen har rört sig om allt från Malins arbete till styrketräning, omorganisation på sjukhuset och kommunalpolitik och de »uuuurtråkiga» arrangemangen i stadens konserthus.

Hasse och Biggan. Lika artigt och ärligt intresserade av allt, och hur mycket Malin än letat har hon inte hittat en falsk ton. *De verkar gilla att ha oss här, vi stör inte.* Malin tar en klunk av vinet. *Och de vet hur de ska få mig att slappna av.*

»Kul med Teneriffa», säger Hasse och Malin tittar på Tove över bordet. Tove slår ner blicken.

»Är biljetterna bokade och klara?» frågar Hasse sedan. »Vi behöver ett kontonummer innan du går där vi kan sätta in pengar. Påminn mig, va?»

»Jag…», börjar Tove.

Malin harklar sig.

Biggan och Hasse ser på henne, oroligt, och Markus vänder sig mot Tove.

»Min pappa ändrade sig», säger Malin. »De fick tyvärr annat besök.»

»Deras eget barnbarn!» utbrister Biggan.

»Varför har du inte sagt något?» säger Markus vänd mot Tove.

Malin skakar på huvudet.

»De är lite speciella, mina föräldrar.»

Tove andas ut, och Malin märker att lögnen gör henne lättad, samtidigt som hon skäms över att inte orka, kunna säga den enkla sanningen: att det var Markus som inte var välkommen.

Varför ljuger jag? tänker Malin.

För att inte göra någon besviken?

För att jag skäms över mina föräldrars sociala inkompetens?

För att sanningen gör ont?

»Märkligt», säger Hasse. »Vem kan man vilja ha på besök hellre än sitt eget barnbarn med sällskap?»

»Det var någon gammal affärsbekant.»

»Men vad bra ändå», säger Biggan. »Då kan ju ni två följa med oss till Åre? Som vi föreslog från början. Teneriffa i all ära. Men på vintern åker man skidor!»

Malin och Tove promenerar hemåt längs de upplysta villagatorna.

En cognac på maten får Malins mun att röra sig i skenande takt. Biggan drack, men Hasse tog ingen själv, skulle jobba morgonen därpå. »En liten Martini, ett glas vin. Inget mer när jag ska hålla i kniven!»

»Du borde ha berättat som det var från början för Markus.»

»Kanske, men jag ...»

»Och nu fick du mig att ljuga. Du vet vad jag tycker om det. Och Åre, har de bjudit dig till Åre, kunde du inte ha sagt det? Vem är jag egentligen, din ...»

»Mamma. Kan inte du bara vara tyst.»

»Varför då? Jag vill säga saker.»

»Men du säger så dumma saker.»

»Varför har du inget sagt om Åre?»

»Men mamma, det fattar du väl. När skulle jag ha sagt det? Du är ju nästan aldrig hemma. Du jobbar jämt.»

Nej, vill Malin skrika till Tove. Nej, du har fel, men hon besinnar sig, tänker, är det så illa?

De går under tystnad, förbi Tinnis och Hotell Ekoxen.

»Ska du inte säga något, mamma?» frågar Tove i höjd med Stadsmissionens loppmarknad.

»De var trevliga», säger Malin. »Inte alls som jag trodde.»

»Du tror så mycket om folk jämt, mamma.»

67.

Det blöder ur mig.

Något lyfter upp mig, av pålen och ner på en mjuk hårig bädd.

Jag lever.

Hjärtat slår i mig.

Och det svarta finns överallt, lägger tyg, ylletyg på min kropp och det är varmt och det svartas röst, röster, säger:

»Han dog för tidigt. Men du, du ska hänga som det är tänkt.»

Sedan träden ovanför mig, jag är i rörelse genom skogen. Ligger jag på en släde? Hör jag ljudet av skidor mot skare? Jag är trött, så trött, och det är varmt.

Det är en riktig värme.

Den är i drömmen och i vakenheten.

Men bort från värmen.

Den dödar.

Och jag vill inte dö.

Motorljuden igen. Jag är i en bil nu.

I motorns ljud, i dess envetna rundgång finns en aning. Om att min kropp har en möjlighet till, att det ännu inte är förbi.

Jag andas.

Välkomnar smärtan från varje söndertrasad kroppsdel, rivandet i mitt blödande inre.

Det är i smärtan jag finns nu. Och den ska hjälpa mig överleva.

Jag svävar här.

Fältet ligger öppet. Mellan Maspelösa, Fornåsa och Bankeberg, i

359

slutet på en oplogad väg bara täckt av ett tunt snötäcke, står ett en-
samt träd, likt det jag hängde i.
  Bilen med kvinnan i bagageutrymmet stannar där.
  Jag önskar jag kunde hjälpa henne nu.
  Med det hon måste göra själv.

Det svarta får öppna. Det får hjälpa mig upp. Sedan ska jag vara en
motor. Jag ska explodera, jag ska bort, jag ska leva.
  Det svarta öppnar bagageluckan, stjälper min kropp över kanten
och ner på snön vid avgasröret.
  Det låter mig ligga där.
  En trädstam, tjock, tio meter bort.
  Stenen är snötäckt, men jag ser den ändå. Är det mina händer som
är fria, är det min hand, den svullna röda klumpen som jag ser till
vänster?
  Det svarta vid min sida nu. Viskar om blod. Om offer.
  Om jag vrider mig åt vänster och sedan griper tag i stenen och slår
mot det som måste vara dess huvud kan det gå. Det kan ta mig bort.
  Jag är en motor och nu vrider jag om nyckeln.
  Nu briserar jag.
  Jag finns igen och jag greppar stenen, och viskandet slutar, jag slår
nu, jag ska bort och jag slår mig härifrån och försök inte mota bort
mig, jag slår, vill mer, min vilja är det som sitter längst in, den är lju-
sare än vad mörkret förmår att svärta.
  Försök inte.
  Jag slår mot det svarta, och vi rullar runt i snön, och kylan finns
inte och det får ett hårt tag om mig, men jag exploderar en gång till
och sedan slår jag. Stenen i skallbenet och det svarta blir slappt, gli-
der av mig, ner på snön.
  Jag kravlar mig upp på knä.
  Fältet är öppet åt alla håll.
  Jag reser mig.
  I mörkret. Där har jag varit.
  Jag stapplar mot horisonten.
  Jag är på väg bort.

Jag svävar bredvid dig när du irrar fram över slätten. Du kommer att anlända någonstans, och vart du än går, kommer jag att vara där för att möta dig.

68.

Torsdag den sextonde februari

Johnny Axelsson lägger händerna på ratten, känner bilens vibrationer, hur kylan får motorn att gå ojämnt.

Tidig morgon.

Snöröken driver in från fälten och gärdena, över vägen i växelvisa, närapå bländande sjok.

Det tar nästan femtio minuter att åka från Motala till Linköping och så här års är det farligt också, med det osäkra väglaget, halkan som kommer och går på körbanan, hur mycket de än saltar.

Nej, bäst att ta det försiktigt. Han åker alltid vägen över Fornåsa, tycker bättre om den än vägen över Borensberg.

Och man vet aldrig vad som kan dyka upp ur skogen. Han har varit nära att köra på både rådjur och älg.

Men vägarna är raka i alla fall, byggda som de är för att kunna fungera som landningsbanor om kriget kommer.

Men hur troligt är det att kriget kommer?

Eller så är det redan här.

Motala. Knarkarhuvudstaden i Sverige.

Få om ens några jobb om man inte vill arbeta i det offentliga.

Men det är i Motala Johnny Axelsson vuxit upp, och det är där han vill bo. Så vad är ett par timmars pendlingsavstånd? Det är priset han gärna betalar för att få bo där han känner sig hemma. När platsannonsen från Ikea dök upp i tidningen tvekade han aldrig. Inte heller när han fick jobbet. Inte ligga till last. Bidra. Göra rätt för sig. Hur många av hans gamla kompisar går inte på bidrag? Håller sig kvar i a-kassesystemet trots att deras jobb försvann för tio år sedan. Herregud, vi är trettiofem, hur kan de ens tänka tanken.

Gå och fiska.

Ut och jaga.

Tippa. Se på travet. Snickra lite svart.

Johnny Axelsson åker förbi ett rött boningshus. Det ligger nära vägen, och därinne kan han se ett äldre par. De äter frukost och i ljuset från kökslampan ser de guldgula ut i huden, två akvariefiskar, tryggt placerade på slätten.

Se framåt, tänker Johnny, vägen, det är den du ska koncentrera dig på.

Malin går direkt till fikarummet när hon kommer in på stationen. Kaffet i pumpan nybryggt.

Hon sätter sig på en stol vid bordet strax intill fönstret ut mot innergården.

Bara en vit snömassa utanför så här års, en stenlagd liten plan, med tveksamma rabatter om våren, sommaren och hösten.

Det ligger en tidning på bordet bredvid.

Hon sträcker sig efter den.

Amelia.

Ett gammalt nummer.

Rubrik: »Du duger som du är!»

Rubrik på nästa sida: »Amelias fettsugningsspecial!»

Malin slår igen tidningen, reser sig och går bort till sitt skrivbord.

Det ligger en gul post-it-lapp överst, som ett utropstecken bland röran av papper.

En uppmaning från Ebba i receptionen:

Malin.
Ring det här numret. Hon sa att det var viktigt. 013-173928.

Inget mer.

Malin tar lappen, går ut till receptionen, Ebba är inte på plats, istället sitter Sofia ensam bakom disken.

»Har du sett Ebba?»

»Hon är i köket. Skulle hämta kaffe.»

Malin hittar Ebba i köksdelen, hon sitter vid ett av de runda borden och bläddrar i någon tidning. Malin håller upp lappen.

»Vad är det här?»

»Det var en dam som ringde.»

»Så mycket kan jag se själv.»

Ebba rynkar på näsan.

»Ja, hon ville inte säga någonting om sitt ärende. Men det var viktigt, vad jag kunde förstå.»

»När ringde hon?»

»Alldeles innan du kom in.»

»Inget mer?»

»Jo», säger Ebba. »Hon lät rädd. Och tveksam. Hon viskade liksom.»

Malin söker på numret på Gula sidorna.

Bom.

Det måste vara skyddat och inte ens de kommer åt det utan en massa tidskrävande pappersarbete.

Hon ringer.

Inget svar, inte ens en telefonsvarare.

Men bara minuten senare ringer hennes telefon.

Hon lyfter luren.

Svarar: »Ja, det var Malin Fors.»

»Daniel här. Har du något nytt till mig i utredningen om Andersson?»

Hon blir arg, sedan märkligt lugn, som om hon velat höra hans röst, sedan slår hon bort känslan.

»Nej.»

»Trakasserianmälningen, några kommentarer?»

»Har du blivit dum, Daniel?»

»Jag var borta några dagar. Ska du inte fråga var?»

»Nej.»

Vill fråga, vill inte vilja fråga.

»Jag var i Stockholm. På Expressen, de vill ha mig. Men jag tackade nej.»

»Varför?»

Frågan flyger ur Malin.

»Så du bryr dig ändå? Man ska aldrig göra det förväntade, Malin, aldrig.»

»Hej då, Daniel.»

Hon lägger på, och så ringer telefonen återigen. Daniel? Nej. Okänt nummer på displayen, tyst på andra sidan luren.

»Fors här. Vem talar jag med?»

Andetag, tvekan. Kanske rädsla. Så en mjuk men ändå orolig kvinnoröst, som om den vet om att den yttrar förbjudna ord.

»Ja», säger kvinnan och Malin väntar.

»Mitt namn är Viveka Crafoord.»

»Viveka, jag ...»

»Jag arbetar som psykoanalytiker här i Linköping. Det gäller en av mina patienter.»

Malin vill instinktivt be kvinnan vara tyst, inte berätta mer, lika lite som hon får ta emot information om en patient, lika lite får kvinnan som kallar sig Viveka Crafoord avslöja den.

»Jag har läst», säger kvinnan. »Om fallet du, ja ni verkar jobba med, mordet på Bengt Andersson.»

»Du nämnde ...»

»Jag tror att en av mina patienter ... ja, du, ni behöver få veta något.»

»Vilken patient?»

»Det förstår du att jag inte kan säga.»

»Kanske kan vi prata ändå?»

»Det tror jag inte. Men kom till min praktik vid elva idag. Den ligger på Drottninggatan tre, mittemot McDonald's. Portkoden är 9490.»

Viveka Crafoord lägger på.

Malin ser på klockan på dataskärmen.

07.44. Tre timmar och en kvart.

Martinin och vinet och cognacen. Hon känner sig svullen.

Reser sig och går bort mot trappan som leder ner till gymmet.

Hur länge har jag gått här nu?

Gryningen har kommit men det är ännu inte dag. Jag rör mig över fälten, har ingen aning om var jag är.

Jag är ett öppet sår, men kylan gör att jag inte känner min kropp. Jag sätter den ena foten framför den andra, kan inte komma långt bort nog, är jag jagad? Har det svarta vaknat? Är det nära mig?

Är det en färg, det svarta som kommer med bilen? Är det mörkrets motor?

Slå av ljuset.

Det bländar mig. Var rädd om mina ögon.

De kanske är det enda på mig som är helt.

Ögonen på vägen, tänker Johnny Axelsson.

Ögonen. Använd dem så anländer du säkert.

Ute ur skogspartierna nu.

Skönt med de öppna fälten, men kylan och vinden gör sikten sämre än vanligt, som om jorden andades och dess luft förångades i mötet med den kalla atmosfären.

Ögonen.

Ett rådjur?

Nej.

Men.

Men vad i hela helvete är det där?

Johnny Axelsson växlar ner och saktar in, blinkar med ljuset för att skrämma bort rådjuret från diket men inte fan är det där ett rådjur, det, det är ...

Vad är det?

Bilen verkar nästan fastna i vägbanan.

En, en vad?

En människa? En naken människa? Och fy, fy fan vad hon ser ut.

Och vad gör hon här?

På slätten? Så där? På morgonen.

Johnny Axelsson rullar förbi, stannar, och i backspegeln ser han kvinnan stappla förbi, hur hon inte tar någon notis om bilen utan bara fortsätter framåt.

Vänta, tänker han.

Bråttom till jobbet på Ikeas lager, men hon kan inte bara gå där. Det är helt fel.

Han öppnar bildörren, kroppen minns hur kallt det är, och han tvekar, sedan springer han efter kvinnan.

Han lägger armen på hennes axel och hon stannar, vänder sig om och hennes kinder, har hon bränt dem eller är det kylan, huden på hennes mage, var finns den och hur kan hon gå på de fötterna, de är svarta på samma sätt som de svarta vinbären hemma i trädgården är svarta.

Hon ser förbi honom.

Sedan in i hans ögon.

Hon ler.

Ljus i hennes ögon.

Och hon faller i hans armar.

Tolvkiloshanteln strävar mot gymmets golv hur mycket Malin än försöker lyfta upp den.

Satan vad tungt, borde klara åtminstone tio reps.

Johan Jakobsson bredvid henne, kom ner strax efter henne själv och nu manar han på henne precis som om han vill att de ska driva bort de dåliga nyheterna tillsammans.

Johan hade lyckats öppna den sista mappen på Rickard Skoglöfs dator igår, hemma, när barnen somnat. Det enda som funnits i mappen hade varit fler bilder, på Rickard Skoglöf själv och Valkyria Karlsson i olika samlagsställningar på ett stort skinn, deras kroppar målade i mönster som liknade tribaltatueringar.

»Kom igen, Malin.»

Hon höjer hanteln, pressar den uppåt.

»Kom igen, för fan!»

Men det går inte mer.

Hon släpper vikten mot golvet.

En dovt ljud.

»Jag ska springa lite», säger hon till Johan.

Svetten rinner från hennes panna. Alkoholen från middagen igår drivs ut, steg för steg, på löpbandet.

Malin ser sig själv i spegeln när hon springer, svetten som rinner nerför pannan, hur blek hon är även om ansträngningen gör hennes kinder röda. Ansiktet. En trettiotreårings ansikte. Läppar som ser fylligare ut än vanligt av ansträngningen.

De senaste åren verkar ansiktet ha funnit sig självt, som om huden hittat rätt på kindbenen. Ett flickaktigt drag som hon hade tidigare försvunnet för alltid, spårlöst efter de senaste veckornas slit. Hon tittar på klockan på väggen.

09.24.

Johan gick nyss.

Dags att duscha även för henne själv och sedan åka till Viveka Crafoord.

Interntelefonen ringer.

Malin sprintar över rummet, lyfter luren.

Zeke i luren. Upphetsad.

»De ringde just från akuten på sjukhuset. En Johnny Axelsson har kommit in med en kvinna som han hittat naken och misshandlad ute på slätten.»

»Jag kommer.»

»Hon är illa däran, men enligt läkaren jag pratade med viskade hon tydligen ditt namn, Malin.»

»Vad sa du?»

»Kvinnan viskade ditt namn, Malin.»

69.

Viveka Crafoord får vänta.

Alla andra får vänta.

Utom de tre.

Bengt Andersson.

Maria Murvall.

Och så den andra kvinnan, funnen på nästan exakt samma vis.

Offren rinner ur de svarta skogarna och vidare ut på de vita fälten. Var finns våldets källa?

Zeke kör i sjuttio; fyrtio kilometer för fort. Stereon är tyst. Bara motorns tvära stressade ljud. De får åka en omväg: arbete pågår, ett rör verkar ha frusit sönder.

Djurgårdsgatan, träden nere i Trädgårdsföreningen, gråspretiga men ändå gnistrande. Lasarettsgatan och de rosateglade hyreshusen som byggdes på åttiotalet.

Postmodernism.

Malin läste artikeln om arkitekturen i Correspondenten, i tidningens serie om stadens arkitektur. Ordet verkade löjligt, men hon förstod vad skribenten menade.

De svänger av upp mot sjukhuset, de gula plåtfasaderna på driftsbyggnaden har bleknat i solen, men landstingets pengar behövs till annat än att byta dem. De genar över en refug, vet att man inte får åka den vägen, att man ska åka runt, en lång omväg, men just idag finns inte den tiden.

Och så är de framme vid infarten till akuten, en inbromsning samtidigt som de svänger runt rondellen. De parkerar och springer mot akutmottagningen.

En sköterska möter dem, en kort, satt kvinna med tätt sittande ögon som får den smala näsan att skjuta ut från huvudet.

»Doktorn vill prata med er», säger hon samtidigt som hon leder dem längs en korridor, förbi flera tomma behandlingsrum.

»Doktor vad?» frågar Zeke.

»Doktor Stenvinkel, som är den kirurg som ska operera henne.»

Hasse, tänker Malin och först känner hon en motvilja mot att träffa Markus pappa i tjänsten, men sedan tänker hon att det inte spelar någon som helst roll.

»Jag känner honom», viskar Malin till Zeke när de följer sköterskan i spåren.

»Vem?»

»Läkaren. Så du är beredd. Det är Toves pojkväns pappa.»

»Det ordnar sig, Malin.»

Sjuksköterskan stannar framför en stängd dörr.

»Ni kan gå in där. Ni behöver inte knacka.»

Hans Stenvinkel är en annan människa nu än igår kväll. Borta är den lättsamme sällskapsmänniskan, istället är det en strikt, allvarlig och samlad person som sitter framför dem. Hela hans grönklädda kropp utstrålar kompetens och hans hälsning på henne var personlig men formell, undertexten: Vi känner varandra, men vi har ett viktigt arbete framför oss.

Zeke skruvar på sig i stolen, uppenbarligen berörd av auktoriteten som härskar i rummet. Hur personen i den gröna rocken skänker ett slags värdighet åt de vitmålade vävtapetserade väggarna, åt bokhyllan i ekfaner och det enkla skrivbordets slitna träyta.

Det var så här det var förr, tänker Malin, när folk hade respekt för doktorn, innan internet gjorde det möjligt för alla att bli experter på sina åkommor.

»Ni ska strax få träffa henne», säger Hans. »Hon är vid medvetande, men måste sövas å det snaraste så vi kan se till hennes sår. Vi måste transplantera hud. Sådant kan vi här. Brännskador är vi bäst i landet på.»

»Köldskador?» frågar Zeke.

»Det också. Men medicinskt sett liknar de brännskador. Så hon kunde inte vara i bättre händer törs jag påstå.»

»Vem är hon?»

»Det vet vi inte. Hon säger bara att hon vill träffa dig, Malin, så du vet nog vem hon är.»

Malin nickar bekräftande.

»Då är det bäst hon får göra det, träffa mig. Om hon orkar. Vi måste få klarhet i vem hon är.»

»Jag bedömer att hon orkar med ett kort samtal.»

»Är hon illa tilltygad?»

»Ja», säger Hans. »Det är omöjligt att hon kan ha tillfogat sig skadorna själv. Hon har förlorat mycket blod. Men vi ger henne transfusioner nu. Vi hävde chocken med adrenalin. Brännskador, köldskador, som jag sa, sticksår, skärsår, klämskador och så är vaginan illa tilltygad. Det är ett under att hon inte förlorade medvetandet. Att någon hittade henne i tid. Men man undrar ju vad det är för monster som går lös ute på slätten.»

»Hur länge kan hon ha varit där ute?»

»Säkert hela natten. Köldskadorna är svåra. Men vi bör klara de flesta tår och fingrar.»

»Är skadorna dokumenterade?»

»Ja, precis på det sätt ni vill.»

Det hörs på Hans röst att han gjort detta förr. Med Maria Murvall?

»Bra», säger Zeke.

»Och mannen som kom in med henne?»

»Han lämnade sitt nummer. Han jobbar på Ikea. Vi försökte få honom att stanna men han sa att 'Ingvars ande blir inte glad om man kommer för sent.' Vi kunde inte hålla honom kvar.»

Sedan ser Hans henne i ögonen.

»Jag varnar dig, Malin. Hon ser ut som om hon tagit sig igenom skärselden. Det är skrämmande. Man måste ha en otrolig vilja för att klara det hon måste ha gått igenom.»

»Människor har i regel en galen vilja när det gäller att överleva», säger Zeke.

»Inte alla, inte alla», svarar Hans med en röst som låter tung och sorgsen. Malin nickar mot honom, precis som för att bekräfta att hon vet vad han menar. Men vet jag det? tänker hon sedan.

Vem är hon? tänker Malin och öppnar dörren till sjuksalen. Zeke väntar utanför.

En ensam säng vid en vägg, bara tunna strimmor av ljus letar sig genom en persienn och finfördelas över det gråbruna golvet. En övervakningsmaskin blippar tyst och rytmiskt och två små röda ljus på dess display lyser som ett par grävlingsögon i dunklet. Droppställningar med blodpåsar och vätska, en kateterpåse och så en gestalt på sängen under tunna gula filtar, huvudet vilar mot en kudde.

Vem är det?

Den kind som Malin ser är täckt av bandage.

Men vem är det?

Malin närmar sig försiktigt och gestalten på sängen stönar, vrider huvudet mot henne och verkar det inte komma ett leende från utrymmet mellan bandagen?

Händerna svepta i gasbinda.

Ögonen.

Jag känner igen dem.

Men vem?

Leendet är borta och näsan och ögonen och håret blir till ett minne.

Rebecka Stenlundh.

Bengt Anderssons syster.

Hon höjer sin bandagerade hand mot Malin, vinkar fram henne till sängen.

Så en kraftansträngning, alla ord ska ut på en gång, hela meningen ska avslutas, som om den vore den sista.

»Du måste ta hand om min pojke om jag inte klarar mig. Se till att ·han hamnar någonstans bra.»

»Du klarar dig.»

»Jag försöker, tro mig.»

»Vad hände? Orkar du berätta vad som hände?»

»Bilen.»

»Bilen?»

»Där togs jag.»

Rebecka Stenlundh vrider på huvudet, lägger sin bandagerade kind tillrätta på kudden.

»Sedan en håla. I skogen och en påle.»

»En håla, var då?»

»I mörkret.»

»Var i mörkret?»

Rebecka sluter ögonen i ett nekande, i ett: »Jag har ingen aning.»

»Sedan?»

»Släden och bilen, igen.»

»Vem?»

Rebecka Stenlundh skakar sakta på huvudet.

»Du såg inte?»

Hon skakar på huvudet igen.

»Jag skulle hänga, som Bengt.»

»Var de flera?»

Rebecka skakar på huvudet igen.

»Vet inte, såg inte säkert.»

»Och han som kom in med dig.»

»Han hjälpte mig.»

»Du såg alltså inte ...»

»Jag slog det svarta, jag slog det svarta, jag ...»

Rebecka driver iväg, sluter ögonen, mumlar:

»Mamma, mamma. Får vi springa mellan äppelträden?»

Malin för sitt öra nära hennes mun.

»Vad sa du?»

»Stanna mamma, stanna, du är inte sjuk ...»

»Hör du mig?»

»Pojken, ta ...»

Rebecka tystnar, men hon andas, bröstkorgen rör sig, hon sover eller är medvetslös och Malin undrar om hon drömmer, hoppas att Rebecka slipper att drömma på många nätter, men vet att hon kommer att drömma.

Maskinen bredvid henne blippar.

Ögonen lyser.

Malin reser sig.

Väntar vid sängen ett slag, innan hon går ut ur rummet.

70.

Zeke på väg ut till Ikea, Malin på väg uppför trappan i huset på Drottninggatan tre, miljoner år gamla fossiler insprängda i stenen i stegen. Viveka Crafoord har sin mottagning på tredje våningen av fyra.

Ingen hiss i huset.

Crafoord Psykoterapi, en mässingsskylt med snirkliga bokstäver, placerad mitt på den brunlaserade dörren. Malin trycker ner handtaget. Dörren är låst.

Hon ringer på.

Först en gång, sedan en andra och tredje.

Så öppnas dörren och en kvinna i fyrtioårsåldern med burrigt svart hår och ett ansikte som är runt och skarpt på samma gång tittar fram. De bruna ögonen blixtrar av intelligens trots att de till hälften är dolda bakom ett par hornbågade glasögon.

»Viveka Crafoord?»

»Du är en timme försenad.»

Hon öppnar dörren lite till och Malin lägger märke till hennes klädsel. En läderväst hänger över en blålila pösig blus, som i sin tur faller ner över en ankellång grönrutig kjol i plysch.

»Kan jag komma in?»

»Nej.»

»Du sa ...»

»Jag har en klient nu. Gå ner på McDonald's så ringer jag om en halvtimme.»

»Jag kan inte vänta här?»

»Jag vill inte att någon ska se dig.»

»Har du ...»

Dörren till mottagningen går igen.

».... mitt mobilnummer?»

Malin låter meningen hänga i luften, tänker på att det är lunchdags och att hon just fått den perfekta ursäkten för att gynna den amerikanska snabbmatssatan.

Egentligen tycker hon illa om McDonald's. Har varit stenhård på att inte ta med Tove dit.

Minimorötter och juice.

Vi tar vårt ansvar för barnfetman.

Men sluta sälj pommes frites då. Läsk. Ett hälftenansvar, vad är det värt?

Socker och fett.

Malin drar motvilligt upp dörren.

Bakom henne kör en buss in på Trädgårdstorget.

En Big Mac och en cheeseburgare senare känner hon sig akut spyfärdig. Restaurangens grälla färger och påtagliga frityros får henne att må ännu sämre.

Ring nu.

Tjugo minuter. Trettio. Fyrtio.

Telefonen ringer.

Svara snabbt.

»Malin?»

Pappa? Inte nu, inte nu.

»Pappa, jag är upptagen.»

»Vi har tänkt på saken.»

»Pappa ...»

»Tove är välkommen med sin pojkvän, självklart.»

»Va? Jag sa ju att jag ...»

»... så du kan väl höra om de fortfarande vill ...»

Inkommande samtal.

Malin trycker bort samtalet från Teneriffa, trycker fram det andra.

»Ja.»

»Du kan komma upp nu.»

Viveka Crafoords behandlingsrum är inrett som biblioteket i ett högreståndshem runt förra sekelskiftet. Böcker, Freud, metervis med nya blänkande läderband. Jung porträtterad i svartvitt innanför breda guldramar, äkta mattor, ett skrivbord i mahogny och en paisleymönstrad fåtölj framför en divan klädd i oxblodsfärgat skinn.

Malin sitter på divanen, avböjde ett erbjudande om att sträcka ut sig, tänkte att Tove skulle älska det här rummet, dess uppdaterade Jane Austen-känsla.

Viveka sitter i fåtöljen med benen i kors.

»Det jag ska berätta nu stannar mellan oss», säger hon. »Du får aldrig yppa det för någon. Det får aldrig hamna i någon polisrapport eller dokumenteras på något vis. Det här mötet har aldrig ägt rum. Är det okej?»

Malin nickar.

»Vi sätter båda vår yrkesheder på spel om något kommer ut. Eller att det kom från mig.»

»Om jag agerar utifrån det du ska berätta, får jag väl hänvisa till min intuition.»

Viveka Crafoord ler.

Men bara motvilligt.

Sedan blir hon åter allvarlig och börjar berätta.

»För åtta år sedan blev jag kontaktad av en man, han var trettiosju då, som sa att han ville komma tillrätta med sin barndom. Inget ovanligt med det, men vad som var ovanligt i det här fallet var att han de första fem åren inte gjorde några framsteg alls. Han kom en gång i veckan, hade det gott ställt, bra jobb. Han ville prata, sa han, om hur det hade varit när han var liten, men istället fick jag höra historier om allt möjligt annat. Om dataprogram, om skidåkning, om äppelodling, om olika trosriktningar. Allt utom det han uppgivit att han ville prata om.»

»Vad hette han?»

»Jag kommer till det. Om det är nödvändigt.»

»Jag tror det.»

»Så hände något, för fyra år sedan. Han vägrade säga vad, men jag tror en släkting till honom föll offer för ett våldsbrott, hon blev våldtagen, och på något sätt var det som om den händelsen fick honom att ge upp.»

»Ge upp?»

»Ja, och börja berätta. Först trodde jag honom inte, men sedan. Det kan ha varit något mer också.»

»Sedan?»

»När han framhärdade.»

Viveka Crafoord skakar på huvudet.

»Ibland», säger hon, »undrar man varför vissa skaffar barn.»

»Jag har undrat detsamma.»

»Hans pappa hade varit en sjöman som dog när han ännu låg i sin mors mage.»

Stämmer inte, tänker Malin.

Hans far var en annan ...

Men hon låter Viveka Crafoord fortsätta.

»Hans första minne, som vi kunde komma åt tillsammans, var hur hon låste in honom i en garderob när han måste ha varit två. Hon ville inte visa sig ute med barn. Sedan gifte modern om sig med en våldsam man, skaffade barn. Tre bröder och en syster. Den nya mannen och sönerna tog det som sin livsuppgift att plåga honom, modern verkar ha hejat på. På vintern låste de honom ute i snön naken, så han fick stå i kylan utanför när de satt tillsammans och åt inne i köket. Protesterade han fick han stryk, ännu mer än vanligt. De slog honom, rispade honom med knivar, hällde hett vatten på honom, kastade kaksmulor på honom. Bröderna verkar ha gått över gränsen, påhejade av sin pappa, barn kan vara oerhört grymma om grymheten uppmuntras. De vet inte att den är fel. Ett selektivt våld. Nästan sektliknande till slut. Han var storebror, men vad hjälpte det? Vuxna och barn mot ett ensamt barn. Bröderna måste också tagit skada av situationen, blivit förvirrade, hårda, osäkra men samtidigt bestämda, sammansvetsade i det vi alla innerst inne vet är fel.»

Du tror på godheten, tänker Malin, frågar:

»Hur överlevde han?»

»Fantasivärldar. Egna universum. Någon håla i en skog, han sa aldrig var. Dataprogrammen. Trosriktningar. Allt det som vi människor griper tag i för att få styr på tillvaron. Utbildning. Att han kom bort från dem. Han klarade det. Han måste ha haft en stor inre kraft. Och så en syster som verkar ha brytt sig om honom. Även om hon inte kunde göra något själv. Han pratade om henne, men mest osam-

377

manhängande, om något som hänt i skogen. Det var som om han levde i parallella världar, lärde sig skilja på dem. Men sedan var det som att för varje gång vi sågs tog plågorna från barndomen över allt mer. Han blev lätt arg.»

»Våldsam?»

»Aldrig hos mig. Men kanske annars. De brände honom med ljus. Han beskrev en stuga i skogen där de spände fast honom vid ett träd och sedan brände honom, kastade varmt vatten på honom.»

»Hur kunde de?»

»Människor kan göra vad som helst med en annan människa när de på något vis slutar se på denne som en människa. Historien är full av exempel på det. Inget märkligt alls.»

»Och hur börjar det?»

»Jag vet inte», suckar Viveka Crafoord. »I det här fallet med modern. Eller ännu längre bort. Hennes vägran tror jag, att älska honom i kombination med att hon behövde honom. Varför hon inte adopterade bort honom vet jag inte. Kanske behövde hans mor något att hata? Att kanalisera sin vrede mot? Hennes hat var på ett sätt säkert också grogrunden för mannens och sönernas förakt.»

»Varför ville hon inte älska honom?»

»Jag vet inte. Något måste ha hänt.»

Viveka tar en paus.

»Det sista året låg han här på divanen där du sitter nu. Han grät och var arg om vartannat. Viskade ofta: Släpp in mig, släpp in mig, jag fryser.»

»Och du?»

»Jag försökte trösta honom.»

»Och nu?»

»Han slutade gå hos mig för ett år sedan. Sista gången vi sågs stormade han ut. Tappade humöret ännu en gång. Skrek att inga ord hjälpte, att bara handling kunde ställa allt till rätta, han visste nu, visste nu, hade fått reda på något, skrek han, sa att han visste vad som skulle behövas.»

»Och du kontaktade honom inte igen?»

Viveka Crafoord ser förvånad ut.

»All min behandling är frivillig», säger hon. »Patienterna får komma till mig. Men jag kände att du kanske var intresserad av det här.»

»Vad tror du har hänt?»

»Bägaren har runnit över. Alla hans världar går ihop. Vad som helst kan hända.»

»Tack», säger Malin.

»Vill du veta hans namn?»

»Jag behöver inte det.»

»Precis vad jag trodde», säger Viveka Crafoord och vänder sig mot fönstret.

Malin reser sig för att gå. Utan att se på Malin frågar Viveka Crafoord:

»Och du själv, hur mår du?»

»Hur så?»

»Det står skrivet över hela dig. Det är sällan man ser det så tydligt, men det är som om du bär på en obearbetad sorg eller kanske saknad.»

»Jag vet ärligt talat inte vad du pratar om.»

»Jag finns här om du vill göra det. Prata.»

Ute singlar stora snöflingor mot marken; de ser ut som stoft, tänker Malin, från vackra stjärnor som för miljarder år sedan pulveriserats någonstans långt ute i rymden.

71.

Ljungsbro, 1961

Det lilla äcklet.

Jag sätter på honom tygblöja.

Har madrasserat garderobens innerväggar, kanske slänger jag till honom ett äpple, lite torrbröd, men han skriker inte längre. Slår du en unge på truten tillräckligt många gånger lär han sig att skrik är smärta och ingenting som hjälper.

Så jag stänger in han.

Han gråter ljudlöst när jag lyfter hans två och ett halvt år in i garderoben.

Amningspsykos.

Jo, jag tackar.

Barnpension.

Jo, jag tackar.

Fadern förlist. Ettusensexhundraåttiofem kronor varje månad. De köpte det, myndigheten, eftersom det var så ledsamt. Faderlös. Men jag ville inte lämna bort honom utan kosingen heller.

Mina lögner är inte lögner eftersom de bara är mina egna. Jag skapar min egen värld. Och inkräktaren i garderoben gör den verklig.

Så jag låser.

Och går iväg.

De gav mig avsked från fabriken när de såg magen, kan inte ha såna vid kexchokladbandet, sa de.

Och nu så låser jag garderoben och han gråter och jag vill öppna och säga till han att han finns här bara för att han ofinns, sätt äpplet i halsen, sluta andas så kanske du blir fri. Knullunge. Men inte.

Ettusen sexhundraåttiofem riksdaler varje månad.

Jag knatar genom samhället, till speceriaffären och jag bär huvudet högt men jag vet hur de viskar, var har hon pojken, var är pojken, för de vet att du finns, och jag vill stanna, niga åt damerna, säga till dem att pojken, sjömanspojken, honom har jag i en mörk, fuktig madrasserad garderob, till och med en ventil har jag satt in, precis som den de använde till lådan när de kidnappade Lindberghs son, ni såg nog reportaget i Veckojournalen.

Jag är tyst omkring han, men ändå, på något vis letar sig orden in i huvudet på honom.

Mamma, mamma

mamma

mamma

och de där lätena äcklar mig, de är som fuktiga ormar på blöt skogsmark.

Ibland ser jag Kalle. Jag döpte han efter Kalle.

Han ser på mig.

Han ser avig ut på cykeln, och har givit efter för flaskan nu, och kvinnan, den väna, har fött honom en son. Vad ska han med den till? Tror han det kan bli ordning på det blodet? Jag har sett grabben. Svullen som en ballong är han.

Hemligheten är min hämnd, min slängkyss.

Tro inte du kommer åt mig, Kalle. Att du kom åt mig. Ingen kommer åt Rakel.

Ingen, ingen, ingen.

Så öppnar jag garderoben.

Och han ler.

Den lilla knullungen.

Och jag slår för att tvinga bort det där leendet från hans läppar.

72.

Jag glider fram genom kylan, dagen lika kritvit som åkrarna under mig. Vreta klosters torn är en vässad spets på min väg ut mot Blåsvädret och Hultsjöskogen.

Rösterna finns överallt. Alla ord de uttalat genom åren vridna runt varandra till ett skrämmande och vackert nät.

Jag har lärt mig urskilja de röster jag vill höra, och jag förstår dem alla, även långt bortom ordens uppenbara innebörder.

Så vem hör jag?

Jag hör bröders röster; Elias, Jakob och Adam, hur de spjärnar emot, men ändå vill berätta. Jag börjar med dig Elias, lyssnar till det du har att säga:

Du får aldrig visa dig vek.

Aldrig någonsin.

Som han gjorde, oäktingen. Han var äldre än mig, Jakob och Adam, ändå bölade han i snön, som ett fruntimmer, som en vekling. Visar du dig vek så tar dom dig.

Vilka dom?

Dom jävlarna. Alla de där utanför.

Ibland, men det säger jag aldrig till mor eller bröderna, har jag undrat vad han gjort för ont egentligen. Varför mor hatade honom, varför vi skulle slå. Jag ser på mina egna barn och undrar vad de kan göra för ont, vad kan Karl ha gjort för ont egentligen? Vad fick mor oss till? Kanske kan man få barn att begå vilka grymheter som helst.

Men nej, inte tänka så.

Jag vet att jag själv inte är vek. Jag är nio och står vid ingången till

Ljungsbroskolans nybyggda vitputsade hus, det är tidig september och solen skiner och slöjdläraren, Broman, står utanför och röker. Det har ringt in och alla barn rusar mot ingången, jag först, men när jag ska dra upp dörren sätter Broman för sin ena arm, den andra upp i luften och så skriker han STOPP, HÄR KOMMER INGA LORTUNGAR IN, och han skriker högt, högt och hans ord får massan med barn att stanna upp, de små musklerna fryser i sig själva. Han flinar, flinar och alla tror de är lortungarna och sedan skriker han DET LUKTAR LORT HÄR ELIAS MURVALL DET LUKTAR SKIT och så börjar fnissningarna, och de blir till skratt och Bromans rökhesa skrik, LORTUNGE, och sedan för han mig åt sidan, håller mig hårt hårt mot glaset i en dörr med sin håriga arm samtidigt som han öppnar den andra dörren och släpper förbi de andra barnen och de skrattar och går förbi och viskar lortunge, skiten, det stinker skit här och jag finner mig inte i det, ser till att det exploderar, jag öppnar munnen, och sedan hugger jag, jag biter, borrar hörntänderna djupt ner i Bromans arm, känner köttet vika åt sidan och just som han skriker känner jag järnsmaken i munnen och vem är det som skriker nu din jävel, vem är det som skriker nu?

Jag släpper mitt bett.

De ville att mor skulle komma till skolan och prata om det som hänt.

Sådant skit, sa hon och höll om mig i köket, sådant skit håller vi inte på med Elias.

Jag håller på med mitt svävande och lyssnande. Jag är högt upp nu, där luften är för tunn för människor och kylan hastigt förgörande, men din röst är klar här, Jakob, så ren och skinande klar, genomskinlig som en fönsterram utan glas:

Slå den fan, Jakob, skrek pappa.

Slå honom.

Han är inte en av oss hur mycket han än inbillar sig det.

Han var mager och tunn och trots att han var dubbelt så lång som jag själv sparkade jag honom ända upp i magen när Adam höll honom. Adam fyra år yngre, men ändå starkare, vildvuxen.

Pappa i sin rullstol på farstubron.

Hur det hände?

Jag vet inte.

De hittade honom vid parken en natt. Ryggen avslagen, och käkbenet också. Mor sa alltid att han måste ha mött en riktig karl där i parken och att nu är Svarten slut och så stack hon till honom ännu en grogg, låt honom supa ihjäl sig, det är på tiden och som han drack. Vi körde honom runt runt genom huset och han yrade i sin berusning och försökte resa sig.

Det var jag som hittade honom när han trillat nerför trappan. Jag var tretton då. Kom in från trädgården där jag slitit ner kart från äppelträden som jag skulle kasta på bilarna som åkte förbi ute på vägen.

Ögonen.

De stirrade på mig, vita och döda och huden var grå istället för den vanliga röda.

Jag blev rädd. Ville skrika.

Men istället slöt jag hans ögon.

Mor kom nerför trappan, nybadad.

Hon klev över kroppen, sträckte sig mot mig och hennes hår var vått men ändå varmt och det doftade av blommor och löv och hon viskade i mitt öra:

Jakob. Min Jakob.

Sedan viskade hon: Om du måste göra något, så tvekar du inte, eller hur? Du gör det som måste göras, eller hur, och hon kramade mig hårt hårt och sedan minns jag kyrkklockorna och de svartklädda människorna på grusplanen framför Vreta klosters kyrka.

Den grusplanen.

Kantad av murar med minnen från elvahundratalet.

Jag har landat där nu och ser det du måste sett, Jakob. Vad gjorde synen med dig? Men allt hade väl redan hänt långt, långt innan? Och jag tror du gör det som måste göras, precis som jag själv gör nu.

Men det är inte din röst som är starkast här. Det är Adams, och det han säger verkar vettigt och galet på samma gång, lika förtvivlat och tydligt som vinterkylan:

»Vi har det som är vårt och det ska ingen ta ifrån oss, Adam.»

Mors röst utan utrymme för mig själv.

Jag var nog två första gången jag fattade att farsan slog honom, att det fanns någon som var där jämt, men som bara skulle slås på.

Det finns en tydlighet i våldet som inte finns i något annat. Supa skallen i bitar, slå skallen i bitar, slå sönder, slå samman.

Så är det.

Jag slår samman.

Mor.

Hon tycker också om tydligheten.

Tvivlet, säger hon, är inte något för oss.

Den nye var det annorlunda med.

Han visste inte.

Turk. Kom till klassen i femman. Från Stockholm. Hans morsa och farsa hade fått jobb i chokladhimlen. Trodde väl han kunde mopsa med mig, jag var ju den där lille, den vid sidan av med alla fläckarna på kläderna, den som man kunde, ja göra lite vad man ville med bara för att bli någon på nya stället.

Så han slog mig.

Eller försökte.

Och han använde någon jävla judoteknik och fick ner mig och sedan boxade han mig till näsblod och sedan, när jag skulle flyga på han igen kom fröken och vaktis och gympamajen Björklund.

Brorsorna fick höra om det där.

Turken bodde i Härna. Vi väntade på honom på kanalbanken, under björkarna vid vattnet, gömda nere i slänten bakom en stam. Jönsen brukade ta den vägen hem.

Och han kom som brorsorna planerat.

De hoppade fram och kastade honom av cykeln och sedan låg han där på gruset vid sidan av kanalen och skrek och pekade på de nya hålen i sina jeans.

Jakob stirrade på honom, Elias stirrade och jag stod vid en björkstam och jag minns att jag undrade vad som skulle hända nu, men jag visste.

Elias sparkade på turkens cykel och när han försökte resa sig sparkade Jakob honom, först i magen och sedan över munnen och turken kved och blodet rann ur hans mungipor.

Och sedan böjde jag cykelramen och hivade cykeln rätt ut i kanalen. Och jag sprang fram och sparkade på turken.

Och jag sparkade.

Sparkade.

Sparkade.

Hans föräldrar anmälde det inte ens till snuten.

De flyttade bara några veckor senare, i skolan sa de att de åkt tillbaka till Turkiet, men jag tror inte det. De var såna där kurder. Inte fan åkte de tillbaka.

På väg hem från kanalen.

Jag satt bakom Elias på hans Puch Dakota. Jag höll om hans mage och hela hans stora kropp vibrerade, och bredvid oss på sin flakmoppe åkte Jakob.

Han log mot mig. Jag kände värmen från Elias.

Vi var, vi är, bröder.

En och samma.

Inget konstigt med det.

73.

Det är varmt här. Ingen hittar mig.

Jordtaket ovanför mig är mitt eget himlavalv. Kexsmulor under min kropp.

Slog hon mig?

Hänger hon?

Om inte så tänker jag försöka igen och igen och igen. För om jag tar bort blodet måste ni släppa in mig, om jag offrar det åt er släpper ni in mig.

Det var lättare med honom, Bengan. Han var tung men inte för tung och jag drogade honom vid parkeringen uppe i Härna när han gick förbi. Hade min andra bil, den med vanligt bagageutrymme som jag köpt. Sedan som med henne, släde ut hit.

Men han dog för tidigt.

Traverserna från fabriken, jag klippte hål i stängslet, hade kopplat ur sensorerna från serverrummet. Inte lätt. En rock på en klädhängare fick bli jag för vakterna genom frostrutan.

På natten, i skogen, så tog jag honom, så drev jag ut blodet, tog bort blodet, så ni skulle släppa in mig, gjorde det rent.

Kedjorna, snaran. Upp i trädet, du runda fördärv.

Blotet.

Jag har offrat åt er.

Men vad hände med henne?

Jag minns hur jag vaknade på fältet, hon var borta och jag ålade mig till bilen, kröp in och lyckades starta. Jag tog mig tillbaka hit.

Men hängde hon i trädet?

Eller var hon någon annanstans?

Hon måste ha hängt. Jag drev ut det som var fel, jag har offrat.
Så nu kommer ni snart för att öppna dörren.
Ni kommer väl med kärlek?
Vad har hänt? Vad är gjort?
Det doftar äpplen i min håla. Äpplen, smulor och rök.

Filadelfiakyrkans skylt är tänd mitt på dagen, som för att annonsera:
Här finns gud! Det är bara att kliva på och träffa honom. Kyrkobygg-
naden ligger strax bredvid McDonald's på andra sidan Drottning-
gatan och den har en trogen och välbeställd publik. Hon minns de
frikyrkliga från sin gymnasietid. De var artiga, ganska trendigt kläd-
da men ändå var de knasiga, i varje fall var det så hon såg på dem.
Som om något fattades. Som om det fanns en märklig hårdhet i allt
fluff och mjukhet. Som sockervadd med småspik.
    Malin spejar uppåt gatan.
    Var är Zeke?
    Hon ringde honom nyss, sa att han skulle hämta henne utanför
kyrkan, att de skulle åka ut till Collins och plocka in Karl Murvall.
    Där kommer Volvon.
    Han saktar in och innan han stannat helt har Malin öppnat dör-
ren och hoppat in i framsätet.
    Zeke ivrig:
    »Vad sa hon psykologen?»
    »Jag lovade att inget säga.»
    »Malin», suckar Zeke.
    »Men det är Karl Murvall som mördade Bengt Andersson och för-
sökte mörda Rebecka Stenlundh. Det råder inga tvivel om det.»
    »Hur vet du det? Hade inte han alibi?»
    Zeke börjar köra Drottninggatan fram.
    »Kvinnlig intuition. Och vad är det som säger att han inte på nå-
got vis hade kopplat ur sensorerna med hjälp av datasystemet och
klippte ett hål i stängslet kring Collins och smet ut den natten? Att
han hade fixat jobbet med uppdateringarna innan?»
    Zeke gasar.
    »Ja, varför inte, sensorerna kanske styrdes från det där serverrum-
met», säger han. »Men de såg honom ju i rummet?»

»Men kanske bara genom den frostade dörren», säger Malin.

Zeke nickar, säger:

»Släkten är alltid värst, eller hur?»

Grinden vid ingången till Collins verkstäder verkar ha vuxit sedan sist, och skogen vid parkeringsplatsen ger intryck av att ha tätnat, slutit sig i sig själv. Fabriksbyggnaderna slöar som deprimerande interneringslängor bakom stängslet, hus redo att förflyttas till Kina vilken dag som helst och fyllas med arbetare som tjänar en hundradel av vad de som arbetar i husen nu gör.

Ni igen, verkar vakten i kuren tänka. Får ni aldrig nog av att tvinga mig öppna luckan och släppa in kylan.

»Vi söker Karl Murvall», säger Malin.

Vakten ler och skakar på huvudet.

»Då har ni kommit fel», säger han. »Han fick sparken i förrgår.»

»Så han fick sparken. Du råkar inte veta varför, men du kanske inte har koll på sådant?» säger Zeke.

Vakten ser förolämpad ut.

»Varför får man sparken?» frågar han.

»Vad vet jag? Berätta», säger Zeke.

»I hans fall för att man beter sig konstigt och hotfullt mot sina arbetskamrater. Vill du veta mer?»

»Det räcker», säger Malin. Orkar inte fråga om mordnatten och stängslet. På något sätt tog han sig ut den natten, Karl Murvall.

»Kan vi efterlysa honom?»

Malin ställer frågan till Zeke när de kör ut från Collins parkering och bort mot huvudleden. De möter en lastbil vars släp kränger oroligt på vägbanan.

»Nej. Då måste du ha något konkret.»

»Det har jag.»

»Som du inte kan avslöja.»

»Det är han.»

»Du måste hitta något annat, Fors. Du kan alltid ta in honom för förhör.»

De svänger ut på huvudleden, får väja för en svart BMW cruiser som kör minst fyrtio kilometer för fort.

»Men då måste vi hitta honom.»

»Tror du han är hemma?»

»Vi kan alltid prova.»

»Är det okej om jag sätter på musik?»

»Vad du vill, Zeke.»

Sekunderna senare fylls bilen av hundra tyska stämmor.

»Ein bisschen Frieden, ein bisschen Sonne...»

»Schlagerklassiker i körtappning», ropar Zeke. »Piggar alltid upp, eller hur?»

Klockan har hunnit bli strax efter halv fyra när de ringer på dörren till Karl Murvalls lägenhet på Tannerforsvägen. Dörrens fernissa flagar och för första gången lägger Malin märke till att hela trapphuset är i behov av renovering, att ingen verkar ha brytt sig om att hålla det gemensamma utrymmet i skick.

Ingen öppnar.

Malin tittar in genom brevlådan. Tidningar och post orörda på golvet.

»Vi kan inte begära en jävla husrannsakan heller», säger Malin. »Jag kan inte hänvisa till vad Viveka Crafoord berättade för mig och bara för att Rebecka Stenlundh blivit överfallen kan vi inte gå in här hur som helst.»

»Var kan han vara?» undrar Zeke högt.

»Rebecka Stenlundh pratade om skogen och en håla.»

»Du menar inte att vi ska ut i skogen igen?»

»Vem var det annars vi såg den där natten? Det måste ha varit han.»

»Tror du han håller till i jaktstugan?»

»Knappast. Men något finns där i skogen. Jag känner det i hela kroppen.»

»Inget att vänta på», säger Zeke.

Världen krymper i kylan. Faller samman till ett mörkt rum som innehåller allt som ryms under atmosfären. Packas ihop till ett trögrörligt svart hål.

Du ruvar på hemligheter, tänker Malin. Du mörka östgötaskog. Snön är hårdare än sist, skaren bär. Kanske har kylan fått snön att sakta förvandlas till is? En istid skapad på några månader som för alltid förvandlar vegetationen, landskapet, tonen i skogen. Träden runt omkring dem som grova, övergivna antika pelare.

Den ena foten framför den andra.

Av alla de barn som ingen ser, som blir övergivna, som fäder och mödrar inte bryr sig om, som överges av världen, kommer alltid några att falla ur, bli utom sig, och världen som övergivit dem kommer att få ta konsekvenserna.

I Karins Thailand.

I Jannes Bosnien och Rwanda.

I Stockholm.

I Linköping.

I Ljungsbro, Blåsvädret.

Det är inte svårare än så, tänker Malin. Ta hand om de som är små, de som är svaga. Visa dem kärleken. Det finns ingen given ondska. Ondskan skapas. Men jag tror ändå att det finns given godhet. Men inte nu, inte i den här skogen, här har godheten sedan länge flytt. Här finns bara överlevnad.

Smärtande fingrar i handskar som inte går att göra tjocka nog.

»Fan vad kallt», säger Zeke och det känns som om Malin hört honom säga de orden tusen gånger den senaste månaden.

Benen blir allt ovilligare ju lägre mörkret sänker sig, ju längre kylan letar sig in i kroppen. Tårna har försvunnit, och fingrarna. Inte ens smärta kvar.

Murvalls stuga ligger kall och öde. Snöfallet har sopat igen alla skidspår.

Malin och Zeke står stilla framför stugan.

Lyssnar men inget hörs, bara en doftlös tyst vinterskog omkring dem.

Men jag känner det, jag känner det, du är nära nu.

Jag måste ha somnat, kaminen är kall, inga träklabbar brinner, jag fryser, måste tända igen, så det är varmt när de kommer för att släppa in mig.

Min håla är mitt hem.

Har alltid varit mitt enda hem. Lägenheten på Tanneforsvägen var aldrig hemma. Den var endast rum där jag sov och tänkte och försökte förstå.

Jag gör i ordning veden, tänder, men slinter.

Jag fryser.

Men det måste vara varmt när de ska släppa in mig, när jag ska få hennes kärlek.

»Det finns inget här, Fors. Hör vad jag säger.»

Öppningen framför stugan. En helt ljudlös plats, liksom omringad av träden, av skogen och ett ogenomträngligt mörker.

»Du har fel, Zeke.»

Det finns något här. Något som rör sig. Är det ondskan? Djävulen? Jag känner en doft.

»Det kommer att vara helt mörkt om fem minuter. Jag går tillbaka nu.»

»Bara lite längre in», säger Malin och börjar gå.

De går kanske fyrahundra meter in i den täta skogen innan Zeke ryter: »Nu vänder vi.»

»Bara lite till.»

»Nej.»

Och Malin vänder sig om, går tillbaka, blir aldrig varse dungen femtio meter längre fram, där grå rök börjar sippra ur en liten skorsten på en jordkällares tak.

Motorn dånar när bilen går upp i varv, samtidigt som de åker förbi Vreta klosters golfklubbs bana.

Märkligt, tänker Malin. De lämnar flaggorna ute över vintern. Jag har inte lagt märke till dem tidigare. Det är precis som om de flaggar för någon.

Sedan säger hon:

»Vi åker till Rakel Murvall. Hon vet var han är.»

»Du är galen, Malin. Du kommer inte inom femhundra meter från den tanten. Det ska jag se till.»

»Hon vet var han är.»

»Det spelar ingen roll.»

»Jo.»

»Nej. Hon har anmält dig för trakasserier. Att åka dit nu är detsamma som karriärsjälvmord.»

»Fan.»

Malin slår handen i instrumentbrädan.

»Kör mig till min bil. Den står i parkeringshuset vid McDonald's.»

»Du ser pigg ut, mamma», säger Tove från sin plats i soffan samtidigt som hon höjer blicken från den pocketbok hon läser.

»Vad läser du?»

»*Vildanden*. Ibsen. En pjäs.»

»Är det inte avigt att läsa en pjäs? Ska man inte se dem?»

»Det funkar om man har fantasi, mamma.»

Tv:n är på: Jeopardy. Adam Alsing tjock och klämkäck i gul kostym.

Hur kan Tove läsa riktig litteratur med det där i bakgrunden?

»Har du varit ute, mamma?»

»Ja, i skogen till och med.»

»Varför då?»

»Vi letade efter en sak, jag och Zeke.»

Tove nickar, bekymrar sig inte över om de hittade det de sökte utan återgår istället till sin bok.

Han mördade Bengt Andersson. Försökte mörda Rebecka Stenlundh.

Vem är Karl Murvall? Var är han?

Fan ta Rakel Murvall.

Hennes söner.

Framför Tove på bordet ligger en samhällskunskapsbok uppslagen. Statsskick är rubriken, och uppslaget är illustrerat med bilder på Göran Persson och någon för Malin okänd imam. Människor kan slipas till vad som helst. Så är det.

»Tove. Morfar ringde idag. Ni är välkomna ändå båda två. Du och Markus till Teneriffa.»

Tove tar blicken från teven.

»Jag har ingen lust längre», säger hon. »Och så blir det svårt att förklara för morfar att han måste spela med i vår lögn om att de hade fått ett annat besök.»

»Ja, herregud», säger Malin. »Hur komplicerat kan något så enkelt bli?»

»Jag vill inte åka, mamma. Måste jag säga till Markus att morfar ändrat sig?»

»Nej.»

»Men tänk om vi ska åka någon annan gång då, och morfar börjar prata om att vi inte ville förra gången trots att vi var välkomna?»

Malin suckar.

»Varför inte säga precis som det är till Markus?»

»Men hur är det då?»

»Att morfar har ändrat sig men att du inte vill.»

»Det där med lögnen då? Spelar det ingen roll?»

»Jag vet inte, Tove. En så liten lögn kan väl inte vara så farlig.»

»Men då så. Då kan vi ju åka.»

»Jag trodde du inte ville åka.»

»Nej, men jag skulle kunna om jag ville. Det är bättre att morfar får bli besviken. Så kanske han lär sig.»

»Så det blir Åre?»

»Mmm.»

Tove vänder sig från Malin, sträcker sig efter fjärrkontrollen.

När Tove somnat sitter Malin ensam i soffan ett slag innan hon reser sig, går ut i hallen och drar på sig hölstret med pistolen och sedan jackan. Innan hon lämnar lägenheten rotar hon igenom översta lådan i hallbyrån. Hittar det hon söker och stoppar det i framfickan på jeansen.

74.

Fredag den sjuttonde februari

Linköping vid midnatt en natt mellan torsdag och fredag i kallaste februari. Ljusskyltarna på husen i centrum kämpar ikapp med gatlyktorna för att ge en aning skenbar värme åt gatorna där de törstiga och ensamma och nöjeslystna snabbt vandrar mellan olika restauranger och barer, bylsiga polarforskare i jakt på gemenskap.

Ingen kö någonstans.

För kallt för det.

Malins händer på ratten.

Staden på andra sidan bilens rutor.

De röda och orange bussarna går på tomgång på Trädgårdstorget, inne i dem tonåringar på väg hem, rödkindade, trötta men med förväntan i blick.

Hon vrider ratten och svänger ner på Drottninggatan mot Stångån, kör förbi Svensk Fastighetsförmedlings fönster.

Drömmen om ett hem.

Om utsikter att vakna till.

Drömmarna finns här i staden, hur kallt det än blir. Vad som än händer.

Vad drömmer jag om? tänker Malin.

Om Tove. Om Janne. Daniel.

Min kropp kan drömma om honom.

Men vad förväntar jag mig? Vilken längtan är det jag delar med tonårsflickorna i bussen?

Dörren till hyreshuset går upp, inte ens låst om natten.

Malin går försiktigt uppför trapporna, smyger, vill inte annonsera sin ankomst för någon.

Hon stannar utanför Karl Murvalls dörr.

Lyssnar.

Men natten är tyst, och innanför brevlådan är golvet alltjämt täckt av orörda tidningar.

Hon knackar på.

Väntar.

Sedan för hon in dyrken i nyckelhålet. Vickar och vrider och låset går upp med ett svagt klick.

Unken doft, instängt, men varmt, elementen säkert uppvridna för att hindra dem från att frysa. Ingenjörens noggrannhet, trotset mot vissheten som måste finnas någonstans inom Karl Murvall: Jag kommer aldrig att bo här igen, så vad spelar det för roll att elementen fryser.

Men han kan vara här. Det finns en liten möjlighet.

Malin står stilla.

Lyssnar.

Ska jag dra mitt vapen?

Nej.

Tända?

Jag måste tända.

Malin trycker på knappen vid badrumsdörren och hallen blir upplyst. Jackorna och rockarna hänger i en prydlig rad under hatthyllan.

Lyssnar.

Bara tystnad.

Hon går snabbt från rum till rum och sedan tillbaka till hallen.

All clear, tänker hon.

Hon ser sig om i hallen, drar ut lådorna i byrån. Vantar, en mössa, papper.

Ett lönebesked.

57.000 kr.

Datafantasin. Men vad betyder lite pengar?

Malin går ut i köket. Rotar igenom lådorna, ser på väggarna, tomma så när som på ett gökur.

Klockan visar nästan ett. Bli inte rädd om göken gal. Det gör den snart. Vardagsrummet. Byrålådor fulla med mer papper; bankbesked, sparad reklam, ingenting utöver det som kan anses normalt.

Så slår det Malin: lägenheten saknar garderober. I hallen, där de borde stått, fanns inga.

Malin går tillbaka ut i hallen.

Bara övermålade kanter där garderoberna stått.

... hon låste in honom i ...

Malin går in i sovrummet. Trycker på strömbrytaren men rummet förblir mörkt. Det finns en lampa på ett skrivbord vid fönstret. Rummet vetter mot bakgården, och ljus från en trädgårdslampa kastar ett svagt grått sken över väggarna.

Hon tänder lampan.

En svag kon på bordskivan där någon ristat med en kniv.

Hon vänder sig om.

Ljudet av en bil som stannar utanför huset. En bildörr som stängs. Hon känner med handen mot sitt hölster. Pistolen, den hon brukar hata att bära, nu älskar hon den. Ytterdörren slår igen nere i trapphuset. Malin smyger ut i hallen samtidigt som hon hör stegen i trappan.

Så en nyckel i en dörr på våningen under.

En dörr som försiktigt stängs igen.

Malin andas ut.

Går tillbaka till sovrummet och då ser hon den, garderoben. Den står vid fotändan av sängen. Hon tänder den väggmonterade sänglampan för att få mer ljus, och märker hur den är monterad så att ljuset ska falla rakt mot garderoben.

Ett hänglås på handtaget.

Något inlåst.

Ett djur?

Malin kör med säker hand in dyrken i låset. Det är en motsträvig anordning och efter tre minuter känner hon svetten tränga fram.

Men till slut ger låset ifrån sig ett klick och det är öppet. Hon drar försiktigt dörren emot sig och tittar in.

Jag ser dig, Malin. Är det sanningen du ser? Blir du trygg eller rädd av det du har för dina ögon? Kommer du att sova bättre om natten?

Se på honom, se på mig, på Rebecka, eller Lotta, som hon alltid kommer att vara för mig. Vi är ensamma.

Kan din sanning bota vår ensamhet, Malin?

Malin ser garderobens insidor, hur de är tapetserade med en tapet vars mönster föreställer ett stiliserat träd fyllt med gröna äpplen. På botten, bredvid ett paket med mariekex, ligger olika böcker om asatro och psykoanalys, en bibel och ett exemplar av koranen. En svart anteckningsbok.

Malin bläddrar i boken.

Dagboksanteckningar.

En prydlig handstil, bokstäver så små att de knappt går att läsa.

Om arbetet på Collins.

Besöken hos Viveka Crafoord.

Längre fram i boken är det som om något kapsejsar hos skribenten, som om en annan hand håller pennan. Skriften blir darrig, inga datumanteckningar förekommer längre, stilen blir fragmentarisk.

...i februari är det midvinter...

...jag vet nu, jag vet vilka som måste offras...

Och så på flera ställen: *Släpp in mig.*

I slutet av boken finns en detaljerad karta. Blåsvädret, ett fält där ett träd är utritat, nära den plats där Bollbengan hittades, och så en plats i skogen, nära där den Murvallska jaktstugan måste ligga.

Han satt här och pratade med oss.

Med den här boken bakom sig, med allt inom sig.

Hela världen när den är som allra värst satt här framför oss och lyckades hålla masken, lyckades bli kvar i verkligheten som vi känner den.

Malin hör alla hans röster vråla. Ut ur garderoben, ut i rummet, vidare in i henne själv. En kyla drar genom hennes inre, en kyla långt värre än de minusgrader som någonsin kan finnas utanför fönstret.

Brytpunkter.

Innanför och utanför.

Fantasivärlden.

Den verkliga världen.

De möts. Och in i det längsta vet hans medvetande kraven. Spelar spelet. Jag ska undkomma: Den sista resten för förståndet att hålla sig fast vid innan medvetandet och instinkten blir ett.

En annan karta.

Ett annat träd.

Det var där Rebecka skulle hängt, eller hur?

Misströsta inte, Malin. Än är det inte slut.

Jag ser Rebecka i sin säng. Hon sover. Operationen där de trans-planterade hud till hennes kinder och mage har gått bra, hon blir kanske inte vacker som förr, men det var länge sedan hon övergav få-fängan. Hon har inte ont. Hennes son sover i en säng bredvid hennes och nytt blod pumpar genom hennes ådror.

Värre då med Karl.

Jag vet. Jag borde vara arg på honom, för det han gjorde med mig. Men han ligger där i sin kalla jordhåla, invirad i filtarna framför en kamin där elden falnar och jag kan inte se annat än att han är den en-sammaste människan på planeten. Inte ens sig själv har han, och det hade ju till och med alltid jag, även när jag var som mest förtvivlad och högg örat av pappa.

Så inte kan jag vara arg på sådan ensamhet, för det är att vara arg på människorna, och det är, om inte omöjligt, så i alla fall tröstlöst. I grunden är vi ändå goda, välmenande, eller hur?

Vinden blir kall igen.

Malin.

Du måste fortsätta.

Jag får ingen ro förrän den vinden mojnat.

Malin lägger tillbaka boken.

Bannar sig själv för att ha satt fingeravtryck på den, men det spe-lar ingen roll längre.

Vem ska jag ringa?

Zeke?

Sven Sjöman?

Malin tar fram sin mobil, slår ett nummer. Det tar fyra signaler in-nan någon svarar.

Karin Johannisons sömndruckna röst.

»Ja, Karin.»

»Malin här. Ursäkta att jag stör.»

»Ingen fara, Malin. Jag sover ändå alltid lätt.»

»Kan du komma till en lägenhet på Tanneforsvägen 34? Högst

upp.»
»Nu?»
»Ja.»
»Jag är där om en kvart.»

Malin undersöker Karl Murvalls kläder.
Hittar flera hårstrån.
Hon lägger dem i en fryspåse hon hittar i köket.
Hon hör ännu en bil stanna utanför porten. En dörr slå igen.
Hon viskar ner i trapphuset: »Karin, här uppe.»
»Jag kommer.»
Malin visar runt Karin i lägenheten.
Tillbaka i hallen säger Karin: »Vi får göra en undersökning av garderoben och resten av lägenheten.»
»Det var inte därför jag ville ha hit dig först. Det var för de här. Jag vill ha igång ett DNA-test av de här.»
Malin håller upp påsen med hårstråna.
»Omgående. Och kör det mot profilen för den som våldtog Maria Murvall.»
»Är det Karl Murvalls?»
»Ja.»
»Om jag åker till labbet nu, är det klart i morgon bitti.»
»Tack Karin. Så fort?»
»Med perfekta hårstrån är det en baggis. Vi är inte helt borta vet du. Varför är det så viktigt?»
»Jag vet inte, Karin. Men på något sätt är det viktigt.»
»Allt det här då?»
Karin gör en gest in mot lägenheten.
»Du har väl kollegor», säger Malin. »Även om de inte är lika vassa som du?»
När Karin svänger ut från trottoaren ringer Malin Sven Sjöman. För det vidare. Sätter i rörelse de saker som måste sättas i rörelse.

75.

Lägenhetens sovrum är upplyst av teknikernas strålkastare.

Sven Sjöman och Zeke ser trötta på när de går igenom garderoben. Innan, i telefon, hade Sjöman frågat henne varför hon åkt till lägenheten och hur hon kommit in. »En känsla. Dörren var dessutom öppen», hade hon svarat, och Sven hade låtit det hela bero.

Zeke tar på sig ett par plasthandskar, sträcker sig på nytt efter anteckningsboken, bläddrar och läser, lägger ner boken igen.

Malin visade Sven och Zeke boken med texterna och kartorna så fort de kom, la ihop och fogade samman, berättade vilka åtgärder hon vidtagit, att Karin redan varit där, gav dem en samlad bild av det som måste ha hänt, av de skeenden som lett fram till denna punkt. Hon märkte att de blev ännu tröttare av hennes berättelse, att deras nyvakenhet ställde sig i vägen för hennes ord och att de inte riktigt kunde ta till sig det hon sa, även om Sven nickade instämmande som för att bekräfta att det måste vara sanningen.

»Ja, jävlar», säger Zeke och vänder sig mot Malin. Hon sitter på stolen vid skrivbordet, längtar efter en kopp kaffe.

»Var tror du han är nu?»

»Jag tror han är i skogen. Någonstans där ute vid jaktstugan.»

»Vi hittade honom inte.»

»Han kan vara var som helst.»

»Han är skadad. Det vet vi. Rebecka Stenlundh sa att hon slog honom.»

Ett skadskjutet djur.

»Rikslarm har gått ut», säger Sven. »Det finns också möjligheten att han tagit livet av sig.»

»Ska vi skicka hundpatruller till skogen?» frågar Malin.

»Vi avvaktar tills i morgon bitti. Det är för mörkt nu. Och hundarna känner inga dofter i kylan, så jag vet inte om det är så stor idé. Hundförarna har koll på det där», säger Sven. »Alla bilar letar efter honom. Och det enda som tyder på att han är i skogen är prickarna på de där kartorna i anteckningsboken.»

»Det är mycket», säger Malin.

»Han var inte i jaktstugan igår under sen eftermiddag. Är han skadad så har han tagit sig till en plats direkt och ligger och trycker där. Alltså är det högst osannolikt att han är i jaktstugan nu.»

»Men han kan vara i närheten.»

»Det får vänta, Fors.»

»Malin», säger Zeke. »Jag håller med Sven. Klockan är fem på morgonen, och han var inte i stugan så sent som tidigt i går kväll.»

»Fors», säger Sven. »Nu går du hem och sover. Det bästa för alla är om du får lite vila inför morgondagen, så ser vi förutsättningslöst på var han kan vara då.»

»Nej, jag ...»

»Malin», säger Sven. »Du har redan gått över gränsen, nu behöver du vila.»

»Vi måste hitta honom. Jag tror ...»

Malin låter meningen dö ut, de skulle inte förstå hur hon tänker. Istället reser hon sig och lämnar rummet.

På väg nerför trappan stöter Malin ihop med Daniel Högfeldt.

»Är Karl Murvall misstänkt för mordet på Bengt Andersson och överfallet på Rebecka Stenlundh?» Som om ingenting hänt.

Malin svarar inte.

Tränger sig nerför trappan.

Hon är trött och pressad, tänker Daniel, samtidigt som han går de sista trappstegen upp mot lägenheten där två uniformerade poliser håller vakt utanför ytterdörren.

Kan bli svårt att komma in.

Men skam den som ger sig.

Malin verkade inte bry sig om att jag tackade nej till Expressen.

Men hade jag väntat mig det? Vi är väl inte mer än ett bra ligg för varandra? Något för kroppen, snarare än själen.

Men du var vacker nu, Malin, när du tryckte dig förbi mig.

Så in i helvete vacker och trött och sliten.

Sista trappsteget.

Daniel ler mot de uniformerade poliserna.

»Inte en chans i världen, Högfeldt», säger den längsta av dem och ler.

Ibland när Malin tror att sömnen ska dröja kommer den till henne på bara någon minut.

Sängen är varm under henne i drömmen.

Bädden är det mjuka golvet i ett vitt rum med transparenta väggar som vajar i en ljummen vind.

Utanför väggarna ser hon dem alla som nakna skuggor: mamma, pappa, Tove, Janne. Zeke finns där, och Sven Sjöman och Johan Jakobsson, Karim Akbar och Karin Johannison och Börje Svärd och hans fru Anna. Bröderna Murvall, Rebecka och Maria och en tjock figur som lufsar med en fotboll mellan händerna. Markus dyker upp, och Biggan och Hasse och vakten i kuren på Collins och Gottfrid Karlsson, Weine Andersson och sjuksyster Hermansson och Ljungsbros bullies, Margaretha Svensson, Göran Kalmvik och Niklas Nyrén och många, många fler, alla finns de i drömmen, som bränsle för hennes minnen, som navigationspunkter för hennes medvetande. Människorna i de senaste veckornas skeenden är bojar förankrade i en upplyst rymd som kan vara vad som helst. Och mitt i den rymden strålar Rakel Murvall, ett svart sken pulserar från hennes skugga.

Klockan ringer på nattduksbordet vid hennes sida.

En hård och hög digital signal.

Klockan är 07.35.

Efter en och en halv timme är drömmarnas tid förbi.

Correspondenten på golvet i hallen.

De ligger efter, för en gångs skull, men säkert bara på grund av fördröjningen med tryckprocessen.

De har allt om Rebecka Stenlundh, att hon är syster till den mördade Bengt Andersson, men inget om Karl Murvall, att de gjorde ett tillslag där i natt.

Tidningen måste redan ha gått i tryck då. Men de har det säkert på nätet. Orkar inte titta nu, och vad ska det stå där som jag inte redan vet?

Daniel Högfeldt har skrivit några av artiklarna i tidningen.

Som vanligt.

Var jag för tvär mot honom i natt? Jag kanske måste ge honom en ärlig chans att visa vem han är.

Duschens vatten är varmt mot kroppen, och Malin känner vakenheten komma. Hon klär sig, dricker ståendes vid diskbänken i köket en kopp Nescafé, gjort på ljummet vatten värmt i mikron.

Måtte vi hitta Karl Murvall idag, tänker Malin. Död eller levande.

Kan han ha tagit sitt liv?

Allt är möjligt vad det gäller honom nu.

Kan han begå ett nytt mord?

Våldtog han Maria Murvall? Karin skulle ha provet klart snabbt, under dagen.

Malin suckar och ser ut genom fönstret mot S:t Larskyrkan och träden. Grenarna har inte givit vika för kylan, de spretar ännu trotsigt åt alla håll. Precis som människorna på våra breddgrader, tänker Malin, när hon blir varse affischerna i resebyråns fönster. Det är inte beboeligt här, men ändå är det här vi skapat oss ett hem.

I sovrummet spänner Malin på sig hölstret med pistolen.

Hon öppnar dörren till Toves rum.

Vackrast i världen.

Låter henne sova.

Karim Akbar håller sin son hårt i handen, känner åttaåringsfingrarna innanför vanten.

De går längs den sandade gången i riktning mot skolan. Hyreshusen i Lambohov, tre och fyra våningar höga, ser ut som månstationer, slumpvis utplacerade på en öde slätt.

I vanliga fall går hans fru med sonen till skolan, men idag klagade hon på huvudvärk, kunde omöjligt ta sig upp.

Fallet är löst. De ska bara ta honom. Sedan är väl det här ändå slut?

Malin har levererat. Zeke, Johan och Börje. Sven: klippan. Vad skulle jag göra utan dem? Min roll är att driva på, hålla dem glada, hur futtigt är inte det jämfört med vad de gör? Hur de tar sig an människorna?

Malin. På många sätt är hon den idealiska utredaren. Instinktiv, drivande och inte så lite manisk. Intelligent? Visst. Men på ett bra sätt. Hon hittar genvägar, vågar chansa. Men inte dumdristigt. I varje fall inte ofta.

»Vad ska ni göra i skolan idag?«

»Jag vet inte. Det vanliga.«

Sedan går de under tystnad tillsammans, Karim och hans son. Framme vid den låga, vitteglade skolbyggnaden håller Karim upp dörren för honom, och sonen försvinner in i huset, verkar liksom uppslukas av den svagt upplysta korridoren.

Correspondenten ligger borta i brevlådan vid vägen.

Rakel Murvall öppnar sin ytterdörr och kliver ut på farstubron, konstaterar att kylan är fuktig idag, den sort som får leder att värka. Men hon har varit förskonad från den sortens fysiska plågor, tänker: När jag dör kommer det att ske knall och fall, jag tänker inte ligga på någon sjuksal och yla och inte kunna hålla min egen skit ens.

Hon går försiktigt genom snön, är rädd om sina lårbenshalsar.

Postlådan känns långt borta, men den närmar sig för varje steg.

Pojkarna sover än så länge, snart är de vakna, men hon vill läsa bladet nu, inte vänta på att de bär in tidningen åt henne, eller läsa det senaste på skärmen i vardagsrummet.

Hon lyfter på locket, och där ligger den ovanpå några döda tvestjärtar som syns bara till hälften.

Tillbaka inne häller hon upp en kopp av det nykokta kaffet och sätter sig vid köksbordet och läser.

Hon läser artiklarna om mordet på Bengt Andersson och överfallet om och om igen.

Rebecka?

Jag förstår vad som hänt.

Dummare är jag inte.

Hemligheterna. Skuggorna ur det förflutna. Mina lögner, nu sipprar de fram ur sina gistna hålor.

Hans far var sjöman.

Som jag alltid sagt till pojkarna.

Har allt varit en lögn, mor?

Frågor som blir till andra frågor.

Var Kalle i Kröken hans far? Har du ljugit för oss i alla år? Vad är det mer vi inte vet? Varför fick du och pappa oss att plåga honom? Att hata honom? Vår egen bror?

Kanske till ännu fler.

Hur ramlade pappa utför trappan? Knuffade du honom, har du ljugit även om vad som hände den dagen?

Sanningar ska kvävas. Inga tvivel ska sås. Det är inte för sent. Jag ser möjligheten.

Hon, Rebecka, irrade på fältet, naken som Maria.

»Bravo, Malin.»

Karim Akbar applåderar henne när hon kommer in på stationen.

Malin ler.

Tänker: Bravo? Bravo vadå? Det här är inte över än.

Hon sätter sig vid sitt skrivbord.

Läser Correspondentens sajt.

De har en kort artikel om tillslaget hos Karl Murvall och att det gått ut rikslarm. De drar inga slutsatser men nämner kopplingarna till den pågående mordutredningen och hans mors anmälningar av polisen för trakasserier.

»Fantastiskt arbete, Malin.»

Karim ställer sig bredvid henne. Malin tittar upp.

»Inte helt enligt regelboken. Men mellan dig och mig: Nu är det resultatet som räknas, och ska man komma någon vart får man ta till egna regler ibland.»

»Vi måste hitta honom», säger Malin.

»Vad vill du göra?»

»Jag vill trakassera Rakel Murvall.»

Karim stirrar på Malin, som ser tillbaka in i polischefens ögon med allt det allvar hon förmår uppbåda.

»Åk», säger han. »Jag tar eventuella problem på mitt ansvar. Men ta med dig Zeke.»

Malin ser ut över kontorslandskapet. Sven Sjöman har ännu inte kommit in. Men Zeke hovrar oroligt borta vid sitt skrivbord.

76.

Det är tyst i bilen.

Zeke har inte nämnt att han vill ha musik på och Malin tycker om att höra det monotona ljudet från motorn.

Staden utanför bilens rutor är densamma som två veckor tidigare, lika glupsk som alltid: Skäggetorp fullt av stelnat liv, affärsladorna vid Tornby lika grova, den snötäckta Roxen lika kompakt och husen vid Vreta klosters sluttning lika inbjudande i sitt välmående.

Ingenting har förändrats, tänker Malin. Inte ens vädret. Men sedan kommer hon på att Tove nog har förändrats. Tove och Markus. En ny ton har hittat fram hos Tove, mindre emot och inåt, mer utåt och öppen, säker. Det klär dig, Tove, tänker Malin, du kommer säkert att bli en hur angenäm vuxen som helst.

Och själv kanske jag ska ge Daniel Högfeldt en chans annat än som tjur.

Det lyser i husen i Blåsvädret. Brödernas olika familjer är hemma i sina respektive hus. Rakel Murvalls vita träkåk tornar upp sig i slutet av Blåsvädersvägen, ensam där gatan tar slut.

Snöröken driver av och an utmed fasaden och bakom vinterns bleka slöjor finns hemligheter ännu bevarade, tänker Malin. Du skulle göra vad som helst för att bevara dina hemligheter, Rakel, eller hur?

Barnpension.

Ett barn som du behöll bara för pengarna. En futtig slant. Men kanske ändå inte så liten för dig. Nog att leva på, i varje fall nästan.

Och varför hatade du honom så? Vad gjorde Kalle i Kröken med dig? Gjorde han något med dig i skogen, precis som någon gjorde med Maria? Med Rebecka? Tog Kalle i Kröken dig med våld? Var det så du blev med barn? Och så hatade du ungen när han kom. Och kanske ville du adoptera bort honom? Men så fick du din briljanta idé och hittade på historien med sjömannen och fick barnpension. Så måste det ha varit. Att han tog dig med våld. Och att ungen som blev följden fick betala.

Varför skulle du annars hatat din son så? Mönstret går igen genom den moderna historien. Malin har läst om hur tyskorna som våldtogs i krigets slutskede av ryska soldater försköt sina barn. Samma sak i Bosnien. Och uppenbarligen i Sverige.

Eller kanske älskade du Kalle i Kröken och han bara behandlade dig som en annan av alla sina kvinnor? Som ingenting. Och det räckte för att du skulle hata din son?

Men jag gissar på det förstnämnda.

Eller var dig ondskan given, Rakel?

Från början.

Finns sådan ondska?

Och pengarna. Begäret efter dem som en svart sol över hela livet på den här övergivna, blåsiga gatan.

Pojken borde fått komma till en annan familj, Rakel.

Då hade ilskan och hatet kanske fått ett slut, då hade kanske dina andra pojkar varit annorlunda. Kanske du också.

»Vilken jävla plats», säger Zeke när de går uppför garageinfarten till huset. »Kan du se honom stå här bredvid äppelträden i snön som pojke? Frysa?»

Malin nickar.

»Om det finns ett helvete», säger hon sedan.

Halvminuten senare knackar de på dörren till Rakel Murvalls hus. De kan se henne i köket, hur hon försvinner in i vardagsrummet.

»Hon tänker inte öppna», säger Malin.

Zeke knackar igen.

»Ett ögonblick», hörs det inifrån huset.

Dörren öppnas och Rakel Murvall ler mot dem.

»Jaså, inspektörerna. Vad förskaffar mig den äran?»

»Ja, vi har en del frågor om det går för sig …»

Rakel Murvall avbryter Zeke.

»Stig på, inspektörerna. Om ni tänker på min anmälan, så glöm den. Förlåt en gammal gummas ilska. Kaffe?»

»Nej tack», säger Malin.

Zeke skakar på huvudet.

»Men slå er ner.»

Rakel Murvall gör en gest mot köksbordet.

De sätter sig.

»Var är Karl?» frågar Malin.

Rakel Murvall ignorerar hennes fråga.

»Han är inte i sin lägenhet eller på Collins. Och han har fått avsked från sitt arbete», säger Zeke.

»Är han inblandad i något tokigt, sonen?»

Sonen, hon har aldrig använt det ordet om Karl tidigare, tänker Malin.

»Du har läst tidningen», säger Malin och lägger handen på Correspondenten framför dem på bordet.

»Du kan lägga ihop två och två.»

Gumman ler, men svarar inte.

»Jag har ingen aning om var pojken kan vara», säger hon sedan.

Malin ser ut genom köksfönstret. Ser en liten pojke stå naken i snön och kylan och skrika med rödgråtna kinder, ser honom falla ner i snön, veva med armarna och benen, en frusen ängel på den snöklädda jorden.

Malin biter ihop.

Vill säga till Rakel Murvall att hon förtjänar att brinna i underjorden, tänker att vissa saker kan inte förlåtas.

I samhällets officiella mening är hennes brott sedan länge preskriberade, men i den mänskliga gemenskapens? Där förlåts trots allt vissa gärningar aldrig.

Våldtäkter.

Pedofili.

Barnaplågeri.

Kärlekslöshet mot de små.

Straffet för sådant är livstids skam.

Och barnakärleken. Den är den förstnämnda kärleken.

»Vad hände egentligen mellan dig och Kalle i Kröken, Rakel?»

Rakel vänder sig mot henne, stirrar på Malin och pupillerna i den gamla kvinnans ögon blir stora och svarta som om de försöker överföra tusen års kvinnliga erfarenheter och plåga. Sedan blinkar Rakel, låter ögonlocken vara slutna några sekunder innan hon säger:

»Det var så länge sedan. Det kommer jag inte ens ihåg. Jag har haft så mycket att oroa mig för genom åren med pojkarna.»

En öppning, tänker Malin, för nästa fråga.

»Har det aldrig oroat dig», frågar hon, »att dina pojkar kanske får reda på att Kalle i Kröken var far till Karl?»

Rakel Murvall häller kaffe i sin egen kopp.

»Den vetskapen har pojkarna.»

»Har de? Har de verkligen det, Rakel? Att beslås med lögner kan skada alla förhållanden», fortsätter Malin. »Och vilken makt har den som måste ljuga?»

»Jag förstår inte vad du pratar om», säger Rakel Murvall. »Du pratar en massa strunt.»

»Gör jag det egentligen, Rakel?» säger Malin. »Gör jag det?»

Rakel Murvall stänger ytterdörren efter dem.

Sätter sig på den rödmålade pinnstolen i hallen, ser på fotot på väggen, hon själv omgiven av pojkarna i trädgården när de var små, Svarten med på bilden, före rullstolen.

Knullunge. Du måste faktiskt ha tagit bilden.

Om du försvinner, försvinner på riktigt, tänker hon, kan mina hemligheter få vara mina egna.

Om han försvinner blir bara ena och andra ryktet kvar och såna låser jag in i en mörk garderob. Han måste bort nu, så enkelt är det. Utplånas. Och så är jag trött på att han finns.

Hon lyfter luren.

Ringer till Adam.

Det är den lille grabben som svarar, hans pojkröst ljus och oskyldig.

»Hallå.»

»Hej Tobias. Det är farmor. Är din pappa där?»

»Hej farmor.»

Sedan blir det tyst i luren, innan en äldre, grövre röst säger:

»Mor?»

»Du måste komma hit, Adam. Och ta dina bröder med dig. Jag har något mycket angeläget att berätta.»

»Jag kommer, mor. Jag säger till de andra.»

Jag brukade cykla hit upp.

Skogen var min.

Ni jagade runt omkring mig ibland, jag kunde höra era skott alla tider på året och jag önskade att ni skulle komma till mig redan då.

Mor.

Varför var du så arg?

Vad hade jag gjort? Vad har jag gjort?

Bilder och värme. Jag är en ängel under ett äppelträd av kaksmulor. Elden värmer igen. Inga ljud förutom sprakandet. Det är skönt här i hålan, men ensamt. Men jag är inte rädd för ensamheten. För man kan inte vara rädd för det man är, eller hur?

Jag kan sova lite till här i mitt mörker, visst kan jag? Sedan kommer ni och hämtar mig, släpper in mig. Och då blir jag en annan, eller hur? När ni släpper in mig.

»Vad gör vi nu?»

Zeke kör bilen mot Vreta kloster, kyrkan som ett uråldrigt fort uppe på en kulle kanske en kilometer bort, Heda Ridklubbs stallbyggnad på ena sidan vägen, öppet fält på den andra.

Malin ville ringa på hos bröderna, fråga dem om de visste om vem som var far till deras bror Karl, men Zeke manade henne till eftertanke.

»Om de inte vet, så har gumman rätt till sina hemligheter, Malin. Vi kan inte klampa in så i hennes historia och röra till.»

Och hon visste att Zeke hade rätt, oavsett vilka konsekvenser det skulle kunna få att de avstod. Om de slutade ta hänsyn till människor, vilka de än var, hur skulle de då kunna utkräva hänsyn av allmänheten, av någon?

Hon svarar på Zekes fråga:

»Vi inväntar Sjömans sökpatruller. De håller som bäst på att göra sig i ordning för att söka igenom skogen, men det är för kallt för hundarna. Skulle visst ta med ett par ändå.»

»Ska vi inte åka dit innan?»

»Nej, Malin. Vi hittade inget igår, så hur ska vi kunna hitta något idag?»

»Jag vet inte», svarar Malin. »Vi kan ta en sväng förbi mordplatsen och platsen för det andra trädet. Där det borde vara ungefär.»

»En bil har letat sedan igår natt. Vi skulle ha hört om de hittat något.»

»Har du något bättre förslag?»

»Inte alls», svarar Zeke och gör en u-sväng och de åker tillbaka samma väg de kom ifrån, förbi husen i Blåsvädret och där ser de bröderna gå tillsammans i riktning mot sin mors hus.

»Hur lång tid tror du det tar för Karin att bli klar med provet från Karl Murvall?» frågar Malin. »Jag vill veta om det var han som våldtog Maria Murvall.»

»Tror du det?»

»Nej, men jag vill veta. Jag tror hon lurar oss igen. Jag vet bara inte hur. Jag vet bara att hon aldrig skulle ha släppt in oss om hon inte hade något att vinna på det själv. Hon styr fortfarande det här. Och hon griper vilket halmstrå som helst för att skydda det som hon tycker är hennes.»

Malin andas in och ut.

»Och för att bevara sina hemligheter.»

Adam, Elias och Jakob Murvall sitter runt bordet i moderns kök. Läppjar på var sin kopp nybryggt kaffe, smakar på de drömkakor deras mamma just värmt i ugnen efter att hon tagit fram dem ur kylskåpets frysdel.

»Smakar kakorna, pojkar?»

Rakel Murvall står vid spisen, med Correspondenten i handen.

Instämmanden från bordet, och de lyssnar på vad deras mamma säger sedan, det som hon inte ville berätta förrän de satt sig och fått sig lite kaffe.

»Martinsson och Fors», säger hon. »De var här alldeles nyss och frågade efter Karl. Om det inte är han som torterat och våldfört sig på kvinnan i tidningen, hon som de hittade längs vägen, varför skulle de då komma hit ut? Med trakasserianmälan som jag gjort och allt. Varför skulle de riskera det?»

Hon håller upp Correspondenten mot pojkarna.

Låter dem läsa rubriken, se bilden på vägen.

»Polisen söker Karl. Och det står i tidningen att de hittat henne med precis samma skador som Maria. Och tittar ni borta på datan ser ni att de gjorde husrannsakan där i natt polisen, i hans lägenhet.»

»Så det var han som tog Maria i skogen?»

Adam Murvall spottar ut orden.

»Kan det ha varit någon annan?» säger Rakel Murvall. »Han är försvunnen nu. Det måste varit han, det är ju gjort likadant. Precis likadant.»

»Sin egen syster?»

»Den jäveln.»

»Missfoster. Han är ett missfoster. Precis som han alltid varit.»

»Men varför skulle han göra det?»

Tvekan i Elias Murvalls röst.

»Och varför tycker vi så illa om honom? Har ni någonsin tänkt på det?»

Rakel gör en paus, sedan fortsätter hon med lägre stämma:

»Han var ett missfoster från första stund, glöm aldrig det. Och han hatade henne. För att hon var en av oss, och det var ju inte han. För att han är galen. Ni vet ju själva hur han drog sig undan i skogen? Och hålan hans är ju bara milen från där de hittade Maria, så det måste vara han. Det stämmer ihop.»

»En mil är mycket i skogen, mor», säger Elias. »Vi har väl kanske tänkt tanken förr, men ändå mor.»

»Det går ihop, Elias. Han våldtog er egen syster i skogen som om hon vore ingenting. Han förstörde henne.»

»Mor har rätt, Elias», säger Adam lugnt och tar en klunk av sitt kaffe.

»Det stämmer», säger Jakob. »Det går ihop.»

»Nu gör ni det som förväntas av er pojkar. För er syster. Eller hur Elias? Pojkar.»

»Men om polisen har fel?»

»Bylingen har ofta fel, Elias. Men inte i detta, inte i detta. Sluta tvivla, vad är det med dig, är du på hans sida kanske?»

Rakel Murvall hytter med tidningen i luften.

»Är du på hans sida? Kan det vara någon annan? Det går ihop helt och hållet. Ni måste ge er syster ro. Kanske kan hon komma tillbaka bara hon får veta att den som gjorde henne ont är borta.»

»De kommer att ta oss mor, de kommer att ta oss», säger Elias. »Och det finns gränser för vad man kan göra.»

»Inte, pojk», säger Rakel Murvall. »I hönsgården är de klyftigare än hos polisen. Ni vet ju var han är. Och gör så här pojkar, så ska ni få se. Lyssna nu ...»

Eken på slätten där Bengt Andersson hängde skulle ha sett ut som vilket ensamt träd som helst, vore det inte för den brutna grenen.

Men eken kommer för alltid att vara förknippad med det som hände denna kallaste av februarimånader. Till våren kommer bonden att hugga ner trädet, vill inte se fler blommor på marken, inte se fler nyfikna ortsbor, eller mediterande fruntimmer. Han kommer att gräva upp alla de rötter han kan finna, inte sluta förrän han säkert vet med sig att ingen rest av eken finns kvar i marken. Men långt ner under jorden kommer det att finnas en rest av en rot, och den roten kommer att växa och ett nytt träd kommer att skjuta upp på slätten, ett träd som kommer att viska Bollbengans och Kalle i Krökens och Rakel Murvalls namn över de östgötska vidderna.

Malin och Zeke sitter i bilen, stirrar på trädet.

Motorn går på tomgång.

»Inte här», säger Zeke.

»En gång var han här», svarar Malin.

Range Roverns innandöme luktar av olja och motorfett och det slamrar i karossen när bilen i hög fart letar sig genom Ljungsbro, förbi Vivo-hallen, konditoriet och Cloettas kakaosilo nere i backen strax bredvid bron över strömmen.

Elias Murvall sitter ensam i baksätet, vrider händerna om varandra, hör sin röst säga orden, trots att han inte vill yppa dem:

»Tänk om hon har fel? Att han inte gjort det? Då kommer vi att ångra oss för alltid. Vad har vi för jävla rätt ...»

Adam Murvall vänder sig om från sin plats på passagerarsätet där framme.

»Han har gjort det, den jäveln. Våldtagit Maria. Det går ihop. Nu ska vi göra det här. Vad är det du själv alltid brukar säga, Elias? Man får aldrig visa sig vek? Så är det du brukar säga, va? Man får aldrig visa sig vek. Men gör inte det nu då. Passa dig.»

Och bilen kränger till, sladdar ner mot diket strax före kurvan vid Olstorp.

»Du har rätt», skriker Elias. »Jag är inte vek.»

»Helvete», skriker Jakob Murvall. »Nu gör vi det här och snackar inte mer. Begrips?»

Elias lutar sig tillbaka, drar in tryggheten som finns i Jakobs röst, trots hans ilska.

Elias andas tungt och känner att det finns bestämdhet i bilens rörelse, som om den varit på väg mot ett och samma mål långt innan den ens var under konstruktion.

Elias vänder sig om.

Ser ner i bilens bagageutrymme.

Där ligger en fläckad trälåda, i lådan tre granater från ett inbrott i ett vapenlager, nyss framplockade ur en gömma i en verkstads golv; en gömma som polisen inte hittade vid tillslaget någon vecka tidigare.

»En jävla tur att snuten inte hittade granaterna», som Jakob sa när mor berättade om sin plan för dem hemma i huset.

»Det har du rätt i, Jakob», sa mor. »En jävla tur.»

Malin och Zeke irrar över slätten i jakt på ännu ett ensamt träd.

Men träden de hittar är fria från spår av strid, bara ensamma vindpinade, köldskadade träd.

Zeke vid ratten när de kör mot Klockrikehållet, längs en knappt plogad väg som löper bredvid ett till synes oändligt vitt fält, när Malins telefon ringer.

Karin Johannisons nummer på displayen.

»Malin här.»

»Negativt, Fors», säger Karin. »Karl Murvall våldtog inte Maria Murvall.»

»Inga likheter alls?»

»Han gjorde det inte, så mycket är säkert.»

»Tack, Karin.»

»Var det viktigt, Malin? Trodde du det var han?»

»Jag vet inte vad jag trodde. Men nu vet jag. Tack igen.» Sedan lägger Malin på.

»Han våldtog inte Maria Murvall», säger hon till Zeke, som tar emot informationen utan att ta blicken från vägen.

»Då är det fallet ännu olöst», säger Zeke och hans röst är hes, och i hesheten finns en bekräftande ton.

Bröderna som kom gående mot Rakels hus strax efter det att hon och Zeke gått.

Bröder som inte vet att Karl inte våldtog Maria.

Som lyssnar på sin mor. Lyder henne.

En mor som har hemligheter att bevara.

Och bara ett sätt att bevara dem på.

Zeke stannar bilen vid ännu ett träd.

Rötter, tänker Malin. Blod som ska utplånas. Handlingar som ska vedergällas. Det är så vi gör.

Och då måste han utplånas. Rakel vet inte att vi säkrat DNA från Karl, att allt kommer att komma fram.

Eller så vet hon innerst inne, men tvingar bort vissheten, greppar ett sista imaginärt halmstrå.

Tvingar man in ondskan i ett hörn så hugger den ...

»Jag vet», skriker Malin just som Zeke öppnar dörren på förarsidan. »Varför hon släppte in oss förut. Kör mot jaktstugan så fort som du någonsin vågar.»

77.

Villorna i Vreta kloster kantar vägbanan.

Välmåendet kurar innanför fasaderna, nära men ändå så långt borta.

Efter den här färden vill hon inte åka den här vägen en gång till på tusen år.

De kör över bron nere vid Kungsbro och svänger av mot Olstorp förbi Björkö Montessoriskola där de blå och rosamålade husen byggda i antroposofisk kantig arkitektur verkar lika hunsade av kylan som alla andra hus.

Hoppas det uppfostras goda människor där inne.

Janne hade en gång en idé om att Tove skulle gå på Montessoriskola men Malin vägrade, hade hört att barn som gått i skola i dylika skyddade miljöer sällan klarade konkurrensen utanför de trygga skolväggarna.

Klippa dockor.

Göra egna böcker.

Lära sig att världen är full av kärlek.

Hur mycket kärlek finns det uppe i skogen? Hur mycket uppdämt hat?

Bilen sladdar av och an på den hala vägbanan när Zeke pressar gaspedalen neråt.

»Bara kör, Zeke. Det är bråttom. Jag lovar att han finns där ute någonstans.»

Zeke frågar ingenting, koncentrerar sig på bilen och vägen, när de åker förbi infarten till Olstorp och vidare upp mot Hultsjön.

De åker förbi golfbanan, där flaggorna ännu står kvar och Malin låtsas att flaggorna är brödernas gestalter som vaggar i vinden; moderns andedräkt med makt att skicka dem åt vilket håll hon behagar.

Jakob Murvall tar ett hårdare grepp om ratten, svänger av in på vägen som leder in till sommarstugorna vid Hultsjön, små vitluvade lådor i ett bomullstöcken.

Den gröna Range Rovern slirar i snön, iskristaller yr mot dikena som slipat splitter i en klusterbomb, men han lyckas hålla bilen på vägen.

Elias har inte sagt något mer.

Och Adam sitter tyst och beslutsam i passagerarsätet.

Vi ska bara göra det som måste göras, tänker Jakob. Så som vi alltid gör. Som vi alltid har gjort. Som jag gjorde när jag hittade pappa nedanför trappen. Jag fann mig, trots att jag ville skrika. Jag fällde ner hans ögonlock, så mor skulle slippa se de där skrämmande ögonen.

Vi gör det vi måste. För om vi låter någon våldta vår syster utan att göra något åt saken, vilka är vi då? Då finns det ingen hejd på skiten. Det är det vi gör nu, säger stopp och belägg.

Han gasar på, trycker pedalen neråt och fortsätter till dess vägen tar slut. Där stannar han bilen och vrider om nyckeln och motorn blir tyst.

»Ut med er», skriker han och bröderna hoppar ur och om det fanns tvekan i Elias kropp förut så är den borta nu.

De är båda klädda i gröna jackor och mörka blå byxor.

»Kom nu», ropar Jakob och Adam öppnar bilens baklucka och tar ut den fläckiga lådan, ställer den på marken medan han slår igen luckan.

»Klart», ropar han. Sedan tar han lådan försiktigt under armen och de börjar gå över snövallen och sedan vidare in i skogen.

Jakob går först.

Sedan Elias.

Och sist Adam med lådan.

Jakob ser träden omkring sig, skogen där han jagat så många gånger. Han ser mor vid bordet. Maria på sin säng den enda gången han orkat besöka henne i Vadstena.

Han tänker: Jävlar. Din djävul.

Bröderna bakom sig.

De svär varje gång deras stövlar skär genom den vita skaren, brister som den gör under deras skyndsamma, tunga steg.

Att tre granater kan väga så mycket, tänker Adam, men ändå så lite med tanke på vilken skada de kan göra.

Han tänker på Maria i rummet. Hur hon alltid skyggar undan när han kommer, hur hon drar sig mot sängens hörn och han får viska hennes namn om och om igen för att hon ska slappna av. Han vet inte ens om hon känner igen honom. Hon har aldrig sagt något, men han får komma in i varje fall, efter ett tag är hon inte rädd längre, går med på att han är i rummet.

Och sedan?

Sedan sitter de där mitt i allt hennes onda.

Jävlar.

Stöveln krasar igenom skaren, sjunker långt ner mot en rot och han får ta i för att få upp den igen.

Det var den jäveln som gjorde det.

Mot sin egen syster.

Det finns ingen annan möjlighet. Bort, bort, han bara måste bort. Inget att tvivla på. Tvivel är inget för oss.

Lådan under armen. Han håller den hårt. Vet aldrig vad som kan hända om han tappar den.

Han är andfådd. Ser sina bröder framför sig, känner kylan och han minns den där gången vid kanalbanken när de två tog hand om turkfan åt honom, när de visade att ingen jävel ska komma och sätta sig på oss, vi håller ihop, och det gäller dig också Maria, och det är därför vi måste göra det här.

Sparka, sparka, sparka.

Mycket mer än så.

Vi är vuxna. Och måste bete oss som sådana.

Elias bara tiotalet meter framför honom, Adam känner ändå hans kropp, vinden i håret. Han sitter ännu bakom honom på en Puch Dakota, kommer alltid att göra det.

Där står bilen.

Bröderna Murvalls Range Rover är körd ända in till snövallen och Zeke parkerar tätt bakom, noga med att blockera vägen.

De har ringt in, en helikopter ska vara på väg, Malin till Sven Sjöman: »Lita på mig, Sven.«

Men det tar tid att få upp helikoptern i kylan, så de får lita på sig själva, på sina ben. Patrullerna med hundar åkte precis från stationen.

De klättrar över snövallen, följer i bröderna Murvalls spår, tar sig in bland träden, springer, sätter i skorna så hårt att de går igenom, snubblar, springer igen. Deras hjärtan pumpar i deras bröst, lungorna värker av ansträngning och en överdos av den kalla vita luften och deras kroppar vill framåt, framåt men inte ens adrenalinet är oändligt och snart stapplar de mer än springer samtidigt som de lyssnar ut i skogen, efter bröderna, efter tecken på handling, på liv, men ännu hör ingen av dem någonting.

»Helvete«, flämtar Zeke. »Hur långt in tror du de är?«

»Långt in«, säger Malin. »Vi måste fortsätta.«

Och Malin börjar springa inåt skogen, men skaren håller inte för hennes hårda, tunga fotsteg och hon snubblar, reser sig och pulsar vidare.

Hennes synfält blir en smal tunnel.

»Det var inte han som våldtog er syster«, vill hon skrika genom skogen.

»Tro inte på er mor. Han våldtog henne inte, han har gjort mycket vederbärdigt men inte detta, låt allt det här sluta nu, än är det inte för sent, vad ni än tycker, vad hon än slagit i er så är han er egen bror. Hör ni det? Hör ni det? Han är er egen bror. Och han våldtog inte er syster, det vet vi med säkerhet.«

Tunneln sluts.

Jag måste hinna, tänker Malin.

Skriker: »Han våldtog inte eran syster«, men hon är så andfådd att hon knappt själv hör sin röst.

Aldrig visa sig svag, aldrig visa sig svag, aldrig...

Elias rabblar orden som ett mantra inom sig, tänker på alla gånger han visat styrka, på hur han slog läraren Boman på käften när han kallade honom för blåsvädersskit.

Ibland har han tänkt på varför det blev som det blev allting, varför de varit utanför, och det enda svar han kunnat ge har varit att så var det från början. Det fanns alla de med jobb, med riktiga liv, anständiga hus, och ingen gång, aldrig någonsin var det vi, och det lät världen oss veta.

Adam bakom honom.

Elias stannar, vänder sig om. Tänker att han kämpar på bra med tyngden, brorsan, och hans panna blänker rosa i vinterljuset och kylan, huden verka lyfta.

»Håll i lådan, Adam.»

»Jag har den», svarar han med andan i halsen.

Jakob går tyst framför honom.

Hans steg är beslutsamma, axlarna slokar neråt i jackan, de faller ner mot marken.

»Fy fan», svär Adam. »Snön är opålitlig.»

Han har trampat igenom ännu en gång.

»Nu ökar vi takten», säger han sedan. »Så vi blir klara med det här.»

Elias säger ingenting.

Det finns inget att prata om mer. Bara en sak att uträtta.

De går förbi jaktstugan.

Passerar den utan att stanna till, fortsätter bara över gårdsplanen in i skogen, än mörkare, än tätare på andra sidan och där är skaren tjockare, mer hållbar, men ändå ger den vika då och då.

»Han ligger där borta och trycker», säger Elias. »Jag är säker på det.»

»Jag känner röken från kaminen», säger Adam.

Adams fingrar på den hand som håller om lådan har börjat krampa, skakar okontrollerat mot träet. Han byter arm, sträcker på fingrarna för att få krampen att släppa.

»En jävla jordhåla. Han är inte bättre än ett djur», viskar Jakob. Sedan säger han högt:

»Nu är det Marias tur.»

Han ropar orden genom skogen, men ljudet dör ut mot trädstammarna, skogen en lönlös omgivning för röster att försöka ta plats i.

Fortsätt Malin, fortsätt. Än är det inte för sent. Helikoptern har läm-
nat fältet i Malmslätt, den vispar sig fram över slätten mot ert håll,
hundarna i patrullerna gläfser, skäller, deras bedövade sinnen letar i
förtvivlan.
Jag tycker som du, Malin, det räcker nu.
Men samtidigt.
Jag vill ha Karl här bredvid mig.
Jag vill sväva bredvid honom.
Ta honom med bort härifrån.

Hur kan man bli så trött?

Mjölksyran finns i hela Malin och trots att de ser brödernas spår
leda vidare in i skogen måste de båda två sätta sig att vila på jaktstu-
gans förstutrapp.

Vindens sus.

En viskning genom larmet från kroppen.

Huvudet verkar koka, kylan till trots. Andedräkten står som röken
från en falnande eld ur Zekes mun.

»Helvete, helvete», säger Zeke samtidigt som han hämtar andan.
»Nu skulle man ha Martins kondis.»

»Vi måste vidare», flämtar Malin.

De reser sig.

Jagar vidare in i skogen.

78.

Kommer ni nu?

Kommer ni för att släppa in mig?

Slå mig inte.

Är det ni? Eller de döda?

Vem som än är där ute, säg att ni kommer med vänlighet i sinnet. Säg att ni kommer med kärlek.

Lova mig det.

Lova mig så mycket.

Lova.

Jag hör er. Ni är inte här ännu, men snart kommer ni. Jag ligger på golvet, hör era ord där ute som dova rop.

»Nu släpper vi in honom», ropar ni. »Nu blir han en av oss. Nu får han komma in.»

Det känns skönt.

Jag har gjort så mycket. Det andra blodet finns inte längre. Det som flyter genom mina ådror kan vi väl bortse från?

Ni är närmare nu.

Ni kommer med hennes kärlek.

Bara att släppa in mig. Dörren till min håla är inte reglad.

Elias Murvall ser röken stiga ur den lilla pipen i utbuktningen i snön. Ser framför sig hur Karl trycker där nere i mörkret, rädd och meningslös.

Han måste ha gjort det.

Tvivel är en svaghet.

Vi ska bita honom, sparka honom, allt det.

Det måste vara som mor sa: att han var ett missfoster från början, att vi kände det alla tre, att han våldtagit Maria.

Karl hittade den där jordkällaren själv, när han var tio och hade cyklat upp till skogen och stugan i smyg, och sedan visade han dem den stolt, precis som om de skulle bli imponerade av någon jävla jordhåla. Svarten låste in honom i hålan, lät honom sitta där dagar i sträck med bara vatten när de var vid stugan. Årstiden spelade ingen roll. Först protesterade Karl, och de fick slita ner honom, farsgubben och brorsorna, men sedan var det som om han fann sig och blev hemmastadd i hålan, gjorde den till sin egen lilla dynggömma. Det var inte lika kul att låsa in honom när han trivdes och ett tag tänkte de gräva igen hålan, men ingen iddes med kroppsarbetet.

»Låt fanskapet ha graven ifred», gormade farsgubben från rullstolen och ingen protesterade. De visste att han använde hålan än, brukade se hans skidspår ibland som ledde till stugan. Ibland fanns det inga skidspår så de antog att han åkte från annat håll.

Elias och Jakob drar sig närmare.

Den jäveln. Han ska försvinna.

Den grönmålade lådan i Adams hand är tung och han följer med bestämda steg dem i spåren genom det vita och svarta landskapet.

»Hör du, Zeke?»
»Vad då?»
»Är det inte röster längre fram?»
»Jag hör inga röster.»
»Men det är någon som pratar, jag hör det.»
»Snacka inte, Fors, framåt.»

Vad säger ni?

Ni pratar om att öppna, så mycket uppfattar jag. Öppna och släppa in.

Du öppnar, Jakob, så släpper jag in. Så säger Elias.

Då är det alltså sant. Jag har lyckats. Jag har gjort det, något har äntligen blivit ställt till rätta.

Men vad väntar ni på?

Först, säger han, släpper du in en, och sedan snabbt de andra och lådan släpper du in allra sist.

Malin skenar, hör rösterna nu, men mer som viskningar vars betydelser är omöjliga att tvinga fram ur ljudvågorna som rör sig mellan träden.

Mummel.

Årtusendens historier och oförrätter nedkallade till detta ögonblick.

Stämmer det att skogen delar sig? Zeke hänger inte med i hennes takt. Han släpar efter, han flåsar, och hon tror att han ska falla. Så tar hon i lite till, spränger fram mellan träden och snön verkar försvinna under hennes fötter, närheten till sanningen får henne att sväva.

Elias Murvall tar ut den första granaten ur lådan. Han ser Jakob stå vid dörren till jordhålan, röken från skorstenen som en slöja bakom honom, skogen i tät givakt, alla stammarna manar på honom: Gör det, gör det, gör det.

Döda din egen bror.

Han har förstört din syster.

Han är ingen människa.

Men Elias tvekar.

»För helvete, Elias», skriker Jakob. »Nu gör vi det. Släng in dem. Släng in dem! Vad i helvete väntar vi på.»

Elias, viskande: »Ja, vad fan väntar vi på?»

»Släng in dem. Släng in dem», Adams röst.

Och samtidigt som Elias drar sprinten ur den första granaten öppnar Jakob hålans meterhöga trädörr.

Ni öppnar nu, jag ser ljuset. Jag är en av er nu.

Äntligen.

Ni är så snälla.

Först ett äpple, för att ni vet att det är något jag tycker om. Det rullar emot mig, grönt i det mjuka gråljuset.

Jag tar upp äpplet, det är kallt och grönt och sedan rullar två äpplen till över mitt jordgolv tillsammans med en fyrkantig låda.

Så snällt.

Jag tar upp ett äpple, det är kallt och hårt av kylan.

Ni är här nu.

Sedan slås dörren igen och ljuset försvinner. Varför då?

Ni sa ju att ni skulle släppa in mig.

Jag undrar när ljuset ska komma tillbaka? Vart kommer allt dånande ljus ifrån?

Zeke har fallit bakom henne.

Vad är det hon ser där framme? Hennes synfält är som en skakig handkamera, bilden rör sig fram och tillbaka och vad är det hon ser?

Tre bröder?

Vad gör de?

De kastar sig neråt på snön.

Och så en smäll, och en till och en till och en eldflamma slår ut ur en utbuktning i snön, och hon kastar sig till marken, känner kylan tränga in i varje ben.

Vapen från ett vapenlager.

Handgranater.

Helvete.

Nu är han borta, tänker Elias Murvall. Han finns inte mer. Jag visade ingen svaghet.

Elias reser sig på alla fyra, dånet från smällen får öronen att ringa, det sjuder av ljud i hela huvudet och han ser Adam och Jakob resa sig, hur dörren flugit av hålan och hur snön som täckt dess tak yr som ett oändligt vitt damm i luften.

Hur kan det se ut där inne?

Smäll en kinapuff i en knuten näve ...

Sätt den i röven på en kattjävel ...

Blodfärgad snö.

Stanken av svett, bränt kött. Av blod.

Vem är det som skriker? En kvinna?

Han vänder sig om.

Ser en kvinna med dragen pistol närma sig borta vid skogsbrynet.

Hon? Hur fan hittade hon hit så snabbt?

Malin har rest sig, går med dragen pistol mot de tre männen som alla kravlar sig upp på knäna, de reser sig, höjer armarna över huvudet.

»Ni har dödat er egen bror», skriker hon. »Ni har dödat er egen bror. Ni tror att han våldtagit er syster men han hade inget med det att göra, era jävlar», skriker hon. »Ni har dödat er egen bror.»

Så kommer Jakob Murvall emot henne.

Han skriker:

»Vi har inte dödat någon. Vi skulle hämta hem honom, vi visste att ni på polisen sökte honom och när vi närmade oss hålan small det.»

Jakob Murvall ler.

»Han våldtog inte er syster», skriker Malin.

Jakob Murvalls leende försvinner från hans läppar, han ser istället förbryllad ut, lurad och Malin sveper med pistolen, låter den klyva luften så snabbt hon kan innan kolven landar på hans näsa.

Blodet rinner ur Jakob Murvalls näsborrar när han stapplar framåt, färgar snön djupt röd och Malin sjunker ner på knä och skriker rakt ut i luften, hon skriker om och om igen men ingen hör hennes skrik som sakta förvandlas till ett vrål samtidigt som en helikopter glider in över gläntan och kväver ljudet som kommer ur hennes lungor. Den förtvivlan och plåga och de fragment av människors liv som det överröstade vrålet innehåller kommer alltid att eka genom skogarna vid Hultsjön.

Hör ni mumlet?

Det oroliga sorlet.

Bruset från mossan.

Det är de döda som viskar, kommer sägnen att säga. De döda och de ännu levande döda.

428

Epilog

Mantorp, onsdag den andra mars

»Jag är inte rädd längre.»
  »Inte jag heller.»
  Det finns inget agg. Ingen förtvivlan, inga oförrätter att förlåta.
  Här finns bara en äppeldoft och bollar som viktlöst flyger genom en rymd som aldrig någonsin tar slut.
  Vi svävar sida vid sida, jag och Karl, som bröder ska göra. Vi ser inte längre jorden, istället ser vi det mesta och vi mår bra.

Rakel Murvall sitter vid kortändan av sitt köksbord, med ryggen mot spisen där en kålpudding just går färdig i ugnen och sprider en sötaktig doft över rummet.

Elias reser sig först.

Sedan Jakob. Och till sist Adam.

»Du ljög, mor. Artiklarna i tidningarna. Han var bror med ...»

»Du visste.»

»Han var ändå vår bror.»

»Du ljög ... du fick oss att döda vår ...»

En efter en lämnar bröderna köket.

Ytterdörren går igen.

Rakel Murvall stryker sitt långa vita hår bakåt.

»Kom tillbaka», viskar hon. »Kom tillbaka.»

Hur det hände?

Malin är säker när hon går mellan klädraderna på H&M i köpcentret Mobilia strax utanför Mantorp.

De slängde in granaterna i hålan, och modern hade lurat dem till det.

Men brödernas berättelse stämmer, omöjligt att bevisa att Karl Murvall inte själv drog ut sprinten till granater som han på något vis kommit över. Det blir någon månad på Skänninge för tjuvjakt och vapeninnehav till sommaren för bröderna, det är allt.

Tove håller upp en rödblommig vårklänning. Frågande, leende.

Malin skakar på huvudet.

Fallet med mordet på Bengt Andersson anses löst, likaså kidnappningen och misshandeln av Rebecka Stenlundh. Gärningsman i båda fallen var offrens egen halvbror, som sprängde sig själv i tusen och åter tusen bitar i en jordhåla som var det närmsta han kom ett hem på den här jorden.

Sådan är den officiella sanningen: »Han kunde inte leva med sina gärningar.»

Jakob Murvall anmälde Malin för övervåld i samband med händelsen, men Zeke stödjer hennes version. »Inget sådant hände. Han måste ha skadat sig i explosionen», och nu får saken bero.

En fråga återstår:

Vem våldtog Maria Murvall?

Malin fingrar på en ljusblå sparkdräkt.

Måste alla frågor få ett svar?

Ute har kylan släppt, även om snötäcket ännu ligger kvar. Den vita hinnan blir tunnare för varje dag och under jorden förbereder sig de första snödropparna på att bryta igenom mörkret. De rör på sig i myllan, snart redo att hälsa på solen.

LÄS MER

*Extramaterial
om boken och
författaren*

I korta drag   2
Bortom paradiset   3
Titlar av Mons Kallentoft   10

LÄS MER

Mons Kallentoft i korta drag

Namn: Mons Kallentoft
Yrke: Författare och journalist
Född: 15 april 1968 i Linköping
Familj: Barnen Karla och Nick, hustrun Karolina
Bor: Stockholm
Bibliografi: *Pesetas* (2000), *Marbella Club* (2002), *Food Noir* (2004). *Fräsch, frisk och spontan (2005)*. *Midvinterblod (2007)*, *Sommardöden (2008)*, *Höstoffer* (2009,) *Vårlik* (2010).
Aktuell: Pocketaktuell med *Vårlik* i Pocketförlaget, samtidigt som *Den femte årstiden* kommer på Natur & Kultur. Läs mer på sida 13.

Mer om Mons:
Hemlig talang: Simma långt under vattnet
Sämsta egenskap: Långsint
Bästa egenskap: Driftighet och uthållighet, generös
Blir glad av: Vin, samtidskonst
Arg av: Girighet, snikenhet
Favoriter i fiktionens värld: Cormac McCarthy, F. Scott Fitzgerald, Easy Rawlins och Sonny i Gudfadern.
Favoritplats: Oriental Hotell, Bangkok

Läs mer på www.monskallentoft.se, där du även kan följa Mons Blogg Noir.

Bortom paradiset
novell om Malin Fors, av Mons Kallentoft

Badplatsen framför Malin.

Gräset är gult, men mjukt mot barnfötterna som trummar ner mot vattenkanten. Filtar utlagda, saft upphällt, ljuden från burkar med öl som öppnas och långt bort i skogen, ett virrvarr av mörker som verkar drunkna i eftermiddagen.

Den stora ekens krona blir svart i motljuset, dess åldrade blad verkar ha skarpslipade kanter som droppar av färskt blod som först faller och sedan frigörs och svävar ut i atmosfären.

Vad är dropparna? tänker Malin Fors. Säkert damm från de augustitorra ängar och åkrar som breder ut sig i denna del av Östergötland.

Tove simmar kanske tjugo meter ut i Motala ströms grå långsamma vatten, vinkar åt Malin och hon vinkar tillbaka.

Tove.

Femton nu.

Är det här den sista sommaren? tänker Malin. Om bara några dagar ska hon avlämnas på Lundsberg och kommer hon någonsin att bli densamma, tänker Malin, och hon vill hålla kvar ögonblicket, vinka dem båda in i en sekund som varar för evigt.

Malin sluter ögonen.

Det är bara åtta timmar sedan. Nu i morse.

En villa i en välmående del av Linköping, de södra delarna.

Det var kvinnan själv som ringde, och hon och Zeke hade lyssnat på bandupptagningen från SOS i bilen på väg dit, en patrullbil redan på plats.

Kvinnans röst lät som ett sönderhackat liv av glas, varje stavelse en skärva som gneds och gnisslade mot en annan och i bakgrunden barn som gnydde snarare än skrek.

"Barnen", sa kvinnan. "Jag gjorde det för barnen. Jag kan göra vad som helst för dem. Jag måste göra vad som helst för dem."

Patrullbilen stod utanför villan när de anlände, en ambulans likaså och de gick in och Malin märkte hur Zeke tvingade sig själv till lugn.

Nu öppnar Malin ögonen igen.

Tove är på väg upp ur strömmen

Är det en kvinna som går mot mig? tänker Malin. Kroppen berättar det. Men vem är den kvinnan? Vem kommer hon att bli?

Bilens innanmäte stinker av en döende sommar, av svett och annalkande höst och hela världen luktar avsked och ensamhet och Tove märker att det är något, att något har hänt och samtidigt som de dånar nedför backen bortom Vreta Klosters kyrka och kan se Linköping skimra vid horisonten, frågar Tove:

"Det hände något på jobbet idag, eller hur?" Malin vill inte svara, vill inte berätta för Tove, tänker: Måste jag svara, tänker: Jag måste ingenting, och Tove verkar acceptera hennes tystnad, men sedan säger hon:

"Du kan inte dölja någonting för mig, det vet du. Eller hur?"

Malin skrattar.

Tar blicken från vägen och vänder sig mot Tove och ljuset glider in från sidan och träffar hennes ansikte och hon blir overkligt vacker. Det är som om ett främmande väsen från en avlägsen bättre galax tagit plats i bilen.

"Du har inte börjat packa än", säger Malin.

"Jag hinner", svarar Tove, sedan säger hon: "Berätta mamma, jag vill veta, var det något snaskigt, i sådana fall kommer jag ju ändå kunna läsa om det på nätet när vi kommer hem."

Gör det, tänker Malin. Läs du.

Jag kan inte hindra dig. Men jag tänker inte berätta, och så sprider sig en tystnad i bilen och ljudet från motorn blir till en minnesmaskin och allt det Malin inte vill berätta för sin dotter finns hos henne, lika påtagligt som någonsin ett nu.

Inne i villan.

En väntan som gjorde allt stilla.

Hon och Zeke lyssnade inåt huset, gick sakta längs en hall som ledde till en matsal som ledde vidare in i ett rum med väggarna täckta av böcker.

Två manliga uniformerade poliser satt på var sin sida om en medelålders kvinna i en klarblå soffa placerad framför ett marmorbord med lejontassar.

Malin och Zeke nickade åt poliserna, sa inget, precis som om tystnaden kunde hålla sanningen på avstånd ännu ett tag.

En av poliserna pekade bort mot ett kök.

I det stora skinande köket, i speglingarna från maskiner i rostfritt stål, satt två kvinnliga poliser med var sitt barn i famnen.

Barnen var tysta. Ljuden från bandet hon och Zeke lyssnat på i bilen redan minnen.

Hur gamla?

Sju, åtta? Pojken.

Tre, fyra, flickan och barnen såg upp på Malin och Zeke med blickar som innehöll känslor som aldrig skulle få något namn. En onämnbar blandning av förtvivlan, rädsla och sorg men också en märklig lättnad, som om de vågade vara sig själva för första gången i de främmande polisernas famnar.

"Han ligger borta i arbetsrummet", sa en av de kvinnliga poliserna, och i samma stund som ordet "han" ekade genom köket, lösgjorde sig pojken och störtade mot Malin, kastade sig om hennes ben och skrek.

"Mamma, ni tar väl inte mamma, mamma får inte hamna i fängelse, hon får inte det, hon får inte det, ni får inte ta mamma."

Malin och Tove parkerar utanför lägenheten på Ågatan. De kliver ur och klockan på St:Larskyrkan visar kvart över sex.

Människor på puben Pull&Bears uteservering.

Öl.

Vin.

Whisky.

Löften om ett enkelt liv.

Och Malin gräver pekfingernaglarna djupt ner i tummarna för att hålla suget efter alkohol stången.

En kyla som minner om höst drar upp från Stångån, och Tove blir stående utan att slå igen bildörren och Malin ser på henne och innan hon hinner säga något öppnar Tove munnen:

"Mamma, du behöver inte oroa dig", säger hon. "Jag kommer att klara mig fint på Lundsberg."

"Det vet jag", säger Malin. "Det är inte det."

"Du kommer inte att bli ensam."

"Nej."

"Du klarar dig, mamma."

Malin nickar, ler, säger:

"Vi går in, jag är hungrig."

Den uniformerade kvinnliga polisen fick slita bort pojken från Malins ben.

"Ta ut dem i bilen för helvete", fräste Zeke och de hade gått vidare in i huset, längs en upplyst korridor, till ett litet rum längst in mot trädgården, ett rum med persiennerna nedfällda, men som ändå var ljust.

Mannen låg med huvudet neråt, fallen från en stol, framför en dator. Baksidan på hans rakade skalle var krossad, intryckt på flera ställen och blodet hade blandat sig med hjärnsubstansen till en levrig gråröd massa.

Hammaren låg bredvid honom på golvet, liksom varsamt lagd där som för att markera slutet på något.

Malin såg ut över det lilla rummet, den stora dataskärmen fylld av en anonym skärmsläckare som varierade mellan olika bilder av paradisstränder.

Kvinnans ord på bandet.

"Jag slog honom med en hammare. Jag gjorde det. Jag gjorde det."

"Hon gjorde det", sa Zeke. "Vi får lämna det här till teknikerna."

"Varför?" frågade Malin sedan rätt ut i rummet, frågan var inte riktad till Zeke utan snarare till henne själv, men han svarade ändå.

"Tydligen var hennes man direktör på ett av stadens största företag. Sådana män har ju ofta kvinnoaffärer, eller hur? Kanske har han varit notoriskt otrogen. Vi kanske ska leta där?"

"Vi får börja med att prata med kvinnan", sa Malin och de lämnade rummet, gick med tunga steg ut i det svävande dammet.

Det tar Malin och Tove en halvtimma att få middagen på bordet.

Spagetti. Köttfärssås. Upptagen ur den lilla frysen.

De äter vid köksbordet under den trasiga Ikeaklockan.

"Berätta för mig", säger Tove igen. "Vad som hände på jobbet."

Malins ser sin dotter lassa in en tugga i munnen.

"Jag trodde du läste på nätet nyss."

Tove skakar på huvudet.

"Jag kollade min Facebook."

"Något nytt?"

"Försök inte mamma. Berätta."

"Det var statistik", säger Malin. "Några som hade bråkat hemma och så gick det fel. Enligt statistiken är det något som brukar hända

6

då och då."

"Hända när då? Hur då?"

Och något i Toves röst är forcerat, nästan självgott, som om hon i sin ungdom vet allt om den här världen och inte behöver tveka inför den, och hon vet en hel del, min dotter, tänker Malin, och kanske har Tove rätt: Hon vet allt hon behöver veta.

"När människor slår ihjäl varandra i det här landet", säger Malin. "Enligt statistiken sker nästan alla mord inom familjen. Vi dödar de vi älskar mest helt enkelt."

Tove blir tyst.

Ser ner i sin tallrik.

"Mer parmesan?" frågar Malin och sträcker påsen med billig, färdigriven ost mot sin dotter.

Kvinnan, barnens mor, såg upp mot Malin och Zeke från sin plats mellan poliserna i den blå soffan.

"Jag var tvungen att göra det", sa hon. "Vad är jag annars för människa?"

Malin satte sig på knä framför henne.

Kvinnans ansikte var stelnat som av en inre kramp, men i hennes ögon vilade en beslutsamhet större än någon Malin sett.

"Jag ville göra det när han satt där inne", säger kvinnan. "Jag var tvungen att göra det just där."

"Varför?" undrade Malin och hon kunde höra de uniformerade poliserna och Zeke andas förväntansfullt ut i rummet.

"Jag var tvungen", sa kvinnan.

"Men varför?"

"För att man ibland måste göra sådant som man egentligen inte vill och som kan verka fel."

"Berätta", sa Malin.

Kvinnan skakade på huvudet, slöt ögonen och Malin undrade vad hon såg bortom ögonlocken i sin ensamhet.

"De tar barnen ifrån mig nu", viskade kvinnan, "Men jag får tillbaka dem, det vet jag."

"Berätta för oss", viskade Malin tillbaka, men kvinnan sa ingenting mer.

Från sin plats vid vardagsrumsfönstret ser Malin Tove diska i köket, hur hon varsamt och noggrant borstar och sköljer tallrikarna de nyss åt på.

"Mamma", ropar Tove från köket. "Kommer han idag?"

"Nej."

"Ska du till honom?"

"Imorgon. Kanske. Han jobbar natt idag."

"Okej."

Peter Anderö. Läkaren hon träffar. Bara han gör det uthärdligt att Tove ska iväg.

Och Malin går ut i köket, tar diskborsten från Tove, säger: "Jag tar över", och sedan ser hon Tove gå in till sitt rum, hur hon verkar uppslukas av rummets mörker, som om dess innandöme endast består av oviss och skrämmande framtid.

Vad hade jag gjort, om jag var kvinnan, mamman, i villan i morse? tänker Malin, och inser att hon vet svaret.

De uniformerade hade lett kvinnan ut till en andra, nyanländ patrullbill, och sedan gick Malin ensam tillbaka till rummet med de nedfällda persiennerna, dataskärmen och den ihjälslagna mannen.

Hon närmade sig datorn med försiktighet, nästan rädd för vad hon skulle kunna hitta bakom skärmsläckarens paradisbilder.

Ett steg.

Två.

Tre.

Och så var hon framme vid datorn och slog hårt med pekfingret ner tangenten A och även om hon anade vad hon skulle få se så var hon tvungen att rygga tillbaka inför den ljudlösa filmen som började rulla på skärmen i fullscreen.

Mannen vid hennes fötter.

Den inslagna skallen.

Hammaren.

De nakna barnen hon såg på skärmen, deras huvuden täckta av svarta huvor. Mannen, det måste vara han jag ser på skärmen, tänkte hon, vad är det han gör, vill inte veta vad han gör, vet vad han gör.

Jag vill inte se det här.

Inga huvor nu.

Sonen och dottern och deras far.

Vill inte se det här.

8

Vill inte.

Och hon började sparka på kroppen vid sina fötter, sparkade om och om igen och sedan sprang hon ut ur rummet, störtade ut ur huset.

Barnen.

Kvinnan.

Var är ni?

Och Malin Fors såg patrullbilarna glida neråt gatan, färdas sakta genom det tjusiga villaområdet. Hon började springa efter bilarna, ropa och skrika men de försvann runt ett gathörn och sedan var de borta.

Hon sjönk ner på knä på asfalten som i augustimorgonen var varm av solen.

Fortsatte att sparka på kroppen i sina tankar. Höll barnen tätt intill sig i samma tankar, smekte deras kinder, sa att allt kommer att bli bra.

Nu, många timmar senare, sitter Malin Fors vid sin sovande dotters säng, stryker henne över kinden, samtidigt som hon viskar:

"Du vet väl att jag skulle offra mitt liv för dig, Tove. Det är vad jag måste göra."

Så öppnar Tove ögonen.

"Jag vet, mamma, jag vet", viskar hon. "Men imorgon kan du börja med att hjälpa mig packa. Jag vet inte i vilken ände jag ska börja. Det är svårt att veta i vilken ände man ska börja, eller hur?"

"Det är svårt, Tove", viskar Malin. "Det är nästan omöjligt."

Sommardöden

Det är den varmaste sommaren någonsin i Östergötland. Linköping
dallrar i hettan och i de omgivande skogarna rasar de värsta skogs-
bränder trakten sett. Tidigt en morgon hittas en fjortonårig flicka
irrandes naken och våldtagen i stadens största park. Flickan själv
minns ingenting och kriminalinspektör Malin Fors och hennes kol-
lega Zeke tvingas försöka nysta i de få ledtrådar som finns. Men hur
hamnade flickan i parken och vem är förövaren? Samtidigt anmäls
en annan flicka försvunnen av sina föräldrar och kort därpå görs en
fasansfull upptäckt vid en badplats utanför staden.

Sommardöden har kommit till Linköping och under några varma
julidagar förvandlas drömmen om sommaren till en fruktansvärd
mardröm...

Sommardöden är andra delen i Mons Kallentofts uppmärksammade
serie om kriminalinspektör Malin Fors vid Linköpingspolisen.

Höstoffer

Regnet vräker ner över slottet Skogså och i vallgraven flyter Jerry Petersson. Advokaten och den nya slottsägaren, känd för sin hänsynslöshet. Hur har han hamnat i vallgraven och vem har lämnat honom där?

Kriminalinspektör Malin Fors misstankar riktas snart mot de tidigare ägarna av slottet, den högadliga familjen Fågelsjö, som med allt annat än glädje sålde sitt släktgods till uppkomlingen Jerry Petersson. Men skulle försäljningen verkligen vara en orsak till mord? Och vem var egentligen människan Jerry Petersson, bakom it-miljonerna, de dyra kostymerna och konsten?

Höstoffer är tredje delen i Mons Kallentofts serie om kriminalinspektör Malin Fors.

Vårlik

Vårsolen skiner över Linköping och de ännu vinterbleka människor
som vågat sig ut på serveringarna runt torget. Några svalor kretsar
i skyn, färgglada tulpaner lyser från stånden och en mamma med
två små barn går mot bankomaten. Då plötsligt slits lugnet itu av
en kraftig explosion.

Kriminalinspektör Malin Fors står framför sin mammas kista när ett
lågt muller bryter tystnaden, och snart är hon på väg till Stora tor-
get och en syn hon aldrig kommer att glömma. Det är glassplitter,
krossade blommor och utspridda grönsaker överallt. En trasig barn-
sko. En duva som pickar i något rött i den öronbedövade tystnaden.

Vårlik är den fjärde delen i Mons Kallentofts serie om kriminalin-
spektör Malin Fors.

Den femte årstiden

"De bestialiska dåden utlöser ett besinningslöst raseri hos kriminalinspektör Malin Fors, som sätter sitt eget liv på spel för att få fram sanningen. Hon är en av de intressantaste karaktärerna i den svenska deckarlitteraturen."
Ingalill Mosander, Aftonbladet

MONS KALLENTOFT
DEN FEMTE ÅRSTIDEN

Det är tidigt i maj som den unga barnfamiljen på skogspromenad utanför Linköping hittar det svårt sargade liket. Det är otäckt välbevarat och spåren efter tortyr på kvinnokroppen är bara alltför tydliga.

Kriminalinspektör Malin Fors tycker sig omedelbart se likheter med fallet Maria Murvall, den unga kvinna som hittades våldtagen och brutalt misshandlad i skogen för fl era år sedan och som sedan dess varit okontaktbar där hon sitter inspärrad på Vadstena sjukhus. Av en slump träffar Malin en psykolog från S:t Lars i Lund som berättar om ett liknande fall, och plötsligt tycks Maria bara vara en liten pusselbit i något mycket större. Men vad är det som är så fruktansvärt att det inte går att tala om?

Den femte årstiden är den femte delen i Mons Kallentofts serie om kriminalinspektör Malin Fors.

Pesetas

Madrid på nittiotalet. Huvudpersonerna är fem människor i tret-
tioårsåldern som alla söker sin plats i tillvaron. Caterina, avhop-
pad läkarstudent, är trött på sitt arbete som sjuksköterska, Sofia är
alkoholiserad och bortstött av sin förmögne far, Carl är en svensk
avhoppad arkitekt som har drivit en bar i konkurs och Emilio och
Paco försörjer sig genom att sälja kokain, som Paco stjäl ur brev i
postsorteringen där han jobbar.

När kokainet slutar komma, bestämmer sig de tre unga männen
för att råna en bank. Det som har varit måste ersättas av något nytt
och det blir inte bara ett bankrån.

Pesetas är en berättelse med högt tempo och en spännande be-
rättelse om hur livet kan gestalta sig i ett framväxande Europa.
Pesetas är Mons Kallentofts debutroman och belönades med Kata-
pultpriset för bästa debut.

Marbella Club

Det unga kärleksparet Vladi och Kati jagas av den ryska maffian
och flyr från Sankt Petersburg till Madrid. För att kunna försörja
sig tvingas Kati in i prostitution på klubbarna i Madrid. När hon är
förbrukad i klubbägarnas ögon söker hon sig ner till Marbella där
hon letar kunder på trendiga barer och lyxhotell.

Där stöter hon ihop med svensken Mats och följer med honom
till hans hotell, Marbella Club. Och där försvinner hon spårlöst. Det
enda som finns kvar av henne är ett meddelande på Vladis telefon.

Vladi bestämmer sig för att resa till Marbella och leta efter de som
eventuellt kan ligga bakom hennes försvinnande. En jakt tvärsige-
nom Europa tar sin början efter svar på vad som egentligen hänt
Kati? Och samtidigt som det förflutna från Sankt Petersburg börjar
göra sig påmint.